LE FRANÇAIS APPRIVOISÉ

MÉTHODE DE GRAMMAIRE FRANÇAISE
AVEC EXERCICES ET CORRIGÉS

SYLVIE CLAMAGERAN
ISABELLE CLERC
MONIQUE GRENIER
RENÉE LISE ROY

Les Éditions de la Faculté des lettres
UNIVERSITÉ LAVAL, QUÉBEC, CANADA

Maquette de couverture: Louis LeBlanc Graphistes inc.
Réalisation et diffusion: Jean Simon, Direction générale de la formation continue
Éditeur: Les Éditions de la Faculté des lettres
© Faculté des lettres, 1989

Tous droits réservés
Dixième impression, août 1997
Dépôt légal, 3e trimestre, 1989
ISBN 2-9801669-0-1

TABLE DES MATIÈRES

AVANT-PROPOS

Le principal objectif que se sont fixé les auteures du *Français apprivoisé* a été d'offrir aux étudiants de niveaux avancé, collégial et universitaire, le moyen d'accéder à une certaine autonomie en français écrit.

Chargées de cours en techniques de rédaction pendant plusieurs années à l'Université Laval, nous nous sommes vite aperçues qu'une grande partie de nos étudiants avaient une si faible connaissance des règles fondamentales de la grammaire qu'ils ne pouvaient pas suivre avec profit un cours de français de niveau universitaire. Leurs résultats aux examens finissaient pas les convaincre que la langue française présentait des difficultés insurmontables et que leurs efforts étaient d'avance voués à l'échec.

Nous avons donc voulu, en concevant ce recueil, ramener l'étudiant au point de départ et lui assurer un apprentissage progressif mais rapide. Cependant, nous ne devions pas perdre de vue que notre clientèle était adulte et très scolarisée. Cette double préoccupation explique que le recueil comprenne une révision systématique des notions les plus fondamentales de la grammaire française d'une part et, d'autre part, la présentation des cas difficiles qu'auront à résoudre, à un moment quelconque de leurs études ou de leur carrière, ces futurs professionnels.

Ce manuel s'adresse aussi à ceux qui désirent simplement se rafraîchir la mémoire. Une fois la révision terminée, il demeurera un outil de travail auquel on pourra se référer pour vérifier les règles difficiles qu'on ne saurait toutes mémoriser.

La réalisation de ce projet a été rendue possible grâce à feu Monsieur Antonien Tremblay, Vice-doyen aux études de premier cycle de la Faculté des lettres de l'Université Laval de 1987 à 1989. Nous remercions également le Doyen de la Faculté, Monsieur André Daviault, Madame la Vice-doyenne Louise Milot, Monsieur le Vice-doyen Jacques Dagneau ainsi que Monsieur Jean-Louis Tremblay, Directeur de l'École des langues vivantes, de nous avoir fait confiance.

Nos remerciements vont aussi à Monsieur François Lépine pour ses conseils et ses encouragements ainsi qu'à l'équipe des chargés de cours et des auxiliaires d'enseignement qui nous ont fait part de leurs commentaires et qui nous ont ainsi aidées à améliorer la présentation de certains points.

Enfin, nous ne pouvons passer sous silence la diligence, la patience et le souci de la perfection de Madame Céline Duval, qui a dactylographié le présent ouvrage, et de Madame Françoise Cordeau, qui en a fait la mise en page.

Même si elle semble parfois rebutante, nous espérons que la grammaire, grâce à ce recueil, se laissera facilement apprivoiser.

Les auteures

PRÉSENTATION DU RECUEIL

Le recueil se divise en dix modules qui correspondent aux dix points grammaticaux et sémantiques énumérés dans la table des matières. Chaque module contient la théorie, les exercices et les corrigés (souvent commentés).

Vous trouverez au début du manuel une série d'exercices préliminaires sur l'utilisation du *Précis de grammaire française* de Maurice Grevisse. Ces exercices visent à faire découvrir aux étudiants le contenu et l'utilité de cet ouvrage de sorte qu'ils puissent facilement le consulter par la suite.

Afin de leur assurer un apprentissage progressif et une démarche cohérente, nous suggérons aux étudiants de respecter l'ordre de présentation des modules. Il faudra aussi éviter de consulter les corrigés, qui se trouvent à la fin de chaque module, au moment même où on fait les exercices. On s'y référera lorsqu'on aura épuisé toutes les autres ressources, c'est-à-dire la théorie contenue dans le recueil et les explications de la grammaire.

Enfin, on remarquera en parcourant le recueil les nombreux renvois au *Précis*. En effet, il nous a semblé inutile d'alourdir le recueil, que nous avons voulu pratique, d'informations que l'on retrouve dans n'importe quelle grammaire. Nous avons choisi le *Précis* parce qu'il est facile à consulter et que de nombreux étudiants l'ont déjà en main. Si vous possédez une autre grammaire, assurez-vous qu'elle est assez générale et qu'elle complète la matière abordée dans le recueil.

COMMENT TRAVAILLER AVEC
LE *PRÉCIS DE GRAMMAIRE FRANÇAISE*
DE MAURICE GREVISSE

EXERCICES PRÉLIMINAIRES

LE *PRÉCIS* DE MAURICE GREVISSE

Un des outils indispensables pour qui veut améliorer son français est une bonne grammaire. C'est dans la grammaire que vous apprendrez pourquoi on écrit *Les années se sont déroulées…* mais *Les années se sont succédé* ; et pourquoi on écrit *Les deux amies étaient toutes contentes et tout excitées.* Vous trouverez bien d'autres choses dans une grammaire, à condition de savoir chercher. C'est ce sur quoi nous allons nous pencher maintenant ; voyons un peu comment est fait le *Précis de grammaire française* de Maurice Grevisse et ce qu'il contient.

Au début de l'ouvrage, Grevisse définit la grammaire comme suit : « étude systématique des éléments constitutifs d'une langue ». Il précise ensuite que la grammaire comprend la **phonétique**, ou science des sons du langage, la **lexicologie**, ou science des mots, la **morphologie**, ou science de la formation des mots et des variations de forme qu'ils subissent dans la phrase, et la **syntaxe**, ou ensemble des règles qui président à l'ordre des mots et à la construction des phrases dans une langue.

Si maintenant on consulte la table des matières, on constate que le *Précis* se divise en quatre grandes parties :

1. Les éléments de la langue

2. La phrase, la proposition

3. Les parties du discours

4. Les propositions subordonnées

Dans la première partie, on trouve : une description des sons du français, de l'accent, de l'intonation et de la liaison ; des explications sur le rôle et l'utilisation des signes orthographiques (accents, tréma, cédille, apostrophe et trait d'union). Cette première partie contient également une classification des mots, des renseignements sur l'origine et sur la formation des mots en français et des tableaux présentant les principaux suffixes, préfixes et radicaux servant à former des mots en français.

La deuxième partie du *Précis* présente les relations qui s'établissent entre les groupes de mots dans la phrase. Grevisse y définit la phrase en distinguant la phrase simple de la phrase complexe et présente les différentes espèces de propositions. Il définit également les principales fonctions (sujet, compléments du verbe, attribut, déterminants et compléments du nom, du pronom, de l'adjectif, etc.) en donnant des précisions sur la nature et, s'il y a lieu, sur la place de ces termes dans la proposition. Des remarques sur le groupement des propositions et l'ordre des mots terminent cette partie de l'ouvrage.

La troisième partie est la plus imposante et sans doute celle qui vous intéressera le plus. Grevisse l'a divisée en neuf chapitres correspondant aux neuf catégories de mots établies dans la première partie. Voici un petit aperçu du contenu de ces chapitres :

1. Le nom : définition, espèces, genre (formation du féminin) et nombre (formation du pluriel).

2. L'article : espèces et emploi.

3. L'adjectif : accord et place de l'adjectif qualificatif ; formes, emploi et accord des adjectifs non qualificatifs (numéraux, indéfinis, etc.).

4. Le pronom : espèces, emploi et remarques sur la place des pronoms compléments.

5. Le verbe : espèces, formes, conjugaison, syntaxe des modes et des temps, accord du participe passé, accord du verbe avec le sujet.

6. L'adverbe : espèces, formation des adverbes en *–ment,* emploi.

7. La préposition : définition, liste et emploi des prépositions.

8. La conjonction : espèces, liste des conjonctions.

9. L'interjection : définition et liste des principales interjections.

C'est donc dans cette troisième partie que vous trouverez réponse à toutes vos questions relatives aux accords, à la conjugaison, à la formation du féminin ou du pluriel des mots.

Dans la quatrième et dernière partie de l'ouvrage, vous trouverez une classification des propositions subordonnées agrémentée de remarques sur l'utilisation des mots subordonnants (conjonctions) et sur l'emploi du mode dans les différents types de propositions subordonnées. Cette partie contient également une section sur la concordance des temps et une autre sur l'emploi des signes de ponctuation.

Remarque

Dans le *Précis*, un index précède la table des matières. Recourir à l'index peut permettre d'économiser du temps, particulièrement si la nomenclature grammaticale ou la structure de l'ouvrage ne nous sont pas familières. Si par exemple on veut trouver rapidement la règle d'accord de *tout* ou de *quelque*, on cherchera à *tout* et à *quel que*, ou *quelque*, dans l'index. Attention cependant : si dans la table des matières les chiffres renvoient aux pages, dans l'index ils renvoient aux paragraphes.

Voilà ! Vous avez déjà une petite idée de ce que contient le *Précis de grammaire française*. Les exercices qui suivent vous permettront de vous familiariser davantage avec cet ouvrage et d'apprendre à l'utiliser.

EXERCICES

L'ordre des questions suit l'ordre des articles dans le *Précis* (de l'article 1 à l'article 508). Aidez-vous de la table des matières et de l'index pour repérer l'information et indiquez dans quel article vous avez trouvé la réponse à chacune des questions. Bonne chasse !

1. Qu'est-ce que Grevisse appelle les signes orthographiques ?

   accents, tréma, cédille, apostrophe et trait d'union

   (art. : *11*)

2. Quelle est l'utilité de l'accent grave dans des mots comme *à*, *là*, *dès*, *où*, *çà* ?

   les mots peuvent être distingués d'autres mots homonymes

   (art. : *13/3*)

3. L'accent circonflexe peut aussi servir à distinguer des homonymes. Donnez quelques exemples.

   dû / du   crû / cru   mûr / mur

   (art. : *13/3*)

4. Où doit-on placer les traits d'union, s'il y a lieu, dans les groupes de mots suivants ?

   a) moi-même

   b) ci-dessous

   c) ces papiers-ci

   d) Donnez-nous-en

   e) Faites-le

   f) Est ce que… ?

   g) un pied-à-terre

   h) Que vois-je ?

   i) Arrive-t-il ?

   j) vingt et un mille quatre-vingt-dix-huit

   (art. : *16*)

5. Doit-on écrire

   a) j'ai besoin de onze oeufs ou

   b) j'ai besoin d'onze oeufs ?

   ...... *j'ai besoin de onze oeufs* .... (art. : 22)

6. Quelles sont les quatre espèces de mots invariables ?

   ... *adverbe, conjonction, interjection, préposition* .... (art. : 23b)

7. Homonymes, paronymes, synonymes, antonymes : lequel de ces quatre types de rapports s'établit entre les mots des paires suivantes ?

   a) facile, aisé .... *synonymes* ....

   b) conjoncture, conjecture ...... *paronymes* ....

   c) clair, obscur .... *antonymes* ....

   d) prolongation, prolongement ...... *paronymes* ....

   e) conteur, compteur .... *homonymes* ....

   f) différent, différend .... *homonymes* ....

   g) intention, dessein .... *synonymes* ....

   h) vénéneux, venimeux ..... *paronymes* ....

   i) timidité, audace .... *antonymes* ....

   (art. : 35)

8. *Pif! Paf! Miaou!* Comment appelle-t-on ces mots qui reproduisent des sons, des bruits ?

   .... *onomatopées* .... (art. : 31)

9. Combien de verbes contient une phrase simple ?

   .... *une verbe* .... (art. : 40)

10. Combien de verbes contient une proposition ?

    .... *une verbe* .... (art. : 40)

11.   Combien de verbes contient une phrase complexe ? *composée*

.....*plusieurs verbes dont chacun est la base d'une*..... (art. : *41*...)
proposition distincte

12.   Comment doit-on poser la question pour trouver le sujet ?

.....*qui est-ce qui ? (personne)...qu'est-ce que*............. (art. : *42*.)

13.   Quelles sont les différentes sortes de compléments du verbe ?

....

.... (art. : ......)

14.   Dans les phrases suivantes, les adjectifs en italique sont-ils épithète ou attribut ?

      a)   Cette voiture *luxueuse* te coûterait une fortune.

      .... (art. : ......)

      b)   Ces exercices *amusants* sont-ils *efficaces* ?

      ....

      .... (art. : ......)

15.   La conjonction de coordination et la préposition sont des mots de liaison. Quelle est la différence entre les deux ? Servez-vous des mots de liaison de la phrase suivante pour expliquer votre réponse.

      Pierre *et* Lorraine iront *à* Trois-Rivières la semaine prochaine.

      ....

      ....

      .... (art. : ......)

16.   Quelles sont les principales conjonctions de coordination ?

      ....

      .... (art. : ......)

17.   Dans laquelle des quatre phrases suivantes les accords avec le mot *gens* sont-ils correctement faits ?

 a)   Certaines gens ne sont heureuses que quand elles travaillent.

 b)   Certains gens ne sont heureux que quand ils travaillent.

 c)   Certaines gens ne sont heureux que quand ils travaillent.

 d)   Certains gens ne sont heureuses que quand elles travaillent.

....

.... (art. :......)

18.   Le nom *pneu* prend un *s* au pluriel. Cependant les noms en *eu* prennent généralement un ...... au pluriel. Quelle est l'autre exception ?

.... (art. :......)

19.   Un seul des quatre mots composés suivants est accordé correctement. Indiquez lequel et corrigez l'accord des trois autres.

 a) des garde-malades   *c)* des presse-papiers

 b) des gardes-robes   *d)* des couvre-lit

....

....

.... (art. :......)

20.   Dans laquelle des phrases suivantes l'adjectif *blond cendré* est-il correctement accordé ?

 a)   Il a des cheveux blonds cendrés magnifiques.

 b)   Il a des cheveux blond cendré magnifiques.

 c)   Il a des cheveux blond cendrés magnifiques.

.... (art. :......)

21.   Comment écrira-t-on le mot *nu* dans les expressions

   a)   se promener .... pieds

   b)   sortir   tête .... ?

(art. : .....)

22.   Écrit-on
   a)   la page trois cents ou
   b)   la page trois cent ?

   .... (art. : ......)

23.   Lequel de ces nombres est mal orthographié ? Corrigez-le.

   a)   quatre-vingts-deux

   b)   quatre-vingts millions

   c)   quatre-vingts

   .... (art. : ......)

24.   L'adjectif indéfini *aucun* ne s'emploie généralement qu'au singulier. Dans l'expression *aucuns frais*, *aucun* prend cependant la marque du pluriel. Comment Grevisse explique-t-il cet emploi particulier ?

   ....

   .... (art. : ......)

25.   Dans laquelle des phrases suivantes le mot *quelque* est-il correctement orthographié ?

   a)   Il habite à quelque cinq kilomètres d'ici.

   b)   Il habite à quelques cinq kilomètres d'ici.

   .... (art. : ......)

26.   Quelle est la nature du mot *quelque* dans la question précédente (n° 25) ?

   .... (art. : ......)

27.   Laquelle des deux formes impératives suivantes est la bonne ?

   a) Donne-le-moi.

   b) Donne-moi-le.

   .... (art. :......)

28.   Qu'est-ce qu'un verbe impersonnel ?

   ....

   .... (art. :......)

29.   Écrit-on

   a) vous contredisez ou

   b) vous contredites ?

   .... (art. :......)

30.   Quel est le participe passé du verbe *acquérir* ?

   .... (art. :......)

31.   Quelle est l'orthographe des participes présents correspondant aux adjectifs verbaux suivants ?

   a) équivalent ....

   b) négligent ....

   c) communicant ....

   d) provocant ....

   e) fatigant ....

   (art. :......)

32.   Écrit-on

   a) passé cette date, nous ne serons plus en mesure de vous aider ou

   b) passée cette date, nous ne serons plus en mesure de vous aider ?

   .... (art. :......)

33.   Accordez le verbe dans les phrases suivantes :

   a)   La plupart (*pense* ou *pensent*) que le français est facile.

   .... (art. : ......)

   b)   Plus d'un étudiant *veut* ou *veulent* prolonger la session.

   .... (art. : ......)

34.   La règle générale de formation des adverbes veut que l'adverbe s'obtienne en ajoutant –*ment* au féminin de l'adjectif (*grande –grandement*). Cependant, de nombreuses règles particulières compliquent la tâche. En vous aidant des explications de Grevisse, placez les adverbes correspondant aux adjectifs suivants dans les catégories appropriées :

   présent, gentil, commode, vrai, puissant, conscient, bête, plaisant, incident, profond, uniforme, agressif, habituel, incessant, impuni, inconscient, étonnant.

   a)   adverbes en –*MENT* :

   ....

   ....

   b)   adverbes en –*EMMENT* :

   ....

   ....

   c)   adverbes en –*AMMENT* :

   ....

   ....

   d)   adverbes en –*ÉMENT* :

   ....

   ....

   (art. : ......)

35.   Si j'(*avais* ou *aurais*) le temps, je te donnerais volontiers un coup de main.

       .... (art. : ......)

36.   Après avoir lu les explications de Grevisse sur l'emploi des deux points et du point-virgule, placez celui des deux signes de ponctuation qui convient à l'endroit indiqué dans les phrases suivantes :

   a)   Elle est rentrée chez elle plus tôt que d'habitude ... son enfant est malade.

   b)   À l'issue du match, le joueur-étoile des Cubs a déclaré ... « Je n'ai jamais éprouvé autant de satisfaction. »

   c)   Nous passerons une semaine à New York le mois prochain ... nous en profiterons pour visiter quelques musées et pour voir quelques spectacles.

   d)   Les qualités du style sont ... clarté, précision, concision et simplicité.

CORRIGÉ

1. Les accents, le tréma, la cédille, l'apostrophe et le trait d'union. (art. 11)

2. L'accent sert à les distinguer d'autres mots homonymes : *a, la, des, ou, ça.* (art 12 b, 3°)

3. mûr/mur, dû/du, crû/cru, il croît/il croit, hâler/haler (art. 12 c)

4. **a**) moi-même **b**) ci-dessous **c**) ces papiers-ci **d**) Donnez-nous-en **e**) Faites-le **f**) Est-ce que… ? **g**) un pied-à-terre **h**) Que vois-je ? **i**) Arrive-t-il ? **j**) vingt et un mille quatre-vingt-dix-huit (art. 16 ; voir aussi art. 200, Rem. 2)

5. a) J'ai besoin de onze oeufs. (art. 22)

6. L'adverbe, la préposition, la conjonction, l'interjection. (art. 23 b)

7. **a**) synonymes **b**) paronymes **c**) antonymes **d**) paronymnes **e**) homonymes **f**) homonymes **g**) synonymes **h**) paronymes **i**) antonymes (art. 35, 36, 37 et 38)

8. Des onomatopées (art. 31)

9. Un seul (art. 40, 1° a et 41)

10. Un seul (art. 40, 2°)

11. Plusieurs, dont chacun forme la base d'une proposition distincte. (art. 41)

12. Qui est-ce qui ? Qu'est-ce qui ? (art. 42)

13. Le complément d'objet (direct ou indirect), le complément circonstanciel et le complément d'agent du verbe passif. (art. 47 à 57)

14. **a**) épithète **b**) épithète ; attribut (art. 63, 2º)

15. La conjonction de coordination unit entre eux des éléments semblables : ainsi, *et* unit les deux sujets du verbe *iront, Pierre* et *Lorraine*, qui sont deux noms propres. La préposition unit un complément au mot qu'il complète : ainsi, *à* fait le lien entre le complément circonstanciel *Trois-Rivières* et le verbe *iront* (iront où ? à Trois-Rivières). (art. 67, 428 et 441)

16. Et, ou, ni, mais, car, or, donc, cependant, toutefois, néanmoins. (art. 446)

17.   c) Certaines gens ne sont heureux que quand ils travaillent. (art. 104 b)

18.   x ; bleu   (art. 115)

19.   **c)** des presse-papiers est correct ; des gardes-malades, des garde-robes, des couvre-lits (art. 126)

20.   b) Il a des cheveux blond cendré magnifiques. (art. 185)

21.   **a)** nu-pieds (ne pas oublier le trait d'union) **b)** tête nue (art. 194)

22.   b) la page trois cent   (art. 201, Rem. 1)

23.   a) quatre-vingt-deux   (art. 201)

Note : *Million* est un nom, pas un adjectif numéral. (art. 202, Rem. 2)

24.   *Aucun* et *nul* s'emploie au pluriel devant des noms qui n'ont pas de singulier. (art. 219)

25.   a) Il habite à quelque cinq kilomètres d'ici. (art. 220 c)

26.   *Quelque* est adverbe et par conséquent invariable. (art. 220 c)

27.   a) Donne-le-moi. Après un verbe à l'impératif, on place en premier le pronom complément d'objet direct puis le pronom complément d'objet indirect. L'ordre inverse appartient à la langue familière. (art. 236 b)

28.   C'est un verbe qui ne s'emploie qu'à la troisième personne du singulier et qui a pour sujet apparent le pronom neutre *il* (qui ne représente personne). (art. 288)

29.   a) Vous contredisez. (art. 349, contredire)

30.   acquis, acquise   (art. 349, acquérir)

31.   **a)** équivalant   **b)** négligeant   **c)** communiquant   **d)** provoquant   **e)** fatiguant (art. 375)

Note : L'adjectif verbal s'accorde avec le nom auquel il se rapporte ; le participe présent est invariable. *Ses paroles provocantes* (adjectif verbal) *nous ont surpris et choqués. En provoquant* (participe présent) *le débat, les députés ne prévoyaient pas qu'il prendrait une telle ampleur.* (art. 376)

32.   a) Passé cette date, nous ne serons plus en mesure de vous aider. (art. 381)

33.   **a**) pensent ; quand *la plupart* est utilisé seul (sans complément), on met le verbe à la 3ᵉ personne du pluriel. Si *la plupart* est suivi d'un complément, on accorde le verbe avec ce complément : *La plupart du monde pense… La plupart des gens pensent que…* (art. 395 a, Rem. 1)   b) veut (art. 395 b, Rem. 1)

34.   **a**) adverbes en –MENT : présentement, gentiment, vraiment, bêtement, agressivement, habituellement **b**) adverbes en –EMMENT : consciemment, incidemment, inconsciemment   **c**) adverbes en –AMMENT : puissamment, plaisamment, incessamment, étonnamment   **d**) adverbes en –ÉMENT : commodément, profondément, uniformément, impunément   (art. 407)

35.   avais (Les *scies* mangent les *raies* nous disaient nos professeurs…) (art. 352 b, 6°)

36.   **a**) deux points (explication) (art. 501, 2°)
       b) deux points (discours direct) (art. 501, 1°)
       c) point-virgule (art. 500)
       d) deux points (énumération) (art. 501, 2°)

MODULE I

DE LA PHRASE SIMPLE À LA PHRASE COMPLEXE :
NATURE ET FONCTION DES CONSTITUANTS

DE LA PHRASE SIMPLE À LA PHRASE COMPLEXE

1. LA PONCTUATION FORTE

Avant de commencer, voyons comment ça se termine. La phrase se termine à l'écrit par le signe de ponctuation qu'exige son ton à l'oral, soit par :

- Le point : ton déclaratif (neutre)

  Lucie a envoyé sa lettre de démission.

- Le point d'exclamation : ton exclamatif (surprise, ordre, indignation, etc.)

  Lucie a envoyé sa lettre de démission !
  Envoie ta lettre de démission !

- Le point d'interrogation : ton interrogatif (interrogation directe)

  Est-ce que Lucie a envoyé sa lettre de démission ?
  Lucie a-t-elle envoyé sa lettre de démission ?

Notez que l'interrogation indirecte n'est pas suivie d'un point d'interrogation, mais d'un point :

  Je me demande si Lucie a envoyé sa lettre de démission.

Généralement, les points d'exclamation et d'interrogation sont, comme le point, suivis d'une majuscule. Cependant, lorsqu'ils ne terminent pas la phrase, ils sont suivis d'une minuscule :

  Il me cria : « Salut camarade ! » **et** *continua sa route sans s'arrêter.*
  « Osera-t-elle se présenter à la réception ? » **me** *demanda Jean avec un air inquiet.*

EXERCICE 1
Mettez à la fin des phrases le signe de ponctuation qui convient.

1. Un vrai petit monstre, cet enfant

2. Toi, qu'est-ce que tu répondrais

3. Pourquoi garde-t-il sa tête enfouie sous l'oreiller

4. C'est étonnant que vous posiez cette question

5. Maintenant, passons au deuxième point

6. Retournes-y, chez ta mère

7. Je me demande qui vous a rapporté ces paroles

8.   N'est-il pas criblé de dettes, cet homme

9.   Janvier est le mois que je préfère

10.   Quelqu'un a-t-il trouvé la solution

11.   Il venait nous voir tous les matins

12.   Qu'elle est belle, cette plage

13.   Mange ta soupe

14.   Dis-moi quel temps il fait

15.   Dis-moi, quel temps fait-il

EXERCICE 2
Ponctuez le court texte qui suit et ajoutez les majuscules nécessaires.

Je me demande ce qu'il a bien pu leur raconter leur aurait-il dévoilé mon secret j'aurais dû m'en méfier son regard était fuyant et son sourire hypocrite d'ailleurs n'a-t-il pas trahi son propre frère « quelle naïveté » me dirait Yvonne mon Dieu s'il fallait qu'il m'ait dénoncé

NATURE ET FONCTION

Dans les deux sections qui suivent, nous traiterons des **fonctions** et des **parties du discours**. Les parties du discours, ou catégories grammaticales, correspondent à la nature des mots. Les principales sont : le nom (ou substantif), l'article, le pronom, l'adjectif, l'adverbe, la préposition, la conjonction et le verbe. Les fonctions sont les types de relations qui s'établissent entre les mots ou les groupes de mots : fonctions sujet, complément, attribut, épithète et déterminant.

2 . LES FONCTIONS LIÉES AU VERBE

Indépendamment du temps qu'il exprime, le verbe est le mot autour duquel s'articulent les principaux rapports. En effet, le repérage des fonctions sujet, complément d'objet, complément circonstanciel, attribut, se fait à partir de lui. C'est à celles-ci que nous réservons la section qui suit. Quant aux fonctions qui ne sont pas directement reliées au verbe, elles seront introduites dans la section suivante, selon le lien qu'elles entretiennent avec une partie du discours en particulier.

2.1 Le sujet

Logiquement, le sujet est le mot ou le groupe de mots sur lequel est fait un commentaire par l'intermédiaire du verbe et de ses compléments. Par exemple, dans :

Pierre arrive.

le verbe *arrive* est un commentaire à propos du sujet *Pierre*. Si on ajoute un ou des compléments au verbe *arrive*, on ajoute simplement des informations supplémentaires concernant le même sujet *Pierre* :

Pierre arrive de Montréal à huit heures.

Le verbe peut donner, à propos du sujet, les informations suivantes :

- Le sujet fait l'action :

Pierre mange une pomme.
Pierre arrive.

- Le sujet subit l'action :

La pomme est mangée par les vers.
Cette maison a été construite par mon père.

- Le verbe exprime l'état du sujet :

Les pommes sont mûres.
Pierre est malade.

La façon la plus sûre et la plus pratique de reconnaître le sujet est de poser la question *qui est-ce qui ?* (sujet animé) ou *qu'est-ce qui ?* (sujet inanimé) **avant le verbe**.

Attention toutefois, car cette question amène tout droit au sujet sémantique (ou réel) qui ne correspond pas nécessairement au sujet grammatical avec lequel le verbe doit s'accorder. Ainsi, dans l'exemple :

Il tombe des clous !

la réponse à la question *qu'est-ce qui tombe ?* est *des clous !* Or, le verbe, qu'on dit ici **impersonnel**, s'accorde avec le pronom neutre *il* de la 3e personne du singulier.

Le sujet n'est pas nécessairement composé d'un seul mot ou du nom et de l'article. Un groupe de mots ayant pour cœur un nom ou un verbe peut répondre à la question *qui est-ce qui ?* ou *qu'est-ce qui ?* On l'appelle **groupe sujet**.

Il arrive demain.
Qui est-ce qui arrive demain ? *Il* (pronom)

Les enfants de mon frère Pierre arrivent demain.
Qui est-ce qui arrive demain ? *Les enfants de mon frère Pierre* (groupe nominal)

> ***Mon frère qui est médecin*** *arrive demain.*
> Qui est-ce qui arrive demain ? *Mon frère qui est médecin*
> (groupe nominal incluant une proposition relative)

> ***Se lever tôt*** *est une bonne habitude.*
> Qu'est-ce qui est une bonne habitude ? *Se lever tôt* (proposition infinitive)

> ***Qu'il soit parti*** *m'étonne.*
> Qu'est-ce qui m'étonne ? *Qu'il soit parti*
> (proposition subordonnée)

La phrase est donc constituée, en réalité, de deux grandes parties : le groupe sujet et le groupe verbal, comprenant le verbe et ses compléments.

EXERCICE 3
Trouvez le sujet des verbes en caractères gras.

1. Pierre **apportera** le vin.

    ....

2. Tu **devrais** le rencontrer.

    ....

3. Cette maison **a été construite** en un temps record.

    ....

4. Me **reconnaissez**-vous ?

    ....

5. Je vous le **ferai** parvenir par courrier.

    ....

6. Le syndicat et la partie patronale **sont** enfin **arrivés** à un accord.

    ....

7. La publicité de ce magasin **est** toujours ridicule.

    ....

8. L'instabilité de son caractère m'**incite** à rejeter sa candidature.

    ....

9. Votre passeport ainsi que vos cartes de crédit **doivent** toujours être en lieu sûr.

    ....

10. Fumer **est interdit** dans cette salle.

    ....

11. Il me **faut** encore 350 g de farine.

    ....

12. Les enfants de la garderie « La coccinelle volante » vous **invitent** à assister à leur spectacle pour la fête de la Sainte-Catherine.

    ....

13. C'est la colline sur laquelle **paissaient** jadis les chèvres de Raphaël.

    ....

14. Les amis du frère de l'amie de Paul **sont portés** disparus.

    ....

15. Cela **est** surprenant.

    ....

16. Il **fait** encore un vent à décorner les boeufs.

    ....

17. Ronger son frein ne **sert** à rien.

    ....

18. J'**ai vu** le canot dériver au large.

    ....

19. **Sont arrivés** premiers ex aequo : Luc Letarte et Manon Beauregard.

    ....

20.   Il **est** difficile de se remettre de la perte d'un être cher.

....

21.   Mes amis **s'imaginent** que je suis une fille frivole.

....

22.   **Croit**-il encore au Père Noël ?

....

23.   Près du château se **trouvait** une vieille baraque. C'est là que se **cachait** Pierrot lorsqu'on l'avait grondé.

....

24.   **Est**-ce vrai qu'il **pleut** toujours à Londres ?

....

25.   Ce **sont** des sentiments bien légitimes.

....

26.   On s'attend à ce que s'**enveniment** les relations déjà fragiles entre le Koweit et l'Algérie.

....

27.   Dorloter ses enfants n'**est** pas un service à leur rendre.

....

28.   Les policiers de la ville de Sainte-Foy **feront** encore une fois l'objet d'une enquête.

....

29.   Vous **résoudrez**-vous enfin à respecter vos étudiants ?

....

30.   Le statut des réfugiés politiques aux États-Unis **est** précaire.

....

2.2 Les compléments d'objet direct (c.o.d.) et indirect (c.o.i.)

Le complément d'objet est le mot ou le groupe de mots désignant l'être (ou la chose) sur lequel s'exerce ou passe l'action du sujet, qui est exprimée par le verbe. Si le complément d'objet n'est pas précédé d'une préposition, il est dit **direct** ; l'action exprimée par le verbe s'exerce alors directement sur l'objet :

*Sophie aime **son chat**.*
*Vincent mange **une pomme**.*

Pour trouver le complément d'objet direct, on pose la question *qui* ? ou *quoi* ? **après le sujet et le verbe** :

Sophie aime *quoi* ? *son chat*
Vincent mange *quoi* ? *une pomme*

Si, au contraire, le complément d'objet est précédé d'une préposition, généralement **à** ou **de**, parfois **pour** ou **contre**, il est dit **indirect** :

*Sophie parle **à son chat**.*
*Vincent parle **de Sophie**.*
*Sophie a fait un gâteau **pour Pierre**.*
*Vincent parle **contre Sophie**.*

Pour trouver le complément d'objet indirect, on pose la question *à qui* ? ou *à quoi* ?, *de qui* ? ou *de quoi* ?, *pour qui* ? ou *pour quoi* ?, *contre qui* ? ou *contre quoi* ? **après le sujet et le verbe** :

Sophie parle **à qui** ? *à son chat*
Vincent parle **de qui** ? *de Sophie*
Sophie a fait un gâteau **pour qui** ? *pour Pierre*
Vincent parle **contre qui** ? *contre Sophie*

Les prépositions *à* et *de* ne sont pas toujours « visibles ». Elles sont comprises dans certains pronoms en fonction complément d'objet indirect :

*Sophie **nous** parle.* (parler **à** nous)
*Sophie **leur** parle.* (parler **à** eux)
*Sophie **en** parle.* (parler **de** cela)

Elles sont parfois contractées avec un article :

*Sophie succédera **au** directeur.* (succéder **à**)
*Sophie pense **aux** vacances.* (penser **à**)
*Sophie se souvient **du** bon vieux temps.* (se souvenir **de**)

Elles peuvent aussi être omises devant des subordonnées complément d'objet indirect :

Je me souviens qu'elle en a déjà parlé.
*(Je me souviens **de**)*

Comme le sujet, le complément d'objet peut être un nom, un groupe nominal, un pronom, un verbe à l'infinitif, une proposition.

Complément d'objet direct :

*Jacques promène **le bébé**.* (article + nom)
*Jacques promène **le bébé et le chien de ses amis**.* (groupe nominal)
*Jacques **les** promène.* (pronom)
*Jacques veut **partir**.* (verbe à l'infinitif)
*Il a vu **un film qu'il n'a pas aimé**.* (nom + proposition relative)
*Jacques veut **que tu finisses tes devoirs**.* (proposition subordonnée)

Complément d'objet indirect :

*Sophie pense **à Montréal**.* (nom)
*Sophie pense **à son dernier voyage à Montréal**.* (groupe nominal)
*Sophie **y** pense.* (pronom)
*Sophie pense **à ce que tu lui as proposé**.* (pronom + proposition relative)
*Sophie s'attend **à ce qu'il arrive tô**t.* (proposition subordonnée)

EXERCICE 4

Relevez les compléments d'objet direct (c.o.d.) et indirect (c.o.i.) des verbes en caractères gras.

1. Nous **avons rencontré** Jean au cinéma hier soir.

    ....

2. **Devine** qui ils ont rencontré hier soir.

    ....

3. Il n'a pas changé : il nous **a raconté** une histoire sans queue ni tête.

    ....

4. C'est M. Filion qui **succédera** à Mme Tremblay.

    ....

5.   **Rends**-moi ce livre.

....

6.   Je t'**ai** souvent **mis en garde** contre lui.

....

7.   **Téléphone**-moi en rentrant.

....

8.   Si tu vas à Chicoutimi, **dis**-le-moi.

....

9.   Que me **voulez**-vous ?

....

10.   Pierre **a avoué** ne pas **avoir fermé** la porte à clé.

....

11.   **Te souviens**-tu du nom du réalisateur ?

....

12.   Ce livre m'**a** réellement **déçu**.

....

13.   **Ouvre**-lui donc la porte à ce pauvre chat.

....

14.   Martin **croit** toujours tout ce qu'on lui dit.

....

15.   Je vous **salue** bien bas, Messieurs Dames !

....

16.   On m'**a demandé** de **réviser** les épreuves de trois articles qui paraîtront dans la revue *Sons et Image* le mois prochain.

    ....

17.   Je **crains** que nous n'**ayons vendu** la peau de l'ours avant de l'**avoir tué**.

    ....

18.   Je lui **ai rendu** tout ce qu'il m'avait donné.

    ....

19.   **Peux**-tu **prendre** mon tailleur en rentrant ce soir ?

    ....

20.   J'**ai** encore **battu** Lucien aux quilles.

    ....

21.   Nous nous **battons** à tour de rôle à ce jeu.

    ....

22.   **Lave** ton petit frère et **mets**-le au lit à huit heures.

    ....

23.   Tu te **laves** trop souvent, c'est ce qui **rend** ta peau si sèche.

    ....

24.   L'auteur **a tenté** de **recréer** l'atmosphère de la province anglaise du XIXe siècle.

    ....

25.   Pendant quelque temps, nous **devrons** lui **donner** le plus d'attention possible.

    ....

26.   Je le lui **ai demandé**.

    ....

27.   Quant aux modalités de paiement, nous y **reviendrons**.

....

28.   Quinze semaines de cours ne suffisent pas, j'en **suis** bien **consciente**.

....

29.   Vous m'**étonnerez** toujours, Jean-Louis.

....

30.   Les compléments d'objet, nous en **avons** assez **parlé** !

....

2.3   L'attribut

L'attribut sert à caractériser le sujet par l'intermédiaire d'un verbe d'état (*être, sembler, paraître, devenir*, etc.) ou le complément d'objet direct par l'intermédiaire d'un verbe d'action. Le nom, l'adjectif ou une phrase entière peuvent occuper cette fonction.

Attribut du sujet :

*La montagne est **belle**.*
*Françoise **est devenue la directrice de notre département**.*
*Mon opinion est **qu'il sera élu**.*

Attribut du complément d'objet direct :

*Ils ont déclaré Pierre **vainqueur**.*
*Ils l'ont déclaré **vainqueur**.*
*La majorité a jugé Jean **coupable**.*
*La majorité l'a jugé **coupable**.*
*En l'empesant, j'ai rendu mon chemisier **comme neuf**.*
*En l'empesant, je l'ai rendu **comme neuf**.*

À première vue, l'attribut du complément d'objet direct peut être confondu avec l'adjectif épithète d'un complément d'objet direct, c'est-à-dire avec un adjectif qui modifie directement le complément d'objet direct. Vous verrez mieux la différence entre les deux si l'on ajoute une épithète en plus de l'attribut :

*En l'empesant, j'ai rendu mon **vieux** chemisier comme neuf.*

Vieux est une qualité immédiate du chemisier ; *neuf*, le résultat d'une action. L'épithète peut d'ailleurs être reprise avec le nom par le pronom :

Je l'ai rendu comme neuf. (mon vieux chemisier)
Je les ai rendus comme neufs. (mes vieux chemisiers)
Je les ai rendues comme neuves. (mes vieilles chemises)

L'attribut, lui, **ne peut** être repris avec le nom par le pronom :

*[1]*Je l'ai rendu.* (J'ai rendu mon chemisier comme neuf.)
**Ils l'ont déclaré.* (Ils ont déclaré Pierre vainqueur.)
**La majorité l'a jugé.* (La majorité a jugé Jean coupable.)

Ce qu'il faut retenir, c'est donc que l'épithète qualifie le substantif sans intermédiaire :

*Je porte un chemisier **neuf**.*

alors que la caractérisation apportée par l'attribut passe nécessairement par le verbe :

*Je le croyais **neuf**.*

On aura également remarqué que l'adjectif attribut s'accorde en genre et en nombre avec le mot qu'il caractérise.

EXERCICE 5

Distinguez les attributs du sujet, les attributs du complément d'objet direct et les épithètes.

Lorsque vous hésitez entre un attribut du complément d'objet direct et une épithète, remplacez le complément d'objet direct par un pronom ; si l'adjectif reste à sa place, il s'agit d'un attribut, s'il « disparaît », c'est une épithète :

*J'ai mis ma robe **neuve** pour la soirée.*
Je l'ai mise pour la soirée. (*neuve* est épithète)
*Je croyais cette robe **trop sexy pour moi**.*
**Je la croyais.*
*Je la croyais **trop sexy pour moi**.* (*trop sexy pour moi* est attribut)

1.   L'examen était **trop difficile**.

      ....

2.   Pierre a raté cet examen **trop difficile**.

      ....

---

[1]   L'astérisque (*) indique un mot, une forme ou une construction incorrecte.

3.   Lucie a trouvé l'examen **trop difficile**.

....

4.   Ces élèves sont **impolis**.

....

5.   Le professeur a traité ses élèves **d'impolis**.

....

6.   Le professeur a puni les élèves **impolis**.

....

7.   Il a hérité d'une maison **centenaire**.

....

8.   Les exercices deviennent **de plus en plus simples**.

....

9.   Au néon, ma robe paraît **bleue**.

....

10.   Nous avons cru Marie **complètement folle**.

....

11.   Il aime le vin **un peu vert**.

....

12.   Ils trouvaient leurs blagues **brillantes**.

....

13.   Je contemplai le paysage **grandiose** qui s'offrait à nos yeux.

....

14.   Les journées ensoleillées ont été **rares** en septembre.

....

15.   J'ai trouvé sa communication **ennuyeuse**.

....

16.   Nous estimons ce projet **irréalisable**.

....

17.   Sa fleur préférée est **le crocus**.

....

18.   Il a planté surtout des crocus **jaunes**.

....

19.   Il les préfère **marinés**.

....

20.   J'ai apprécié ce film **polonais**.

....

2.4 Le complément circonstanciel

Le complément circonstanciel, comme son nom l'indique, spécifie dans quelles circonstances l'événement se produit : le lieu, le moment, la cause, le but, la manière. Il peut également : apporter des précisions concernant le poids, le prix, la distance ; marquer une opposition ou un résultat. S'il est le plus souvent introduit par une préposition :

> *J'irai **à Toronto*** (lieu)
> ***chez Sylvie*** (lieu)
> ***pour son anniversaire*** (cause)
> ***avec Hélène*** (accompagnement)
> ***à la Fête du travail*** (moment)
> ***en train*** (moyen, manière)
> ***malgré mon mari.*** (opposition)

l'absence de préposition est assez fréquente :

> *La dinde que nous avons achetée **la semaine dernière** (moment) coûtait **vingt dollars** (prix) et ne pesait que **trois kilos** (poids). C'est du vol.*

Un nom, un pronom, un adverbe, un verbe, une proposition peuvent être compléments circonstanciels :

*Je vais **à l'université**.*
Je vais où ? *à l'université* (article + nom)
***J'y vais**.*
Je vais où ? *à y* (pronom qui remplace université)
*J'y vais **pour réussir**.*
J'y vais pourquoi ? *pour réussir* (verbe)
*J'irai **bientôt**.*
J'irai quand ? *bientôt* (adverbe)
*J'irai **au moment où j'en aurai envie**.*
J'irai quand ? *au moment où j'en aurai envie* (proposition)

EXERCICE 6
Composez des phrases contenant chacune un type de complément circonstanciel. (Reportez-vous au § 55 du *Précis*.)

La cause : ....

Le temps (époque) : ....

Le temps (durée) : ....

Le lieu (situation) : ....

Le lieu (direction) : ....

Le lieu (origine) : ....

Le lieu (passage) : ....

La manière : ....

Le but : ....

L'instrument : ....

La distance : ....

Le prix : ....

Le poids : ....

La mesure : ....

La partie : ....

L'accompagnement : ....

La matière : ....

L'opposition : ....

Le point de vue : ....

Le résultat : ....

EXERCICE 7.

Dans le texte qui suit, relevez les compléments circonstanciels des verbes en caractères gras. Précisez le type d'information qu'ils expriment.

Nous **étions sortis** de notre chambre sur la pointe des pieds afin de ne pas réveiller la bonne. Bien que la lune **brillât** fort cette nuit-là, on ne **pouvait apercevoir** Manon sous le chêne habituel. Nous nous **sommes avancés** sans bruit et une forme a remué. Tout à coup, avec une voix suave qui promettait, la bonne **s'exclama** : « Mes petits agneaux, comme vous le **regretterez**, oh, mes chers petits agneaux ! » Elle **rentra** avec nous à la maison, nous **tenant** chacun par le poignet. J'**ai gardé** longtemps la marque de ses ongles dans ma peau. Depuis, je **me méfie** des bonnes.

....

....

....

....

....

....

....

....

....

3. LES PARTIES DU DISCOURS

Les parties du discours ont été regroupées ici en deux grandes catégories : le nom et ses satellites : les pronoms, les déterminants et l'adjectif qualificatif ; les mots invariables : l'adverbe, la préposition et la conjonction. Quant au verbe, il sera traité dans le module III.

3.1 Le nom et ses satellites

À l'intérieur du groupe nominal, le nom joue un peu le rôle de moteur que joue le verbe à l'intérieur de la phrase. Gravitent autour de lui des mots servant à le préciser (les déterminants), à le qualifier (les adjectifs qualificatifs) ou à le rappeler (les pronoms). Caractéristique commune : ils prennent tous le genre et le nombre du nom auquel ils sont liés.

3.1.1 Le nom (ou substantif)

Le nom est le mot qui sert à désigner. Il est généralement précédé d'un déterminant (article, adjectif possessif, etc.).

* Noms propres :   *Pierre, Québec, le Québec*

* Noms communs :   (la/une) *chaise*
  (l'/un) *homme*
  (la/une) *philosophie*

En fait, la catégorie du nom est illimitée. N'importe quel mot ou groupe de mots peut servir à désigner et donc devenir un nom. Dans ce cas, il sera précédé d'un déterminant :

Le *je* représente la 1re personne du singulier.
Elle a un *je ne sais quoi* qui me plaît.
Le *beau* et le *laid* s'harmonisent à merveille chez lui.

Le nom est une catégorie autonome parce qu'il ne varie jamais en fonction des autres ; au contraire, c'est lui qui impose l'accord en genre et en nombre.

Le genre

Sauf pour les êtres animés, où le masculin et le féminin correspondent généralement à la répartition des sexes (*un chat / une chatte*), le genre en français est tout à fait incohérent. Même lorsqu'on est francophone de souche, on doit porter une attention toute particulière au genre des noms, surtout de ceux qui commencent par une voyelle :

un ascenseur		*une* agrafe
un autobus	mais	*une* omoplate
un avion		*une* échappatoire
un arôme		*une* autoroute

Le nombre

Contrairement au genre, le nombre est extérieur au nom : l'emploi du singulier ou du pluriel dépend du contexte. Le nom prendra la marque du pluriel (généralement *s*, parfois *aux* ou *x*) aussitôt que l'on veut parler de plus d'*un* :

> *un souci : des soucis*
> *le genou : les genoux*
> *un métal : des métaux*

L'opposition un/plusieurs n'est pas toujours marquée grammaticalement par *s* ou *x* ; c'est le cas des **noms collectifs** qui détiennent une pluralité interne :

> *un groupe*
> *une foule*
> *le peuple*

Les fonctions du nom

En plus d'exercer les fonctions sujet, complément et attribut, le nom peut aussi être en fonction d'apposition ou de déterminant.

- Apposition : Pierre, **l'homme de ménage**, travaille aussi comme gardien de nuit.

- Déterminant : Le livre **de Jean** a connu un grand succès.

3.1.2 Le pronom

Le pronom sert généralement à remplacer, en quelque sorte à rappeler quelque chose (un mot, un groupe de mots, une phrase) qui a été mentionné antérieurement :

> *Pierre n'est pas arrivé ; il est probablement malade.*
> *Pierre m'a donné sa réponse. Je la trouve insignifiante.*
> *Il est tombé 15 cm de neige. C'est formidable.*
> *Je lui ai dit qu'il ne fallait pas faire mal au chat. Je crois qu'il le comprend.*

Certains pronoms ne représentent pas quelque chose qui ait déjà été exprimé. Cette autonomie les rapproche davantage du nom que du pronom :

> *Tout est parfait.*
> *Rien ne t'empêche de l'appeler.*
> *Que me voulez-vous?*

Les catégories de pronom[2]

- **Les pronoms personnels** représentent la personne « grammaticale » qui parle *(je, me, moi, nous)*, celle à qui l'on parle *(tu, te, toi, vous)* et celle de qui l'on parle *(il, elle, ils, elles, le, la, les, lui, leur, eux, se, soi, en* et *y)* :

    > *Tu **lui** diras que **nous** sommes venus **le** voir.*

    Les pronoms *me, te, se*[3], *nous* et *vous* sont **réfléchis** lorsqu'ils désignent la même personne que le sujet. Le verbe est alors à la forme pronominale :

    > *Je **me** rends.*
    > *On **se** croit bien malin...*
    > *Vous **vous** souviendrez de moi !*

- **Les pronoms possessifs** *(le mien, le tien, le sien, le nôtre, le vôtre, le leur* et leurs formes féminines et plurielles) remplacent un nom auquel s'ajoute l'idée de possession :

    > *Sa maison côtoyait **la nôtre**.*
    > *Comparativement à **la leur**, votre automobile est spacieuse.*

- **Les pronoms démonstratifs** (celui-ci, celui-là, celle-ci, celle-là, ceux-ci, ceux-là, celles-ci, celles-là, ce, ça, cela, ceci) désignent ce dont on vient de parler ou ce dont on va parler :

    > *Retenez bien **ceci** : on n'est bien servi que par soi-même.*
    > ***Celle-là,** elle ira loin dans la vie.*

- **Les pronoms indéfinis** *(certains, tous, rien, la plupart,* etc.) désignent une réalité plus ou moins vague.

    > *Bien que **quelques-uns** aient insisté pour s'en aller,*
    > ***la plupart** semblaient ravis de leur soirée.*

- **Les pronoms interrogatifs et exclamatifs** *(qui ? (!) que ?(!) quoi ?(!)* etc.) introduisent, comme leur nom l'indique, une interrogation ou une exclamation :

    > ***Qui** vous a appris la vérité ?*
    > ***Que** vous ressemblez à votre mère !*

---

2   Étant donné sa double nature (pronom et subordonnant), le pronom relatif sera présenté avec les subordonnants.

3   Seul *se* est toujours réfléchi.

Les fonctions du pronom

Comme il sert à remplacer le nom, le pronom peut occuper toutes les fonctions du nom ; cependant, un même pronom est limité à une, deux ou trois fonctions. Par exemple, les pronoms *je, tu* et *il* ne peuvent qu'être sujet du verbe ; *nous* et *vous* peuvent être sujet ou complément d'objet . Voyons quelques exemples :

• Sujet :

> *Tu donnes ton livre à Pierre ?*
> *Ce fut réussi.*
> *Qui vient dîner ?*

• Complément d'objet direct :

> *Tu le donnes à Pierre ?*
> *J'en veux encore.*
> *Donne-lui le tien.*

• Complément d'objet indirect :

> *Tu lui donnes ton livre ?*
> *Il vous veut du mal.*
> *Songes-y encore quelque temps.*

• Complément circonstanciel :

> *Vas-tu à Montréal ? Oui j'y vais.*
> *Tu reviens de l'université ? Oui j'en reviens.*

• Attribut :

> *Ce livre est le mien.*
> *C'est elle qui est infirmière.*
> *Le bleu, c'est celui que je préfère.*

3.1.3 Les déterminants

Dans les phrases :

> *Un homme t'attend devant la porte.*
> *Deux hommes t'attendent devant la porte.*
> *L'homme t'attend devant la porte.*
> *Ton homme t'attend devant la porte.*
> *Cet homme t'attend devant la porte.*
> *Quel homme t'attend devant la porte ?*
> *Quel homme t'attend devant la porte !*
> *Aucun homme ne t'attend devant la porte.*

on remarque que les mots en caractères gras, même s'ils appartiennent à des catégories différentes, peuvent être substitués l'un à l'autre. Bien que le sens de la phrase soit modifié, la structure reste la même. Leurs points communs ? Ils assument tous la même fonction, celle de préciser, de déterminer le nom, et ils s'accordent tous en genre et en nombre avec lui.

L'article a pour rôle d'introduire le nom en précisant de quelle façon on doit le regarder ; soit comme du « déjà connu » : *le, la, les* (articles définis) ; soit comme quelque chose dont on ne sait encore rien : *un, une, des* (articles indéfinis). Comparez :

> *L'homme (celui dont on vient de parler) pénétra dans la pièce.*
> *Un homme (n'importe lequel) pénétra dans la pièce.*

On peut également distinguer les articles partitifs *du, de la, des*, qui s'emploient devant les noms qui ne peuvent se compter, pour indiquer une certaine quantité :

> *du beurre*
> *de la salade*
> *des épinards*

et les articles contractés *au, du* et *des* , qui sont composés, en fait, des articles définis *le* et *les* et des prépositions *à* et *de* :

> *Je vais au cinéma = « à le » cinéma.*
> *Te souviens-tu du titre du film ? = « de le » titre « de le » film.*
> *Te souviens-tu des Thibault ? = « de les » Thibault.*

Les autres déterminants servent, eux aussi, à présenter le nom et à en préciser le sens. À ce point de vue, ils exercent chacun leur spécialité.

L'adjectif ou déterminant possessif amène l'idée d'une appartenance :

> *mon livre*
> *sa chambre*
> *leur cahier*

L'adjectif ou déterminant démonstratif renferme les idées de montrer et d'insister :

> *Passe-moi ce livre.*
> *As-tu vu cet enfant ?*
> *Ces problèmes sont difficiles.*

Les adjectifs ou déterminants numéraux amènent l'idée du nombre, soit en indiquant une quantité précise (cardinaux) :

> *Donnez-moi deux kilos de café.*
> *J'ai couru douze kilomètres.*

soit en indiquant le rang (ordinaux) :

*La **deuxième** heure a été la plus difficile.*
*C'est le **cinquantième** anniversaire de mon père.*

Les adjectifs ou déterminants indéfinis amènent des précisions généralement assez vagues concernant la quantité ou l'identité :

***Quelques** personnes sont venues. (quantité)*
*Les **mêmes** questions ont été posées. (ressemblance)*
*C'est là un **autre** problème. (différence)*

3.1.4 L'adjectif qualificatif

L'adjectif qualificatif se distingue des adjectifs à valeur déterminative (possessif, démonstratif, indéfini, numéral) par le fait qu'il sert, comme le nom, à désigner. Cependant, leur ressemblance s'arrête là puisque l'adjectif ne possède aucunement l'autonomie du nom. En effet, il est indissociable du nom dont il modifie le sens et il varie en genre et en nombre avec lui. Selon sa position dans la phrase, on lui reconnaît trois fonctions :

Épithète lorsqu'il qualifie directement le nom :

*C'est une **grande** maison.*
*C'est une maison **blanche**.*

Attribut lorsqu'il caractérise le nom par l'intermédiaire d'un verbe :

*Pierre est **malade**. (attribut du sujet)*
*On a cru Pierre **malade**. (attibut du c.o.d.)*

En apposition lorsqu'il est séparé du nom ou du pronom auquel il se rapporte par une virgule ou par un ou plusieurs mots :

***Clairvoyante**, elle ne s'est pas laissé duper.*
*Le soir, il se promenait, **solitaire**.*

Vous devriez être en mesure maintenant de pouvoir distinguer les pronoms des adjectifs ou déterminants. Les premiers remplacent le nom (ils sont donc autonomes et évoluent sans lui dans la phrase), les seconds qualifient ou déterminent le nom (ils sont donc toujours accompagnés du nom).

EXERCICE 8

Déterminez la nature des mots en caractères gras dans les phrases suivantes.

1. **Il** a mis **son** chapeau.

   ....

2. **On leur** a demandé de présenter **leur** spectacle à **neuf** heures.

   ....

   ....

3. Madeleine déteste les automobilistes **québécois**.

   ....

4. **Rien** n'est parfait en **ce** monde.

   ....

5. **Ces** misérables ne **me** font pas pitié.

   ....

6. C'était la **belle** époque.

   ....

7. **Nous nous** considérons **libres** de partir ou non.

   ....

   ....

8. **Ce** n'est pas **mon** avis, c'est **le sien**.

   ....

   ....

9. Le film était plus **réaliste** que le livre.

   ....

10. S'**ils** s'offusquent pour si peu, **c'**est qu'ils s'estiment beaucoup trop.

....

....

11. Ne **vous** faites pas d'illusions ; **plusieurs** parmi **eux** vont récidiver.

....

....

12. **Votre** directeur ne **vous** a effectivement laissé **aucune** chance.

....

....

13. Chez **elle**, la serviabilité est une **seconde** nature.

....

14. **Votre** fils a encore frappé **le mien**.

....

15. Ils sont beaucoup plus intelligents que je ne **l'**avais pensé.

....

3.2 Les mots invariables : l'adverbe, la préposition et la conjonction

Le seul point commun qu'on peut reconnaître entre l'adverbe, la préposition et la conjonction est leur invariabilité. L'adverbe, dont le rôle est de modifier, se distingue considérablement des deux autres qui servent, elles, à relier, à établir les liens grammaticaux et les rapports de sens dans la phrase.

3.2.1 L'adverbe

Comme l'adjectif qualificatif, l'adverbe sert à préciser un autre mot ; on dit de lui qu'il modifie. Mais, alors que l'adjectif modifie le sens d'un nom ou d'un pronom, l'adverbe, lui, peut modifier un verbe :

*Il court **vite**. (vite modifie court)*

un adjectif :

*Une **très** petite maison. (très modifie petite)*

ou un autre adverbe :

*Il court **très** vite. (très modifie vite)*

Les adverbes se répartissent en catégories selon leur sens (*Précis*, § 406) :

- manière *:*

  ainsi, bien, la majorité des adverbes en *-ment,* comme *lentement, prudemment,* etc.

- quantité ou intensité :

  autant, beaucoup, environ, etc.

- temps :

  après, avant, bientôt, désormais, etc.

- lieu

  ailleurs, ici, dedans, etc.

- affirmation :

  oui, si, soit, volontiers, etc.

- négation :

  non, ne, jamais, rien, etc.

- doute :

  peut-être, apparemment, probablement, etc.

Pour éviter de le confondre avec l'adjectif et, par conséquent, de l'accorder fautivement – car si l'adjectif s'accorde en genre et en nombre avec le nom ou le pronom auquel il se rapporte, l'adverbe, lui, est invariable – on devra prêter attention à la nature du mot qu'il modifie. Par exemple, dans :

*Lucie sent **bon**.*

bon modifie le verbe *sentir* ; il ne caractérise pas le nom *Lucie* comme dans :

*Lucie est **bonne**. (adjectif attribut)*
ou
*La **bonne** Lucie. (adjectif épithète)*

3.2.2   La préposition

La préposition sert à introduire auprès du verbe les compléments d'objet indirect et circonstanciels et, auprès du nom, de l'adjectif ou d'une phrase, les compléments déterminatifs. Elles unissent donc (sauf en ce qui concerne le complément du nom) des mots ou des groupes de mots de nature et de fonction différentes.

Compléments d'objet indirect :

> *Je donne la pomme **à** Pierre.*
> *Je parle **de** la pomme.*

Compléments circonstanciels :

> *Il se dirige **vers** Ottawa.*
> *Son article a paru **dans** Le Devoir.*

Compléments déterminatifs :

> *Un roman **de** science-fiction.* (du nom)
> *Sa pomme est pleine **de** vers.* (de l'adjectif)
> *On peut s'attendre à tout **de** sa part.* (de la phrase)

Vous trouverez aux § 430 et 432 du *Précis* les listes des principales prépositions et locutions prépositives.

3.2.3   La conjonction

• La conjonction de coordination

Contrairement à la préposition, la conjonction de coordination relie généralement des mots ou des groupes de mots de même nature et de même fonction. Les principales sont : *mais, ou, et, donc, car, ni, or*. À cela s'ajoutent plusieurs adverbes qui remplissent fort adéquatement le rôle de la conjonction et dont certains, même, ont complètement perdu leur première fonction adverbiale : *cependant, néanmoins, toutefois*, etc. (*Précis*, § 443 et 447).

La conjonction de coordination peut relier deux noms, deux adjectifs, deux pronoms, deux verbes, deux groupes de mots compléments, sujets, attributs, etc., ou encore deux groupes de mots grammaticalement autonomes que l'on appelle propositions indépendantes :

> *Lucie **et** Michelle viendront à ton party.* (noms)
> *Daniel sera encore malade **ou** fatigué.* (adjectifs)
> *Il conduit rapidement **mais** prudemment.* (adverbes)
> *Il reviendra **car** il adore ma cuisine.* (propositions)

- **La conjonction de subordination**

La conjonction de subordination sert à lier une proposition subordonnée à une proposition principale :

> *[Nous croyons tous]* (princ.) **que** (conj.) *[Marie reviendra à Québec.]* (sub.)

De plus, elle introduit différents rapports de sens entre les deux propositions (*Précis*, § 448) :

- But :
> *J'ai acheté une perruche **afin qu'**il se sente moins seul.*

- Cause :
> **Puisque** *tu le prends de cette manière, je m'en vais.*

- Temps :
> *Le téléphone a sonné **au moment où** j'étais sous la douche.*

- Comparaison :
> *Il s'est comporté **comme si** rien n'était arrivé.*

- Condition :
> **Si** *tu passes par Ottawa, fais-moi signe.*

- Conséquence :
> *Il s'est faufilé subrepticement **de sorte qu'**il nous a échappé.*

EXERCICE 9
Identifiez la nature des mots en caractères gras non à l'aide d'une grammaire, mais en observant leur fonctionnement dans la phrase.

Madame Grandet mettait **constamment** .... une robe de .... levantine verdâtre, qu'elle s'était accoutumée **à** .... faire durer **près d'** .... une année ; elle portait un grand fichu de cotonnade blanche, un chapeau de paille cousue, **et** .... gardait **presque** .... **toujours** ....un tablier de taffetas noir. Sortant **peu** .... **du** .... logis, elle usait **peu de souliers** .... **Enfin** .... elle ne voulait **jamais** ....

rien **pour** .... elle. Aussi Grandet, saisi **parfois** .... d'un remords **en** .... se rappelant le long temps écoulé **depuis** .... le jour où il avait donné six francs **à** .... sa femme, stipulait-il **toujours** .... des épingles pour elle en vendant ses récoltes de l'année. Les quatre **ou** .... cinq louis offerts **par** .... le Hollandais ou le Belge acquéreur de la vendange Grandet formaient le plus clair des revenus annuels de madame Grandet. **Mais**......................................, **quand** .... elle avait reçu ses cinq louis, son mari lui disait **souvent** .... **comme si** .... leur bourse était commune : « As-tu quelques sous à me prêter? » et la pauvre femme, heureuse de pouvoir faire quelque chose pour un homme que son confesseur lui représentait comme son seigneur **et** .... maître, lui rendait, **dans** .... le courant de l'hiver, quelques écus **sur** .... l'argent des épingles.

(H. de Balzac, *Eugénie Grandet*)

* * * * *

Les conjonctions de coordination et de subordination nous ont amenés à la phrase complexe. Nous verrons, dans la prochaine section, les différents types de propositions et les liens grammaticaux qui s'établissent entre elles. Mais avant, quelques exercices de révision. Assurez-vous à cette étape du cours de pouvoir distinguer la **nature** des mots, c'est-à-dire leur catégorisation en parties du discours (nom, adjectif, etc.), de la **fonction** qu'ils exercent dans la phrase (sujet, complément, etc.).

EXERCICE 10
Déterminez si les termes suivants désignent des fonctions ou des parties du discours.

1. Attribut du complément d'objet direct

....

2. Préposition

....

3.   Adjectif qualificatif

....

4.   Pronom possessif

....

5.   Complément circonstanciel

....

6.   Conjonction

....

7.   Nom

....

8.   Sujet

....

9.   Complément d'objet direct

....

EXERCICE 11
Donnez la nature du mot *tout* dans les phrases suivantes.

1.   Il est **tout** couvert de poussière.

....

2.   **Tout** est parfait.

....

3.   Le **tout** était recouvert de chocolat.

....

4.   **Tout** le quartier était au rendez-vous.

....

EXERCICE 12

Donnez la nature précise des mots en caractères gras.

Il .... y a **dix mille** ....
ans, le **blé** .... **et** ....
l'orge **poussaient** .... en abondance à l'état sauvage
au.. **Moyen-Orient,** ....
comme **c'**.. est **encore** ....
le cas aujourd'hui. **Premières** .... **céréales**
.... à être cultivées, elles devinrent **plus**
.... **tard** .... la
nourriture **de** .... base de l'Égypte ancienne, des
Indes et de la Chine. Particulièrement bien adaptées **aux** ....
terres.. **chaudes** ....
du pourtour **méditerranéen** .... elles donnaient
moins bien **dans** .... les **régions**
.... **froides** .... **et**
.... humides. L'avoine, le seigle et le sarrasin (qui
n'est pas à proprement **parler** .... **une**
.... graminée **mais** ....
une plante **semblable** .... **en raison de**
.... **son** .... grain farineux)
supportaient, quant à **eux** .... un climat plus rude.
Comme .... ils poussaient **depuis** ....
toujours .... au milieu **du** ....
blé et de l'orge, telles de mauvaises herbes, **on** .... se
mit **à** .... **les** ....
cultiver **là** .... où le blé et l'orge réussissaient **moins**
.... **bien** .... La
culture de **ces** .... céréales est **très** ....
répandue de **nos** .... jours, le seigle et le sarrasin étant
particulièrement .... appréciés **en** ....
Europe centrale et l'avoine en Écosse.

(Éditions Time-Life, *Céréales, pâtes et légumes secs*)

4. LA PHRASE COMPLEXE

La phrase simple ne contient qu'un seul verbe conjugué à l'une des six personnes grammaticales.

> *La pluie **tombe**.*
> ***Mange** ta soupe. (tu, sous-entendu)*
> *Les enfants **sont partis** à l'école vers huit heures.*

Ces phrases ne contiennent donc qu'une seule **proposition**. La phrase complexe, au contraire, en contient plusieurs, autant en fait qu'elle contient de verbes conjugués. Il y a, en gros, trois façons de lier entre elles les propositions à l'intérieur de la phrase complexe : la coordination, la juxtaposition et la subordination.

4.1 La coordination (*Précis*, § 75 a)

La coordination est le procédé par lequel on joint deux propositions au moyen d'une conjonction de coordination :

> *Je te comprends, **mais** je ne te pardonne pas.*
> *Je pense, **donc** je suis.*
> *Il fallait rentrer, **car** l'orage approchait.*

Les deux propositions jointes par la conjonction de coordination ne dépendent pas grammaticalement l'une de l'autre. Aussi les appelle-t-on **propositions indépendantes**.

4.2 La juxtaposition (*Précis*, § 75 b)

On peut également unir deux propositions indépendantes simplement par un signe de ponctuation. Les deux propositions sont alors juxtaposées :

> *Il fallait rentrer : l'orage approchait.*
> *L'orage approchait ; il allait rentrer.*
> *Nous avons acquiescé à votre requête, n'en demandez pas plus.*

4.3 La subordination (*Précis*, § 454-493)

Le procédé de la subordination consiste à établir un rapport de dépendance entre une proposition principale et une proposition subordonnée à l'aide d'un mot subordonnant, généralement une conjonction de subordination ou un pronom relatif :

> *J'espère **que** Laurent arrivera à l'heure. (conjonction)*
> *N'entamez surtout pas le gâteau **qui** est dans le réfrigérateur. (pronom relatif)*

La dépendance de la subordonnée vis-à-vis de la principale se manifeste sur trois plans. D'abord, sur le plan sémantique : en effet, quelle signification ont les subordonnées des exemples précédents, *que Laurent arrivera à l'heure*, et *qui est dans le réfrigérateur* sans le support de la principale ? Notez qu'au point de vue du sens, la principale est aussi dépendante de sa subordonnée. Sans elle, l'énoncé reste incomplet.

La dépendance de la subordonnée se manifeste aussi par le jeu de la concordance des temps. Certains verbes commandent l'emploi de l'indicatif ou du subjonctif dans la subordonnée :

*Il faut qu'il **parte**. (subjonctif)*
*J'espère qu'il **partira**. (indicatif)*

Enfin, la subordonnée est assujettie grammaticalement à la principale par le fait que sa fonction (qui correspond le plus souvent à sa nature) est déterminée à partir d'un des termes de la principale : soit du nom (les propositions relatives et occasionnellement les complétives), soit du verbe (les propositions complétives et circonstancielles).

C'est à ces dernières que nous nous attarderons. Vous verrez cependant dans le *Précis* (§ 455-460) que les subordonnées peuvent aussi être sujet, attribut ou apposées à la principale ou, encore, complément de l'adjectif.

4.3.1 Les propositions relatives (*Précis*, § 484-488)

Rappelons que le pronom relatif possède une double nature. Comme pronom, le relatif représente dans la subordonnée un nom, un pronom ou un groupe nominal que l'on appelle **antécédent**. Comme subordonnant, il sert à joindre à cet antécédent une subordonnée qui l'explique, le détermine ou le caractérise. En ce sens, la subordonnée relative fonctionne, à l'égard de l'antécédent, comme l'adjectif vis-à-vis du nom. Comparez :

*La jeune fille **qui avait les cheveux roux** s'empressa de lui tendre la lettre.*
*La jeune fille **rousse** s'empressa de lui tendre la lettre.*

Selon la fonction qu'il exerce dans la subordonnée, le pronom relatif n'a pas la même forme. Ainsi le pronom *qui*, sans préposition, est sujet :

*Dites à votre ami **qui** est intéressé à participer à la séance de spiritisme de se présenter à huit heures chez madame Boulé. (**Qui est-ce qui** est intéressé ?)*

Introduit par une préposition, *qui* devient complément d'objet indirect ou circonstanciel ; toutefois, son antécédent doit être un être animé :

*Je connais bien la dame **à qui** vous avez parlé. (Vous avez parlé **à qui** ?)*
*La dame **chez qui** aura lieu la séance est une amie de ma mère. (La séance aura lieu **où** ?)*

Si l'antécédent est inanimé, on emploie lequel, précédé d'une préposition :

> *La séance **à laquelle** j'ai assisté n'a guère été convaincante. (J'ai assisté **à quoi** ?)*

Que est généralement complément d'objet direct :

> *Le médium **que** nous avons entendu avait la voix de Mulroney. (Nous avons entendu **qui** ?)*

Dont est toujours un complément d'objet indirect ou déterminatif introduit par la préposition *de* :

> *Le film **dont** je vous ai parlé est présentement à l'affiche. (Je vous ai parlé **de quoi** ?)*

Le pronom relatif *où* représente généralement un complément circonstanciel de lieu ou de temps :

> *Voilà une petite ville **où** il fait bon vivre.*
> *Il y a des moments **où** il fait bon vivre.*

Voilà les relatifs les plus fréquents. Les formes dérivées de *lequel*, *auquel* et *duquel*, seront vues en détail dans le module consacré aux questions de syntaxe.

EXERCICE 13
Employez le pronom relatif qui convient.

1. La maison .... je suis née a été décrétée monument historique.

2. La maison .... est située sur la colline a été décrétée monument historique.

3. La maison .... j'ai visitée a été décrétée monument historique.

4. La maison .... je t'ai parlé a été décrétée monument historique.

EXERCICE 14
Soulignez les propositions subordonnées relatives ; précisez la fonction du pronom relatif et trouvez son antécédent.

1. Les personnes qui se présenteront au guichet seront remboursées.

    ....

2. Il retourne souvent dans le petit village où il est né.

    ....

3.   Le spectacle qui a été présenté la semaine dernière ne valait pas le déplacement.

....

4.   Le cours dont j'aurais besoin n'est pas offert cette année.

....

5.   La personne à qui Gilles a remis l'enveloppe ne lui a pas encore adressé la parole.

....

6.   Le restaurant où vous avez mangé hier soir est celui que je préfère.

....

7.   Pense ce que tu voudras !

....

8.   Nous ne commencerons la réunion que lorsque tous les gens dont vous nous avez parlé seront arrivés.

....

9.   Je connais bien les gens chez qui tu as passé le week-end.

....

10.   J'ai encore oublié le livre que tu m'avais prêté.

....

4.3.2 Les propositions complétives (*Précis*, § 461-464)

Les subordonnées complétives sont complément d'objet direct ou complément d'objet indirect du verbe de la principale. Elles sont généralement introduites par la conjonction *que* (complément d'objet direct ou complément d'objet indirect) ou par les locutions conjonctives *de ce que* et *à ce que* (complément d'objet indirect) :

Je sais que tu dis la vérité. (Je sais quoi ?)
Je crains qu'il ne lui soit arrivé quelque chose. (Je crains quoi ?)
Je m'étonne que vous ayez osé présenter ce travail. (Je m'étonne de quoi ?)
Je m'attends à ce qu'il vienne ce soir. (Je m'attends à quoi ?)

Elles peuvent aussi être introduites par un subordonnant relatif indéfini ou interrogatif :

*Respecte **qui te respecte**. (Respecte **qui** ?)*
*Je me demande **si Louis va encore oublier le vin**. (Je me demande **quoi** ?)*

Les propositions infinitives complétives ne sont pas introduites par un mot subordonnant :

*Je lui ai dit **de venir vers huit heures**. (Je lui ai dit **quoi** ?)*
*J'espère **avoir terminé avant son retour**. (J'espère **quoi** ?)*

EXERCICE 15

Soulignez les propositions complétives et précisez si elles sont complément d'objet direct ou complément d'objet indirect du verbe de la principale.

1.   Je l'ai prévenu que cette situation me dérange énormément.

     ....

2.   Est-ce qu'on t'a dit que Pierre est malade?

     ....

3.   Je sais bien que vous avez raison.

     ....

4.   Tu supposes que tes amis ne viendront pas.

     ....

5.   Je m'attends à ce qu'il neige encore demain.

     ....

6.   Louise se plaint de ce que vous faites trop de bruit.

     ....

7.   Certains grincheux prétendent que le sport nuit à la santé.

     ....

8.   Beaucoup de gens s'étonnent qu'il ait été réélu.

     ....

9.   N'oublions pas que les écrits restent.

     ....

10.   Je doute qu'il ait réussi le test.

     ....

EXERCICE 16

Identifiez la nature de *que* : conjonction de subordination ou pronom relatif.

1.   Pierre croit que tu penses à lui.

     ....

2.   Le manteau que tu portes est démodé.

     ....

3.   Nous craignons que Lucie se décourage.

     ....

4.   Ton père prétend qu'il pleuvra.

     ....

5.   Je trouve que le jeu en vaut la chandelle.

     ....

6.   Ce professeur s'imagine que ses élèves lui obéiront.

     ....

7.   La femme que tu aperçois là-bas est enceinte de trois mois.

     ....

8.   J'ai bien aimé les gens que tu m'as présentés.

     ....

9. Le professeur tolère que les étudiants arrivent en retard.

    ....

10. Le professeur tolère les plaisanteries que les étudiants font en classe.

    ....

4.3.3 Les subordonnées circonstancielles (*Précis*, § 465-482)

La subordonnée circonstancielle, comme son nom l'indique, exerce la fonction de complément circonstanciel du verbe de la principale ou de l'ensemble de la proposition. Les rapports que ces propositions introduisent sont sensiblement les mêmes que ceux qui sont introduits par les compléments circonstanciels dans la phrase simple, soit le temps, l'opposition, la cause, la concession, la conséquence, etc. :

> *J'irai au moment où on jugera que c'est nécessaire.* (temps)
> *Nous bavardions **alors que les hommes vaquaient à la cuisine.*** (opposition)
> *Nous pique-niquerons **si le temps est clément.*** (condition)
> ***Bien qu'il pleuve**, nous irons pique-niquer.* (concession)

Comme on peut voir, le choix du subordonnant employé est fonction du rapport sémantique que l'on veut établir entre la principale et la subordonnée. Un même rapport sémantique peut être exprimé ou nuancé par une conjonction ou une locution conjonctive différente :

> ***Lorsque** nous sommes arrivés sur la colline, l'orage éclata.*
> ***Quand** nous sommes arrivés sur la colline, l'orage éclata.*
> ***Comme** nous arrivions sur la colline, l'orage éclata.*
> ***Au moment où** nous sommes arrivés sur la colline, l'orage éclata.*

Inversement, un même subordonnant peut marquer des rapports sémantiques différents :

> *Les enfants se sont réveillés juste **comme** j'allais partir.* (temps)
> ***Comme** la gardienne était malade, j'ai dû annuler mon rendez-vous* (cause)
> ***Comme** on fait son lit, on se couche.* (comparaison)

Vous trouvez dans le *Précis* des listes des principales conjonctions de subordination introduisant une proposition circonstancielle, avec le rapport qu'elles expriment.

EXERCICE 17

Soulignez les propositions subordonnées circonstancielles et précisez le rapport sémantique qu'elles expriment.

1.   Lorsqu'il mourut, toute la famille prit le deuil.

      ....

2.   Quand le jour se lève, les coqs chantent.

      ....

3.   Avant que vous ne lisiez ce livre, il serait bon que vous en connaissiez l'auteur.

      ....

4.   Elle m'a avoué qu'on lui avait volé sa montre sans qu'elle s'en rende compte.

      ....

5.   Je le répète afin que vous me compreniez bien.

      ....

6.   J'accepte, bien que votre proposition ne me plaise guère.

      ....

7.   Je veux bien rester, à condition que la réunion débute bientôt.

      ....

8.   Les enfants, qui grelottaient parce qu'ils avaient de la fièvre, s'étaient serrés les uns contre les autres.

      ....

9.   Elle n'est pas malhonnête puisqu'elle ne t'avait rien promis.

      ....

10.   Comme j'étais malade, j'ai pris quelques jours de repos.

      ....

CORRIGÉ

1. **1**. point d'exclamation **2**. point d'interrogation **3**. point d'interrogation **4**. point ou point d'exclamation **5**. point **6**. point d'exclamation **7**. point **8**. point d'interrogation **9**. point **10**. point d'interrogation **11**. point **12**. point d'exclamation **13**. point d'exclamation (ou point) **14**. point **15**. point d'interrogation.

2. Je me demande ce qu'il a bien pu leur raconter. Leur aurait-il dévoilé mon secret ? J'aurais dû m'en méfier ! Son regard était fuyant et son sourire hypocrite. D'ailleurs, n'a-t-il pas trahi son propre frère ? « Quelle naïveté! » me dirait Yvonne. Mon Dieu, s'il fallait qu'il m'ait dénoncé... (*ou* !)

3. **1**. Pierre **2**. Tu **3**. Cette maison **4**. vous **5**. Je **6**. Le syndicat et la partie patronale **7**. La publicité de ce magasin **8**. L'instabilité de son caractère **9**. Votre passeport ainsi que vos cartes de crédit **10**. Fumer **11**. Il **12**. Les enfants de la garderie « La coccinelle volante » **13**. les chèvres de Raphaël **14**. Les amis du frère de l'amie de Paul **15**. Cela **16**. Il **17**. Ronger son frein **18**. J' **19**. Luc Letarte et Manon Beauregard **20**. Il **21**. Mes amis **22**. il **23**. une vieille baraque ; Pierrot **24**. ce ; il **25**. Ce **26**. les relations déjà fragiles entre le Koweit et l'Algérie **27**. Dorloter ses enfants **28**. Les policiers de la ville de Sainte-Foy **29**. vous (le 2ᵉ) **30**. Le statut des réfugiés politiques aux États-Unis

4. **1**. Jean (c.o.d.) **2**. qui ils ont rencontré hier soir (c.o.d.) **3**. une histoire sans queue ni tête (c.o.d.) ; nous (c.o.i.) **4**. à Mme Tremblay (c.o.i.) **5**. ce livre (c.o.d.) ; moi (c.o.i.) **6**. t' (c.o.d.) ; contre lui (c.o.i.) **7**. moi (c.o.i.) **8**. le (c.o.d.) ; moi (c.o.i.) **9**. que (c.o.d.) ; me (c.o.i.) **10**. *a avoué* : ne pas avoir fermé la porte à clé (c.o.d.) ; *avoir fermé* : la porte (c.o.d.) **11**. du nom du réalisateur (c.o.i.) **12**. m' (c.o.d.) **13**. la porte (c.o.d.) ; lui (à ce pauvre chat) (c.o.i.) **14**. tout ce qu'on lui dit (c.o.d.) **15**. vous (Messieurs Dames) (c.o.d.) **16**. *a demandé* : de réviser les épreuves de trois articles qui paraîtront dans la revue *Sons et Images* le mois prochain (c.o.d.) ; m' (c.o.i.) ; *réviser* : les épreuves de trois articles qui paraîtront dans la revue *Sons et Images* le mois prochain (c.o.d.) **17**. *crains* : que nous n'ayons vendu la peau de l'ours avant de l'avoir tué (c.o.d.) ; *ayons vendu* : la peau de l'ours (c.o.d.) ; *avoir tué* : l' (pronom personnel qui remplace *ours*) (c.o.d.) **18**. tout ce qu'il m'avait donné (c.o.d.) ; lui (c.o.i.) **19**. *peux* : prendre mon tailleur en rentrant ce soir (c.o.d.) ; *prendre* : mon tailleur (c.o.d.) **20**. Lucien (c.o.d.) ; aux quilles (c.o.i.) **21**. le 2ᵉ nous (c.o.d. : *nous* battons qui ? nous qui représente nous-mêmes) ; à ce jeu (c.o.i.) **22**. *lave* : ton petit frère (c.o.d.) ; *mets* : le (c.o.d.) **23**. *laves* : te (c.o.d.) ; *rend* : ta peau (c.o.d.) **24**. *a tenté* : de recréer l'atmosphère de la province anglaise du XIXᵉ siècle (c.o.d.) ; *recréer* : l'atmosphère de la province

anglaise du XIXe siècle (c.o.d.) **25**. *devrons* : lui donner le plus d'attention possible (c.o.d.) ; *donner* : le plus d'attention possible (c.o.d.) ; lui (c.o.i.) **26**. le (c.o.d.) ; lui (c.o.i.) **27**. y (aux modalités de paiement) (c.o.i.) **28**. en (Quinze semaines de cours ne suffisent pas) (c.o.i.) **29**. m' (c.o.d.) **30**. en (les compléments d'objet) (c.o.i.)

5. **1**. attribut du sujet **2**. épithète **3**. attribut du c.o.d. **4**. attribut du sujet **5**. attribut du c.o.d. **6**. épithète **7**. épithète **8**. attribut du sujet **9**. attribut du sujet **10**. attribut du c.o.d. **11**. épithète (il est possible de voir *un peu vert* comme un attribut du c.o.d.) **12**. attribut du c.o.d. **13**. épithète **14**. attribut du sujet **15**. attribut du c.o.d. **16**. attribut du c.o.d. **17**. attribut du sujet **18**. épithète **19**. attribut du c.o.d. **20**. épithète

6. Selon votre imagination !

7. *étions sortis* : de notre chambre (lieu) ; sur la pointe des pieds (manière) ; afin de ne pas réveiller la bonne (but) ; *brillât* : fort (manière) cette nuit-là (temps) ; *pouvait apercevoir* : Bien que la lune brillât fort cette nuit-là (concession) ; sous le chêne habituel (lieu) ; *sommes avancés* : sans bruit (manière) ; *s'exclama* : Tout à coup (manière ou temps) avec une voix suave qui promettait (manière) ; *regretterez* : comme (intensité) ; *rentra* : avec nous (accompagnement) ; à la maison (lieu) ; *tenant* : par le poignet (moyen); *ai gardé* : longtemps (temps) ; dans ma peau (lieu) ; *me méfie* : Depuis (temps)

8. **1**. *Il* : pronom personnel ; *son* : adjectif possessif. **2**. *On* : pronom personnel ou indéfini ; *leur* : pronom personnel ; *leur* : adjectif possessif ; *neuf* : adjectif numéral cardinal **3**. *québécois* : adjectif qualificatif **4**. *Rien* : pronom indéfini ; *ce* : adjectif démonstratif **5**. *Ces* : adjectif démonstratif ; *me* : pronom personnel **6**. *C'* : pronom démonstratif ; *belle* : adjectif qualificatif **7**. *Nous* : pronom personnel ; *nous* : pronom personnel réfléchi ; *libres* : adjectif qualificatif **8**. *Ce* : pronom démonstratif ; *mon* : adjectif possessif ; *c'* : pronom démonstratif ; *le sien* : pronom possessif **9**. *réaliste* : adjectif qualificatif **10**. *ils* : pronom personnel ; *s'* : pronom personnel réfléchi ; **c'** : pronom démonstratif **11**. *vous* : pronom personnel réfléchi (verbe *se faire* à l'impératif ; pas de pronom sujet) ; *plusieurs* : pronom indéfini ; *eux* : pronom personnel **12**. *Votre* : adjectif possessif ; *vous* : pronom personnel ; *aucune* : adjectif indéfini **13**. *elle* : pronom personnel ; *seconde* : adjectif numéral ordinal **14**. *Votre* : adjectif possessif ; *le mien* : pronom possessif **15**. *l'* : pronom personnel

9. *constamment* : adverbe de temps ; *de* : préposition ; *à* : préposition ; *près d'* : locution prépositive, c'est-à-dire préposition composée de plus d'un mot ; *et* : conjonction de coordination ; *presque* : adverbe de quantité ; *toujours* : adverbe de temps (si on considère *presque toujours* comme une même unité et non séparé-

ment, on l'appellera locution adverbiale) ; *peu* : adverbe ; *du* : article contracté qui contient la préposition *de* et l'article défini *le* ; peu de souliers : syntagme nominal ; *Enfin* : adverbe de temps ; *jamais* adverbe de temps ; *pour* préposition ; *parfois* adverbe de temps ; *en* : préposition ; *depuis :* préposition ; *à* : préposition ; *toujours* : adverbe de temps ; *ou* : conjonction de coordination ; *par* : préposition ; *Mais* : conjonction de coordination ; *quand* : conjonction de subordination ; *souvent* : adverbe de temps ; *comme si* : locution conjonctive de subordination ; *et* : conjonction de coordination ; *dans* : préposition ; *sur* : préposition

10.   **1**. fonction **2**. partie du discours **3**. partie du discours **4**. partie du discours **5**. fonction **6**. partie du discours **7**. partie du discours **8**. fonction **9**. fonction

11.   **1**. adverbe (modifie l'adjectif *couvert*) **2**. pronom indéfini **3**. nom **4**. adjectif indéfini

12.   *Il* : pronom personnel (que l'on appelle impersonnel lorsqu'il s'agit d'un pronom neutre comme ici) ; *dix mille* : adjectif numéral cardinal ; *blé* : nom commun ; *et* : conjonction de coordination (relie *blé* et *orge*) ; *poussaient* : verbe ; *au* : article contracté ; *Moyen-Orient* : nom propre ; *c'* : pronom démonstratif ; *encore* : adverbe de temps ; *Premières* : adjectif numéral ordinal ; *céréales* : nom commun ; *plus* : adverbe (modifie *tard*) ; *tard* : adverbe (modifie *devinrent*) ; *de* : préposition (relie le complément du nom *base* au nom *nourriture*) ; *aux* : article contracté (*adaptées « à les » terres*) ; *terres* : nom commun ; *chaudes* : adjectif qualificatif (se rapporte à *terres*) ; *méditerranéen* : adjectif qualificatif (se rapporte à *pourtour*) ; *dans* : préposition (introduit un complément circonstanciel de lieu) ; *régions* : nom commun ; *froides* : adjectif qualificatif (se rapporte à *régions*) ; *et* : conjonction de coordination (relie les deux adjectifs *froides* et *humides*) ; *parler* : verbe ; *une* : article indéfini ; *mais* : conjonction de coordination (relie et oppose *une plante semblable* à *une graminée*) ; *semblable* : adjectif qualificatif (se rapporte à *plante*) ; *en raison de* : locution prépositive ; *son* : adjectif possessif (détermine *grain*) ; *eux* : pronom personnel (remplace *avoine, seigle* et *sarrasin*) ; *Comme* : conjonction de subordination (relie la proposition subordonnée *ils poussaient depuis toujours au milieu du blé et de l'orge, telles de mauvaises herbes* à la principale *on se mit à les cultiver là où le blé et l'orge réussissaient moins bien*) ; *depuis* : préposition (relie le complément circonstanciel de temps *toujours* au verbe *poussaient*) ; *toujours* : adverbe de temps (modifie le verbe *poussaient*) ; *du* : article contracté (*au milieu « de le » blé*) ; *on* : pronom indéfini ou personnel ; *à* : préposition (relie le c.o.i. au verbe *mit*) ; *les* : pronom personnel (remplace *avoine, seigle* et *sarrasin*) ; *là* : adverbe de lieu (modifie le verbe *cultiver*) ; *moins* : adverbe (modifie *bien*) ; *bien* : adverbe (modifie *réussissaient*) ; *ces* : adjectif démonstratif (détermine *céréales*) ;

très : adverbe (modifie *répandue*) ; *nos* : adjectif possessif (détermine *jours*) ; *particulièrement* : adverbe (modifie *appréciées*) ; *en* : préposition (introduit le complément circonstanciel de lieu *Europe centrale*).

13.   **1**. où **2**. qui **3**. que **4**. dont

14.   **1**. qui (sujet) se présenteront au guichet ; antécédent : personnes. **2**. où (compl. circ. de lieu) il est né ; antécédent : village. **3**. qui (sujet) a été présenté la semaine dernière ; antécédent : spectacle. **4**. dont (c.o.i.) j'aurais besoin ; antécédent : cours. **5**. à qui (c.o.i.) Gilles a remis l'enveloppe ; antécédent : personne. **6**. où (compl. circ. de lieu) vous avez mangé hier soir ; antécédent : restaurant ; que (c.o.d.) je préfère ; antécédent : celui. **7**. que (c.o.d.) tu voudras ; antécédent : ce. **8**. dont (c.o.i.) vous nous avez parlé ; antécédent : gens. **9**. chez qui (compl. circ. de lieu) tu as passé le week-end ; antécédent : gens. **10**. que (c.o.d.) tu m'avais prêté ; antécédent : livre

15.   **1**. que cette situation me dérange énormément (c.o.i.). **2**. que Pierre est malade (c.o.d.). **3**. que vous avez raison (c.o.d.). **4**. que tes amis ne viendront pas (c.o.d.). **5**. à ce qu'il neige encore demain (c.o.i.). **6**. de ce que vous faites trop de bruit (c.o.i.). **7**. que le sport nuit à la santé (c.o.d.). **8**. qu'il ait été réélu (c.o.i.). **9**. que les écrits restent (c.o.d.). **10**. qu'il ait réussi le test (c.o.i.)

16.   **1**. conjonction **2**. pronom relatif **3**. conjonction **4**. conjonction **5**. conjonction **6**. conjonction **7**. pronom relatif **8**. pronom relatif **9**. conjonction **10**. pronom relatif

17.   **1**. Lorsqu'il mourut (temps). **2**. Quand le jour se lève (temps). **3**. Avant que vous ne lisiez ce livre (temps : antériorité). **4**. sans qu'elle s'en rende compte (manière ou concession). **5**. afin que vous me compreniez bien (but). **6**. bien que votre proposition ne me plaise guère (concession). **7**. à condition que la réunion débute bientôt (condition). **8**. parce qu'ils avaient de la fièvre (cause). **9**. puisqu'elle ne t'avait rien promis (cause). **10**. comme j'étais malade (cause).

MODULE II

QUELQUES HOMOPHONES GRAMMATICAUX
ET ORTHOGRAPHIQUES

QUELQUES HOMOPHONES GRAMMATICAUX
ET ORTHOGRAPHIQUES

1. CONFUSION *É - ER - EZ*

Observez le verbe *chanter* dans les phrases suivantes :

Claude a chanté toute la nuit.
J'aime chanter sous la douche.
Cette berceuse a été chantée par bien des mamans.
Je vais vous chanter une chanson d'amour.
Vous chantez juste.

Pour éviter de faire une erreur dans l'orthographe de la terminaison du verbe ou du parti-cipe passé, remplacez-le par un verbe dont la terminaison est autre que *–er* à l'infinitif : *vendre*, *recevoir* ou *finir*, par exemple. Ces verbes se prononcent différemment à l'infi-nitif présent, au participe passé et à la 2e personne du pluriel de l'indicatif présent, de sorte qu'il n'y a pas de confusion possible. Bref,

si on peut remplacer par :	on écrit :
vendre, recevoir, finir	*er*
vendu, reçu, fini	*é*
vendez, recevez, finissez	*e z*

Quand on emploie ce truc, on ne se préoccupe évidemment pas du sens de la phrase : seule la structure compte. Si on reprend les cinq phrases données en exemple au début et qu'on applique ce principe de substitution, on obtient :

*Claude a **reçu** toute la nuit. (donc, chanté : ni recevoir ni recevez ne conviennent)*
*J'aime **recevoir** sous la douche. (donc, chanter)*
*Cette berceuse a été **reçue** par bien des mamans. (donc, chantée)*
*Je vais vous **vendre** une chanson. (donc, chanter)*
*Vous **finissez** juste. (donc, chantez)*

EXERCICE 1
Ajoutez les terminaisons appropriées.

1. Après avoir termin......... ce travail, nous pourrons all......... dans.........

2. Nous espérons commenc......... le plus tôt possible, dès qu'il sera arriv.........

3. Avant de téléphon......... à ma mère, je voulais vous demand......... votre avis.

4. Je vais all......... vous cherch......... si vous le voul.........

5. Des terroristes ont menac......... de faire saut......... un avion à Mirabel.

6. Ils ont exig......... de pass......... les premiers.

7. Je dois vous avou......... que je n'y avais pas pens.........

8. Vous parl......... souvent trop ; si vous n'avi......... pas tant parl......... à la dernière réunion, les gens n'auraient pas pens......... du mal de vous.

9. Qu'est-il all......... faire en Europe ? Êtes-vous inform......... de ses déplacements ?

10. Vous avez chang......... et vous croy......... aim......... cette personne ; all......... donc vous repos......... quelque temps à la campagne et y pens......... un peu.

11. Je lui en ai parl......... ; il s'est montr......... très surpris de ta réaction et m'a demand......... de ne plus te parl......... de cette affaire.

12. J'en viens à pens......... que tu l'as aid......... à rédig......... ce travail.

13. Il semble décid......... à agir, mais je n'aime pas le voir chang......... d'avis si vite ; il aurait dû cherch......... une solution plus sage.

14. J'ai entendu parl......... à voix basse ; si ce sont des voleurs, il faudra téléphon......... à la police et nous cach......... !

15. Il va nous faire pass......... un mauvais quart d'heure.

16. Os......... arriv......... avec une demi-heure de retard alors que nous vous avions demand......... de vous présent......... au rendez-vous à l'heure précise : vous av......... du culot ! Est-ce que nous avions oubli......... de vous téléphoner pour confirm......... l'heure ? J'en serais très étonn.........

17. Il est all......... à la fenêtre pour contempl......... ce spectacle.

18. Il n'y a pas un seul joueur de bless.........

19. Le jeu semble commenc......... depuis quelques minutes.

20. Le jeu semble commenc......... par une forte attaque de l'équipe adverse.

2. CONFUSION *I – IS – IT*

On hésite parfois devant l'orthographe des participes passés en *–i* : faut-il ajouter un *s*, un *t* ou rien du tout ? Pour régler le problème rapidement, il suffit de mettre le participe passé au féminin : si à l'oral la terminaison ne change pas, on n'ajoute rien après le *i* ; si le féminin fait *ite*, on ajoute un *t* ; et si le féminin fait *ise*, on ajoute un *s*. Par exemple :

> *J'ai fini ma rédaction. (Ma rédaction est finie.)*
> *Je me suis assis. (Je me suis assise.)*
> *J'ai écrit une lettre. (Ma lettre est écrite.)*

On peut appliquer le même principe aux autres participes passés ou à certains adjectifs dont la terminaison nous embête (*plainte*, *plaint* ; *exclue*, *exclu*, etc.). Deux exceptions cependant : les participes passés *dissous* et *absous*, qui prennent un *s* au masculin singulier, mais font leur féminin avec *t* : *dissoute*, *absoute*.

EXERCICE 2
Ajoutez les terminaisons appropriées.

1. Il avait préd......... ce qui est arrivé.

2. Elle lui a prom......... d'essayer de faire mieux la prochaine fois.

3. Elle a entrepr......... des études en administration.

4. Ils ont invest......... tout leur argent dans cette affaire.

5. Elle a acqu......... beaucoup d'expérience en peu de temps.

6. Il a accompl......... tout son travail et ne s'est pas plain.........

7. Il a adm......... qu'il avait mal ag.........

8. Elle a écr......... ce roman à vingt ans.

9. Il a introdu......... de nouveaux aspects dans son argumentation.

10. Le toit de la maison est pein......... en vert.

11. Il a étein......... la lumière et s'est ass......... près de la bibliothèque.

12. Tout a été détru......... dans l'incendie.

13.   Je l'ai rejoin......... au restaurant.

14.   Elle nous a perm......... de partir plus tôt.

15.   Il s'est produ......... un grand bruit, qui nous a tous fait sursauter.

16.   Il nous a di......... qu'il avait pri......... tout son temps.

17.   Elle a raccourc......... cette jupe hier.

18.   J'ai tradu......... ce texte l'an dernier.

19.   Il a rempl......... le formulaire et a été inscr......... au cours automatiquement.

20.   Il a été contrain......... de révéler la vérité.

21.   Enfin, j'ai compr......... !

22.   Ils ont beaucoup vieill......... à la suite du choc qu'ils ont sub.........

23.   Ce qu'il m'a décr......... ne correspond pas à ce que je veux.

24.   Le garage a été démol......... l'an dernier.

25.   Ils ont cueill......... des fleurs tous les jours, l'été dernier.

26.   Nous l'avons recondu......... chez lui à la fin de la soirée.

27.   Il est instru........., mais pas très débrouillard.

28.   Il a été très surpr......... d'apprendre ta nomination.

29.   Ils ont assaill......... le champion de questions.

30.   Assurez-vous que vous avez bien circonscr......... votre sujet.

3 . CE - SE

Ce, adjectif démonstratif, s'utilise devant un nom :

> *ce chien*
> *ce bureau*

Pronom, on le retrouve devant les pronoms *que*, *qui*, *à quoi*, *quoi* :

> *Ce que je veux...*
> *Ce à quoi je pense...*

ou devant le verbe *être* employé seul (sans participe passé) :

> *Ce sera ton tour.*
> *Ce sont mes amis.*

Se est un pronom réfléchi et s'utilise devant tous les verbes, sauf devant le verbe *être* non accompagné d'un participe passé :

> *Ils se parlent.*
> *ls se sont parlé.*

EXERCICE 3
Utilisez *ce* ou *se*.

Il .... pourrait que .... soit demain qu'ils arrivent. Il est vrai qu'ils .... font souvent attendre, mais je les ai prévenus que .... serait dommage qu'ils ratent le mariage de Martin et Odette, qui .... tiendra .... jour-là.

4. *ON - ONT*

On est un pronom indéfini qui est toujours sujet d'un verbe ; on peut le remplacer par *il* :

> *On pense qu'il a raison.*
> *On devrait partir tôt.*

Ont, c'est le verbe *avoir* à la 3e personne du pluriel de l'indicatif présent ; on peut le remplacer par l'imparfait *avaient* :

> *Ils ont tort de ne pas t'écouter.*
> *Ils ont travaillé toute la nuit.*

EXERCICE 4
Utilisez *on* ou *ont*.

1. Ils .... beau faire et beau dire, ... ne m'y reprendra plus.

2. Il faut qu' .... se rende compte de la complexité des problèmes qu'............ à résoudre ces techniciens.

3. .... a annoncé que les marathoniens .... battu un record, mais .... ne pouvait préciser davantage.

5. *OU - OÙ*

Ou est une conjonction de coordination qui marque l'alternative, c'est-à-dire un choix entre deux possibilités ; on peut le remplacer par *ou bien* :

> *J'ai le choix : **ou** je le quitte, **ou** je l'endure.*

Où peut être adverbe ou pronom ; il évoque toujours soit un lieu, soit le temps, ou plus précisément une date :

> *__Où__ que tu ailles, je te suivrai.* (lieu)
> *Le jour __où__ tu es né, il faisait une chaleur atroce.* (date)

EXERCICE 5
Utilisez *ou* ou *où*.

1.   .... tu me le donnes, ... tu le gardes.

2.   Le jour .... tu te décideras, tu sauras .... me trouver !

3.   .... as-tu rangé la marguerite ?

4.   Je m'y rendrai en autobus .... en taxi.

5.   Dis-le-moi .... je me fâche.

6.   Dis-moi .... tu vas.

7.   La maison .... nous sommes nés a été démolie.

6. *S'EST - C'EST*

S'est est toujours suivi d'un participe passé et sert à construire les temps composés de la forme pronominale :

> *Il __s'est__ rendu à Montréal.*
> *__S'est__-il aperçu de son erreur ?*

C'est est un tour présentatif ; *c*'est un pronom démonstratif, et on peut le remplacer par *cela* ou *il* :

> *__C'est__ mon meilleur ami.* (il est...)
> *__C'est__ demain que l'on doit rendre ce travail.* (cela est...)

EXERCICE 6

Utilisez *c'est* ou *s'est*.

1. Mireille .... bien défendue dans cette affaire, preuve qu'elle ne .... pas sentie responsable du mauvais état d'esprit qui régnait dans le bureau.

2. Novembre,............ déjà l'hiver chez nous.

3. L'automne .... retiré tout doucement, sans qu'on s'en aperçoive.

4. Tout ce bruit, ... insupportable ! Personne ne .... donc plaint au propriétaire ?

7. CES - SES

Ces est un adjectif démonstratif ; on peut ajouter *là* au nom qui le suit :

Ces oiseaux sont ceux que je préfère. (ces oiseaux-là)
Est-ce que ces exercices vous plaisent ? (ces exercices-là)

Ses est un adjectif possessif ; on peut joindre *à lui, à elle* au nom qui le suit :

Philippe est triste : ses oiseaux sont malades. (ses oiseaux à lui)
Il a couru vers sa grand-mère et s'est assis sur ses genoux. (ses genoux à elle)

EXERCICE 7

Utilisez *ces* ou *ses*.

1. À l'avenir, nous ne tolérerons plus .... retards que vous vous permettez trop souvent.

2. C'est une de .... journées où tout va mal et où on devrait rester couché !

3. De la montagne, on peut bien voir la ville et .... environs.

4. Marie a encore perdu .... lunettes.

5. Sans .... impondérables, nous aurions fini à temps.

8 . *PEU - PEUT*

Peu est un adverbe de quantité ; on peut le remplacer par *pas beaucoup* :

> *J'ai **peu** de temps à vous consacrer.*
> *Il parle **peu**.*

Peut, c'est le verbe *pouvoir* à la 3e personne du singulier de l'indicatif présent ; on peut le remplacer par l'imparfait *pouvait* :

> *Est-ce qu'on **peut** partir ?*
> *Maxime **peut** se débrouiller seul.*
> *Il se **peut** qu'il pleure.*

EXERCICE 8
Utilisez *peu* ou *peut*.

1.   On ne .... pas dire qu'il y avait foule au spectacle d'hier. C'est vrai qu'il avait plu un .... , mais c'était quand même on ne .... plus décourageant, ce .... d'intérêt des gens pour les artistes de chez nous.

2.   Qui .... le plus .... le moins.

9 . *PLUS TÔT - PLUTÔT*

Plus tôt peut être remplacé par son contraire, *plus tard* :

> *Je vais rentrer **plus tôt** que d'habitude ce soir.*
> *Essaie d'arriver un peu **plus tôt**.*

Plutôt est un adverbe qui signifie *de préférence*, mais peut aussi signifier *passablement* ou *très* ; *plutôt que* signifie *au lieu de* :

> *Viens **plutôt** demain, j'aurai plus de temps à te consacrer.* (de préférence)
> ***Plutôt que** de te plaindre, agis !* (au lieu de)
> *J'ai **plutôt** faim, est-ce qu'on mange bientôt ?* (passablement)
> *Il est **plutôt** énervant, celui-là.* (très)

EXERCICE 9
Utilisez *plus tôt* ou *plutôt*.

1.   .... vous arriverez, mieux ce sera.

2.   J'aimerais manger ....

3. Si tu étais arrivé .... , tu aurais eu droit au champagne !

4. Je préfère mourir .... que de lui faire des excuses !

5. Je viendrai .... vers huit heures.

10. *QUOIQUE - QUOI QUE*

Quoique en un seul mot est une conjonction de subordination synonyme de *bien que* ou de *même si* :

> **Quoiqu**'*il ait largement dépassé la soixantaine, il ne se décide pas à prendre sa retraite.*
> **Quoique** *Pierre travaille fort, il n'arrive pas bien à l'école.*

Quoi que en deux mots a le sens de *quelle que soit la chose que...* ou de *peu importe la chose que...* :

> **Quoi que** *je te dise, tu n'en fais qu'à ta tête.*
> *Avant de toucher à* **quoi que** *ce soit, demandez la permission.*
> **Quoi qu**'*il fasse, il n'arrive pas bien à l'école.*

EXERCICE 10
Utilisez *quoique* **ou** *quoi que.*

1. .... on lui dise, il ne se fâche jamais.

2. .... fatigué, il a fait l'effort de venir.

3. .... vous prétendiez, cette affaire vous concerne personnellement.

4. Cette décision, ... irrévocable, ne l'affecte pas trop.

5. Je refuse de le recevoir, ... il fasse ou dise.

6. .... il en soit, ne vous en faites pas trop.

7. .... il soit arrivé très tard, nous avons quand même parlé longuement.

8. .... tu en penses, je rentrerai à l'heure qu'il me plaira de rentrer.

9. J'irai, ... il advienne.

10. Je terminerai ce travail pour vendredi, ... il m'en coûte.

11. .... on lui fasse, ce chat ne griffe jamais.

12.   .... il soit un peu lent d'esprit, il obtient de bons résultats.

13.   .... je sois très en colère, je vous pardonne pour cette fois.

14.   Il est toujours satisfait, ... on lui serve dans ce restaurant.

15.   Il est très sympathique, ... très colérique à ses heures.

11.   QUAND - QUANT - QU'EN

Quand est une conjonction de subordination ou un pronom interrogatif. Conjonction, il est synonyme de *lorsque* ; pronom, il exprime une interrogation précise concernant un moment dans le temps :

> **Quand** *puis-je disposer ?* (pronom interrogatif)
> *Vous disposerez* **quand** *je vous le dirai.* (conjonction)

Quant à est une locution prépositive synonyme des expressions *en ce qui concerne* et *pour ce qui est de* :

> *Pierre préfère le cassis ;* **quant à** *Danielle, je n'en ai pas la moindre idée.*
> **Quant aux** *problèmes que cette situation pourrait soulever, nous les résoudrons au fur et à mesure.*

Qu'en réunit la conjonction de subordination *que* (qui s'élide devant une voyelle) et le pronom complément *en*. Suivi du participe présent, *qu'en* marque la simultanéité. *En* est alors préposition :

> **Qu'en** *dites-vous?*
> *Ne vous a-t-il pas dit* **qu'en** *le quittant, Jeannette avait oublié son porte-documents ?*

EXERCICE 11
Utilis ez *quand*, *quant* ou *qu'en*.

1.   .... vient l'été, nous nous installons à la campagne ; .... au chat, nous le laissons à la ville.

2.   .... pensez-vous ?

3.   J'y consentirai .... ils m'auront donné la preuve de leur bonne volonté.

4.   .... penses-tu me rendre les livres que je t'ai prêtés ? .... aux disques, tu peux les garder.

5.   Ce n'est .... réduisant le nombre de tes consommations que tu parviendras à maigrir.

6.   Ce n'est .... second lieu que nous présenterons le nouveau modèle, c'est-à-
dire .... nous aurons terminé l'exposé théorique.

7.   Ce .... dit Daniel, je m'en moque.

12.   *PEUT-ÊTRE - PEUT ÊTRE*

Peut-être est un adverbe exprimant le doute ou la possibilité. Il n'a pas, en français[1],
de véritable synonyme. S'il est possible de le remplacer par son antonyme *assurément*
sans changer la structure grammaticale de la phrase, son emploi est correct :

*Jean n'est toujours pas arrivé : il est **peut-être** malade.*
*Estelle et Bernard vont **peut-être** s'acheter une maison.*

Peut être, c'est le verbe *pouvoir* à la 3e personne du singulier de l'indicatif présent suivi
du verbe *être*. Le passage du singulier au pluriel (*peut être / peuvent être*) permet de le
distinguer de son homologue *peut-être* :

*Le mot « si » **peut être**, selon le contexte, adverbe ou conjonction.*
*Le problème de la transmission **peut être** corrigé facilement.*

EXERCICE 12
Utilisez *peut-être* ou *peut être*.

1.   Bien que la tomate soit un fruit, elle ...., en cuisine, considérée comme
un légume.

2.   Votre parrain .... ou non parent avec vous.

3.   Comme vous vous en êtes .... rendu compte, la valeur du terrain a
encore augmenté.

4.   Vous devriez .... consulter un avocat.

5.   Ce virus .... transmis de plusieurs façons, mais on le contracte le plus
souvent dans les cours d'eau pollués.

6.   C'est .... vous, c'est .... moi ; ne cherchons donc pas de
coupable.

7.   Quelle heure est-il ? Il .... trois heures. Il est .... trois
heures.

---

1   *Possiblement* est un anglicisme qui ne fait pas partie du lexique français.

13. *LEUR - LEUR*

Leur peut être pronom personnel, pronom possessif (**le leur, la leur, les leurs**) ou adjectif possessif (**leur, leurs**). Pronom personnel, il correspond au pluriel de *lui* et ne prend jamais de *s* puisqu'il désigne en soi une pluralité :

> *Jacques et Hélène m'en veulent de **leur** avoir vendu des moules empoisonnées.*
> *Je **leur** avais pourtant accordé un rabais.*

Adjectif ou pronom possessif, ***leur**, **le leur***, ne se mettent au pluriel que s'ils renvoient à plusieurs choses ou à plusieurs êtres possédés :

> *Est-ce **leur** enfant? Oui, c'est **le leur**.*
> *Est-ce que ce sont **leurs** enfants? Oui, ce sont **les leurs**.*

EXERCICE 13
Écrivez correctement *leur*, au singulier ou au pluriel.

1. Mireille examina .... yeux comme une professionnelle.

2. .... as-tu précisé la date de notre départ ?

3. Ils ont encore réduit .... personnel.

4. Ce ne sont que des enfants ; il faut .... pardonner.

5. Peux-tu les aider à attacher .... souliers ?

6. Michel et Jeanne viennent souper. Qu'est-ce qu'on .... prépare ?

14. *A - À*

A, c'est le verbe ou l'auxiliaire *avoir* conjugué à la 3e personne de l'indicatif présent des formes simple et composée. On peut, dans tous les cas, le remplacer par *avait* :

> *Il **a** mal à la tête.*
> *Louis **a** soigneusement replacé toutes les lettres dans le tiroir.*

À est une préposition qui sert à introduire les compléments d'objet indirect et circonstanciels ainsi que les compléments déterminatifs du nom :

> *Lucien a vendu des moules **à** Jacques.* (c.o.i.)
> *Lucien est parti **à** la pêche aux moules.* (c.c.)
> *Un piano **à** queue.* (c. du nom)

EXERCICE 14
Utilisez *a* ou *à*.

1. Josée .... aidé Carole .... préparer le cours pour demain.

2. Nous avons proposé .... Carmen de prendre des vacances, mais elle en ...... été insultée.

3. La secrétaire .... largement contribué .... la réalisation de ce document.

4. Nous nous fions .... toi pour prendre soin des plantes pendant notre absence.

15. *DAVANTAGE - D'AVANTAGE(S)*

On confond parfois l'adverbe ***davantage***, qui signifie *plus*, avec le nom *avantage* précédé de la préposition *de* élidée, que l'on écrit, au fait, assez rarement. Retenons, par conséquent, que l'adverbe s'écrit en un seul mot :

> *Je prendrai celle-ci ; elle me plaît **davantage**.* (adverbe)
> *C'est **davantage** aux femmes que revient cette responsabilité.* (adverbe)
> *Je ne vous parle pas **d'avantages**, monsieur, mais de profits.* (nom)

EXERCICE 15
Utilisez davantage ou d'avantage(s).

1. Elle est insatiable, elle en veut toujours ....

2. Il ne tirera pas .... de cette situation, c'est évident.

3. Je crains que ma voiture ne tienne pas le coup ....

4. Ne m'en dites pas ...., j'ai compris !

5. Est-ce bien .... que vous avez parlé ?

16. *QUELLE - QU'ELLE*

Quelle est un adjectif interrogatif ou exclamatif :

> ***Quelle** rivière est la plus longue au Québec ?*
> ***Quelle** est la plus longue rivière au Québec ?*
> ***Quelle** aventure !*

Qu'elle est formé de la conjonction ou du pronom relatif *que* élidé devant le pronom personnel *elle*. Pour éviter la confusion avec *quelle*, on remplacera le pronom *elle* par un nom :

> *Je crois **qu'elle** ne viendra pas. (que Marie ne viendra pas)*
> ***Qu'elle** est belle ! (que Marie est belle !)*
> *La secrétaire **qu'elle** a engagée commence demain. (que Marie a engagée)*

EXERCICE 16
Utilisez *qu'elle* ou *quelle*.

1. Il ne faut surtout pas .... s'en aperçoive.

2. Ce ....en pense, je m'en moque.

3. .... stupidité !

4. J'ajoute ....s'est permis d'arriver en retard.

5. Pouvez-vous me dire à .... heure est le prochain départ ?

6. Si tu crois ce .... te raconte, je me demande à .... école tu es allé.

17.   *PRÈS DE - PRÊT À*

Près de est une locution prépositive qui signifie *à proximité de* ou *sur le point de* :

> *Marise habite **près de** chez moi.*
> *Luc est **près de** perdre la tête.*

Prêt à est composé de l'adjectif *prêt* (il varie donc au féminin et au pluriel) et de la préposition *à*. Cette expression signifie *être disposé à* :

> *Il n'est pas **prêt à** faire du bénévolat.*
> *Nous sommes **prêts à** reconsidérer votre offre.*

EXERCICE 17
Utilisez *près de* ou *prêt à*.

1. Pierre est toujours .... rendre service.

2. Je cherche un appartement .... tous les services.

3.   Avant que j'intervienne, ils étaient .... divorcer.

4.   Jean n'est pas .... finir sa thèse.

5.   Ils étaient .... vendre leur maison à cause de quelques perce-oreilles.

6.   Il est .... rendre l'âme.

CORRIGÉ

1. **1.** é, er, er **2.** er, é **3.** er, er **4.** er, er, ez **5.** é, er **6.** é, er **7.** er, é **8.** ez, ez, é, é **9.** é, é (ée, és, ées) **10.** é, ez, er, ez, er, er **11.** é, é, é, er **12.** er, é(e), er **13.** é, er, er **14.** er, er, er **15.** er **16.** er, er, é, er, ez, é, er, é(e) **17.** é, er **18.** é **19.** é (être commencé) **20.** er

2. **1.** prédit **2.** promis **3.** entrepris **4.** investi **5.** acquis **6.** accompli, plaint **7.** admis, agi **8.** écrit **9.** introduit **10.** peint **11.** éteint, assis **12.** détruit **13.** rejoint(e) **14.** permis **15.** produit **16.** dit, pris **17.** raccourci **18.** traduit **19.** rempli, inscrit **20.** contraint **21.** compris **22.** vieilli, subi (Ne pas confondre *subi*, participe passé du verbe *subir*, et *subit*, adjectif signifiant « soudain » : *On ne s'attendait pas à une mort aussi subite, à un changement de temps aussi subit*.) **23.** décrit **24.** démoli **25.** cueilli **26.** reconduit **27.** instruit **28.** surpris **29.** assailli **30.** circonscrit

3. se, ce, se, ce, se, ce

4. **1.** ont, on **2.** on, ont **3.** On, ont, on

5. **1.** Ou, ou **2.** où, où **3.** Où **4.** ou **5.** ou **6.** où **7.** où

6. **1.** s'est, s'est **2.** c'est **3.** s'est **4.** c'est, s'est

7. **1.** ces **2.** ces **3.** ses **4.** ses **5.** ces

8. **1.** peut, peu, peut, peu **2.** peut, peut

9. **1.** Plus tôt **2.** plus tôt (plutôt) **3.** plus tôt **4.** plutôt **5.** plutôt

10. **1.** Quoi qu'on **2.** Quoique **3.** Quoi que **4.** quoique **5.** quoi qu'il 6. Quoi qu'il **7.** Quoiqu'il **8.** Quoi que **9.** quoi qu'il **10.** quoi qu'il ou quoiqu'il (selon ce que vous voulez dire) **11.** Quoi qu'on **12.** Quoiqu'il **13.** Quoique **14.** quoi qu'on **15.** quoique

11. **1.** Quand, quant **2.** Qu'en **3.** quand **4.** Quand, Quant **5.** qu'en **6.** qu'en, quand **7.** qu'en

12. **1.** peut être **2.** peut être **3.** peut-être **4.** peut-être **5.** peut être **6.** peut-être, peut-être **7.** peut être, peut-être

13. **1.** leurs **2.** Leur **3.** leur **4.** leur **5.** leurs **6.** leur

14. **1.** a, à **2.** à, a **3.** a, à **4.** à

15. **1.** davantage **2.** d'avantage(s) **3.** davantage **4.** davantage **5.** d'avantages

16. **1.** qu'elle **2.** qu'elle **3.** Quelle **4.** qu'elle **5.** quelle **6.** qu'elle, quelle

17. **1.** prêt à **2.** près de **3.** Les deux sont possibles. **4.** Même chose **5.** prêts à **6.** Les deux sont possibles.

MODULE III

LES CONJUGAISONS

LES CONJUGAISONS

Vous savez qu'on écrit : *j'aime le cinéma*, mais vous hésitez parfois pour : *j'étudie à l'université* ou *je vérifie les réponses*.

Vous ne vous tromperiez pas en écrivant : *je veux apprendre l'informatique*, mais vous hésitez peut-être pour : *je veux travailler cet été*.

Il faut que je parte ce soir ne vous pose pas de problème d'orthographe, mais *il faut que j'y voie* (présent du subjonctif) en pose souvent.

L'énumération pourrait continuer. Le problème vient en grande partie de ce que vous n'avez pas une vue d'ensemble du système verbal du français et que vous faites face aux difficultés cas par cas. Essayons, en conséquence, de revoir les différentes structures verbales et de systématiser les conjugaisons.

0. GÉNÉRALITÉS

0.1 LES GROUPES

L'usage, en grammaire, est de répartir les verbes en groupes selon leur terminaison à l'infinitif. *Aimer, finir, prendre, recevoir* ont des terminaisons différentes : *–er, –ir, – re, –oir* sont les quatre seules terminaisons de l'infinitif.

Les verbes en *–er*, de loin les plus nombreux, ne souffrent **aucune**[1] exception dans leurs terminaisons, à quelque temps ou à quelque mode que ce soit. Les seules difficultés que présente la conjugaison des verbes du 1er groupe touchent des modifications du radical (le verbe moins sa terminaison). Mais encore là, le nombre de problèmes est limité. Par ailleurs, la quasi–totalité des nouveaux verbes qui apparaissent dans la langue française —pensons à *informatiser*, *dépolluer*, etc. – sont des verbes en *–er*, donc des verbes à conjugaison régulière.

Les verbes en *–ir*, en revanche, ne suivent pas tous le même modèle de conjugaison. Cela ne pose cependant pas de problème, car ce sont des verbes courants. Tout le monde sait que si *finir* fait *finissons* à la 1re personne du pluriel du présent de l'indicatif, *tenir*, lui, fait *tenons*. Presque tous les verbes en *–ir* se conjuguent comme *finir* (soit environ 300); une trentaine ont une conjugaison irrégulière.

---

[1]   Si ce n'est pour le verbe *aller*, qui est totalement irrégulier et ne peut guère être considéré comme un verbe du 1er groupe.

Les choses se compliquent avec les verbes en *–oir* et en *–re*. Un petit effort de mémorisation sera nécessaire. Mais comme un grand nombre de ces verbes appartiennent au vocabulaire de tous les jours, le temps investi à apprendre à les conjuguer constitue un « bon placement ».

0.2 Les personnes, les temps, les modes

Avant de passer aux conjugaisons proprement dites, rafraîchissons nos mémoires en ce qui concerne les notions de personne, de temps et de mode.

0.2.1 La personne

On sait qu'il y a trois personnes dans la grammaire française, trois au singulier et trois au pluriel :

	singulier	*pluriel*
1re	je	nous
2e	tu	vous
3e	il, elle	ils, elles

et qu'il n'y a qu'à la 3e personne que la variation en genre (masculin ou féminin) est apparente. Les pronoms des deux autres personnes ont cependant aussi un genre, même s'il n'est pas exprimé; on s'en rend compte dans les accords du verbe et de l'adjectif :

> *Je suis devenu sérieux . (Je = Julien)*
> *Tu es devenue sérieuse. (Tu = Juliette)*
> *Nous sommes devenues sérieuses. (Nous = Julie et Juliette)*
> *Vous êtes devenus sérieux . (Vous = Julien et Julienne)*

Il faut également se rappeler que *vous* peut être singulier :

> *Vous êtes devenu sérieux .*
> *Vous êtes devenue sérieuse.*

À ces pronoms personnels s'ajoute le pronom *on*, qui, grammaticalement, est de la 3e personne du singulier, même si, sémantiquement, il a le plus souvent une valeur plurielle, qu'on l'emploie dans son sens indéfini :

> *On n'est jamais si bien servi que par soi-même.*

ou qu'on lui donne la valeur de *nous :*

> *On va au cinéma ?*

Le verbe ayant pour sujet le pronom *on* prend donc la même forme que si son sujet était *il, elle* ou un nom singulier. Nous reviendrons sur ces questions lorsque nous traiterons des difficultés de l'accord du verbe avec le sujet, mais ces simples mises au point méritaient d'être d'ores et déjà faites.

0.2.2 Les temps, les modes

Les modes traduisent différentes manières de concevoir un événement. Ainsi, par opposition au mode indicatif, qui est le mode par excellence du *certain* et du *réel*, les modes subjonctif, conditionnel et impératif se spécialisent dans l'expression d'événements incertains, c'est-à-dire possibles, hypothétiques, ou encore souhaitables :

> *Je veux* (indicatif : certain) *qu'il parte* (subjonctif : incertain).
> *Puissiez-vous* (subjonctif : souhaitable) *partir!*
> *Partez* (impératif : incertain, souhaitable).
> *Je partirais bien* (conditionnel : souhaitable).

À l'intérieur de chaque mode, il y a plusieurs temps. Au mode indicatif, le passé simple, l'imparfait, le présent et le futur simple correspondent à des époques particulières (passé | présent | futur). Les autres temps de l'indicatif et tous les temps des autres modes sont sans valeur absolue; tout ce qu'on peut dire, c'est qu'ils se répartissent en formes simples et en formes composées. La forme composée est constituée d'un auxiliaire (*être* ou *avoir*) et d'un participe passé, et sert généralement à marquer l'antériorité :

> *J'**aurai terminé** quand tu arriveras.*
> *A**voir** tant **travaillé** et ne pas réussir!*
> *Il faiblissait parce qu'il n'**avait** rien **mangé**...*

S'il est nécessaire de connaître les modes pour bien les utiliser, il faut avant tout les recon-naître pour orthographier correctement les formes verbales utilisées. Dans :

> *Je crains que tu ne **voies** pas le problème.*

voies est au mode subjonctif. À défaut de s'en rendre compte de façon théorique, on peut le vérifier en remplaçant *voies* par un verbe où on entend le subjonctif :

> *Je crains que tu ne te **rendes** pas compte du problème.*

Mais dans :

> *Je crois que tu ne **vois** pas le problème,*
> *vois* est au mode **indicatif**, comme dans :
> *je crois que tu ne te **rends** pas compte du problème.*

Vous aurez remarqué que les deux formes ont une orthographe différente et qu'il est donc utile de les différencier.

EXERCICE 1

En vous aidant du tableau de conjugaison du verbe *être* (*Précis*, § 307), indiquez à quel temps et à quel mode sont les verbes en gras.

1.   Il *fut* (...) impossible de s'entendre.

2.   Je ne croyais pas qu'il *fût* (...) possible de s'entendre.

3.   Je *suis* (...........................) contente qu'il *ait été* (...............................) possible de s'entendre.

4.   J'*étais* (.......................................) contente de la voir.

5.   S'il en avait été capable, il ne *serait* (.......................................) pas là aujourd'hui.

6.   J'*aurai été* (.......................................) dupe jusqu'à la dernière minute.

7.   J'*aurais été* (.......................................) surprise que vous ne *soyez* (.......................................) pas là.

8   J'aurais été surprise que vous ne *fussiez* (...) pas là.

9.   Il *eût été* (...) surpris que vous n'*ayez* point *été* (.......................................) là.

10. N'en *soyez* (...) pas si certain.

En réalité, le subjonctif est surtout utilisé au présent. Il est bon cependant de connaître les autres temps du subjonctif. En ce qui concerne l'indicatif, remarquez d'ores et déjà le parallèle entre les quatre temps simples et les quatre temps composés. Nous reviendrons sur ce chapitre un peu plus loin.

1. LE PRÉSENT DE L'INDICATIF

1.1 Les verbes en *–er*

Commençons par les verbes du 1er groupe. Vous vous rappelez qu'il s'agit des verbes en *–er*. Les terminaisons sont connues :

	singulier	*pluriel*
1re	e	ons
2^{e}	es	ez
3^{e}	e	ent

Elles s'ajoutent au radical, c'est-à-dire qu'on remplace la terminaison de l'infinitif par celle du présent à la personne désirée :

CHANT / ER   je chant / e
tu chant / es
il, elle, on chant / e
nous chant / ons
vous chant / ez
ils, elles chant / ent

Comme nous l'avons dit plus haut, il n'y a pas d'exception aux terminaisons des verbes du 1er groupe au présent de l'indicatif. Encore faut-il reconnaître les verbes du premier groupe. Le moyen d'y parvenir, si on a des doutes, est de mettre le verbe à l'infinitif. Si vous écrivez :

Je vérifie mes résultats.

et que vous ne l'orthographiez pas avec un *e*, c'est que vous n'avez pas pensé à l'infinitif. Tout verbe en *–er* contient un *e* dans sa terminaison aux trois personnes du singulier du présent de l'indicatif (*–es* à la 2e personne). « Remonter » à l'infinitif est donc indispensable et ne demande qu'une seconde. L'exercice suivant vous obligera à vous arrêter à l'infinitif.

EXERCICE 2
Donnez l'infinitif des verbes en gras, puis récrivez les phrases à la personne correspondante du singulier.

1. Nous *publions* dix livres par mois.

   ....

2. Nous *vérifions* toutes nos informations avant de les publier.

   ....

3. Nous *parions* que Blue Bonnets ne fermera pas.

   ....

4. Nous *crions* pour nous faire entendre.

   ....

5. Vous *tuez* la vache à lait.

   ....

6.   Nous *lions* notre offre aux conditions susmentionnées.

....

7.   Nous nous *fions* à vous.

....

8.   Ils *ruent* dans les brancards.

....

9.   Vous *louez* votre appartement trop cher!

....

10.   Ils *bafouent* les règles les plus élémentaires de la politesse!

....

Vous aurez constaté que tous ces verbes appartiennent au 1er groupe, mais que leur radical se terminant par une voyelle, on oublie parfois le *e* au singulier, faute qu'on ne commettrait pas avec des verbes comme *marcher*, *nager*, *économiser*, *exécuter*, pour lesquels tout le monde écrira : *je marche, je nage, j'économise, j'exécute*. Faites attention, donc, aux verbes du 1er groupe dont le radical se termine par une voyelle; ce sont les verbes en *–ier* qui sont les plus courants.

La deuxième difficulté —si tant est qu'on pouvait parler de difficulté pour l'identification du groupe – réside dans les changements de radical qui surviennent dans certains cas bien déterminés, empêchant ainsi de simplement accoler la terminaison au radical. Il existe cinq cas de variation de radical pour les verbes du 1er groupe au présent de l'indicatif; les retenir n'est donc pas titanesque. Mais avant d'aborder ces cas particuliers, assurons–nous qu'il ne subsiste aucune difficulté avec les verbes à conjugaison régulière.

EXERCICE 3

Mettez les verbes entre parenthèses à la forme appropriée du présent de l'indicatif. Attention ! Le sujet n'est pas nécessairement le mot qui précède le verbe.

1.   Je *(chanter)* .... à l'église tous les dimanches.

2.   Tu les *(regarder)* .... passer.

3.   Il nous *(raconter)* .... ses mésaventures.

4.   Nous *(aimer)* .... aller au restaurant.

5.   Vous *(parler)* .... avec enthousiasme.

6.   Elles *(brasser)* .... de grosses affaires.

7.   Paul et Marie *(penser)* .... fonder une compagnie.

8.   Paul et vous *(mériter)* .... bien un congé. (Attention ! La 2e personne l'emporte sur la 3e personne.)

9.   Henri et toi, vous m'*(embêter)* ....

10.   Germain et moi *(penser)* .... avoir terminé demain. (La 1re personne l'emporte sur la 3e.)

11.   Vous et moi *(penser)* .... la même chose. (La 1re personne l'emporte sur la 2e.)

Vos réponses doivent être toutes bonnes. Attaquons donc les problèmes.

1.1.1 Les changements de radical dans les verbes en *−er*

1°   Verbes en *−yer*

Essayer, *nettoyer*, *appuyer* sont bien des verbes du 1er groupe. Ils se conjuguent sans problème aux 1re et 2e personnes du pluriel :

ESSAY / ER	*nous essay / ons*
	vous essay / ez
NETTOY / ER	*nous nettoy / ons*
	vous nettoy / ez
APPUY / ER	*nous appuy / ons*
	vous appuy / ez

L'**y** est ici une semi-consonne (contrairement à dans *hypothèse,* où il est pure voyelle et représente le son [i]); il appartient à la fois à deux syllabes :

ESSAYER	*sa*	*y*	*er*
NETTOYER	*to*	*y*	*er*
APPUYER	*pu*	*y*	*er*

Mais qu'arrive-t-il si la dernière syllabe tombe ? Si elle est remplacée par un *e* muet ? Seule la partie voyelle du **y** est retenue et le **y** se transforme en *i*.

EXERCICE 4

Conjuguez les trois verbes précédents au présent de l'indicatif.

		ESSAYER	*NETTOYER*	*APPUYER*
sing.	1re	....	....	....
	2^{e}	....	....	....
	3^{e}	....	....	....
pl.	1re	....	....	....
	2^{e}	....	....	....
	3^{e}	....	....	....

Les verbes en *–ayer* peuvent conserver l'*y* à toutes les personnes : *j'essaye, tu essayes, il essaye, nous essayons, vous essayez, ils essayent.* L'*y* se prononce alors comme à l'infinitif.

Vous aurez sans doute remarqué la similitude de prononciation des verbes en *–yer* aux trois personnes du singulier et à la 3e personne du pluriel avec les verbes dont le radical se termine par une voyelle que nous avons vus précédemment (*crier, tuer,* etc.). Pour les verbes en *–yer* comme pour *crier , tuer,* etc., si vous ne pensez pas à l'infinitif, vous risquez d'oublier le *e* de la terminaison lorsqu'il ne s'entend pas.

EXERCICE 5

Mettez les verbes entre parenthèses au présent de l'indicatif.

1. La compagnie *(employer)* .... deux cents personnes.

2. Il *(payer)* .... ses employés 5 $ l'heure.

3. Malgré cela, la compagnie *(essuyer)* .... des pertes importantes.

4. Tu *(broyer)* .... du noir, mon pauvre ami.

5. Il *(frayer)* .... avec de drôles de gens.

6. Il *(se plier)* .... à toutes les volontés de son supérieur.

7. Ça t'*(ennuyer)* .... de venir ici ?

8. J'*(avouer)* .... que j'ai eu tort.

9. Tous les membres *(appuyer)* .... la proposition.

10. Je le *(côtoyer)* .... depuis longtemps.

2° Verbes en –ger

Les verbes en –*ger* *(ranger)* se distinguent des verbes en –**guer** *(conjuguer)* par la valeur sonore de la lettre **g.** Pour garder la même prononciation dans toute la conjugaison *(g=j)* comme dans *je*), on ajoute un **e** devant les terminaisons commençant par un **o** ou un **a**.

EXERCICE 6
Écrivez les verbes suivants au présent de l'indicatif.

1. Je *(rager)* ....

2. Tu *(piger)* ....

3. Médor *(ronger)* .... son os.

4. Vous *(ménager)* .... vos forces.

5. Ils *(nager)* .... dans le bonheur.

Maintenant, dites à voix haute la phrase suivante :

Georges a mal à la gorge et son geôlier lui a donné de la gomme.

Récrivez les verbes précédents à la 1ʳᵉ personne du pluriel.

6. Nous *(rager)* ....

7. Nous *(piger)* ....

8. Nous *(ronger)* .... notre frein.

9. Nous *(ménager)* .... nos forces.

10. Nous *(nager)* .... dans le bonheur.

3°   Verbes en –*cer*

Le problème est du même ordre que pour les verbes en –*ger*. On veut garder au *c* sa prononciation *s* dans toute la conjugaison.

EXERCICE 7

1. Devant quelles voyelles place-t-on une cédille sous le *c* pour qu'il se prononce comme *s* ? Consultez l'index de votre *Précis* ou de toute autre grammaire à *cédille* pour trouver la réponse.

    ....

2. Mettez des cédilles là où elles sont nécessaires.

    Ceci, cela, ca, j'avance, nous avancons, je vous remercie pour le recu. Merci pour le conseil.

4°   *E* muet à l'avant-dernière syllabe de l'infinitif

Rappelez à votre esprit les terminaisons du présent des verbes en –*er*. Les terminaisons des trois personnes du singulier et de la troisième personne du pluriel se prononcent comme des *e* muets. Pour ne pas avoir deux *e* muets de suite, celui de l'avant-dernière syllabe se transforme en *è*. À la 1re et à la 2e personne du pluriel, la terminaison étant sonore, c'est-à-dire qu'elle contient une voyelle qu'on entend, le *e* de l'avant-dernière syllabe reste muet.

EXERCICE 8
Conjuguez le verbe *parsemer* au présent de l'indicatif.

PARSEMER   je ....nous ....

tu..............................vous ....

il..............................ils ....

Pour nous embêter —ou c'est tout comme – les verbes en –*eler* et en –*eter* se comportent différemment des autres verbes qui ont un *e* muet à l'avant-dernière syllabe de l'infinitif. En général, ils redoublent le *l* ou le *t* devant une terminaison en *e* muet.

EXERCICE 9
Conjuguez les verbes *appeler* et *jeter* au présent de l'indicatif.

APPELER   j'.............................. nous ....

tu.............................. vous ....

il.............................. ils ....

JETER   je.............................. nous ....

tu.............................. vous ....

il.............................. ils ....

Un petit nombre de verbes en –***eler*** et en –***eter*** changent cependant le ***e*** de l'avant-dernière syllabe en ***è*** *Précis*, § 329 b.

EXERCICE 10
Conjuguez les verbes suivants au présent de l'indicatif.

ACHETER   j'.............................. nous ....

tu.............................. vous ....

il.............................. ils ....

DÉCELER   je.............................. nous ....

tu.............................. vous ....

il.............................. ils ....

GELER   je.............................. nous ....

tu.............................. vous ....

il.............................. ils ....

EXERCICE 11
Écrivez les verbes entre parenthèses au présent de l'indicatif.

1. Cela (*soulever*) .... des problèmes.

2. Nous (*emmener*) .... le chien en voyage.

3. Les trois marmitons (*peler*) .... les pommes de terre.

4. Je vous (*rappeler*) .... ce soir.

5. La pluie (*ruisseler*) .... sur les carreaux.

6. L'eau se (*congeler*) .... à 0°.

7. Une nuée de papillons de nuit (*voleter*) .... autour de la lumière.

8. Le vieux (*grommeler*) .... dans son coin.

9. L'avenir appartient à ceux qui (*se lever*) .... tôt.

10. Ce n'est pas vous qui (*mener*) .... la barque.

5° *E fermé (é)* à l'avant-dernière syllabe de l'infinitif

Dans ces verbes, le *é* se transforme en *è* quand la dernière syllabe est muette. Le *é* sera donc maintenu aux 1re et 2e personnes du pluriel.

EXERCICE 12
Conjuguez le verbe *céder* au présent de l'indicatif.

CÉDER   je .... nous ....

tu .... vous ....

il .... ils ....

Dans les verbes en –*éer*, le *é* est maintenu à toutes les personnes.

EXERCICE 13

Conjuguez le verbe *créer* au présent de l'indicatif. N'oubliez pas que le *é* appartient au radical et non à la terminaison.

CRÉER   je...............................nous ....

tu................................vous ....

il................................ils ....

EXERCICE 14

Écrivez les verbes entre parenthèses au présent de l'indicatif.

1. Trois étudiants *(siéger)* .... au conseil d'administration.

2. Vous *(interpréter)* .... tout ce qu'on vous dit.

3. Apprendre les conjugaisons *(se révéler)* .... passionnant.

4. Ce menu m'*(allécher)* ....

5. Nous *(alléguer)* .... le manque de temps.

6. Vos propos me *(sidérer)*.............................

6°   Le verbe *aller*

Avec ses quatre radicaux différents, le verbe *aller* est totalement irrégulier.

EXERCICE 15

Conjuguez le verbe *aller* au présent de l'indicatif.

ALLER   je...............................nous ....

tu................................vous ....

il................................ils ....

EXERCICE 16

Récapitulation du présent de l'indicatif des verbes en *–er*.

1. *Plier*   je...............................nous ....

2. *Ployer*   tu................................vous ....

3. *Suppléer*   il...ils   ....

4. *Supplier*   je.............................nous   ....

5. *Clouer*   tu.............................vous   ....

6. *Dorer*   il...ils   ....

7. *Pagayer*   je.............................nous   ....

8. *Ramer*   tu.............................vous   ....

9. *Recréer*   il...ils   ....

10. *Se méfier*   je me.....................nous nous   ....

11. *Épousseter*   tu.............................vous   ....

12. *Sécher*   il...ils   ....

13. *Appuyer*   j'..............................nous   ....

14. *S'inquiéter*   tu t'......................vous vous   ....

15. *Rejeter*   il...ils   ....

16. *Déléguer*   je.............................nous   ....

17. *Épeler*   tu.............................vous   ....

18. *Crier*   il...ils   ....

19. *Manger*   je.............................nous   ....

20. *Rouspéter*   tu.............................vous   ....

21. *Serrer*   il...ils   ....

22. *Tracer*   je.............................nous   ....

23. *Côtoyer*   tu.............................vous   ....

24. *Expédier*   il...ils   ....

25. *Aller*   tu.............................vous   ....

1.2 Les verbes en –*ir*

La plupart des verbes en –*ir* se conjuguent comme *finir*. On remplace la terminaison de l'infinitif par les terminaisons suivantes[1] :

	singulier	pluriel
1re	is	issons
2e	is	issez
3e	i t	issent

EXERCICE 17
Conjuguez le verbe *fournir* au présent de l'indicatif.

FOURNIR   je.................................nous ....

tu ....vous ....

il.....................................ils ....

Un seul cas particulier à retenir : le verbe *haïr* , qui perd le tréma au singulier du présent de l'indicatif.

EXERCICE 18
Conjuguez le verbe *haïr* au présent de l'indicatif.

HAÏR   je.................................nous ....

tu ....vous ....

il.....................................ils ....

1.2.1 Les verbes en –*ir* irréguliers

a) Dans un petit nombre de verbes en –*ir* (une quinzaine de verbes courants et leurs composés), le double *s* n'apparaît pas au pluriel; au contraire, le radical se trouve le plus souvent raccourci ou modifié aux trois personnes du singulier. Les terminaisons sont :

	singulier	pluriel
1re	s	ons
2e	s	ez
3e	t	ent

---

1   On peut aussi considérer que les terminaisons sont seulement : -*s*, -*s*, -*t*, -*ons*, -*ez*, -*ent*.

EXERCICE 19

C o n j u g u e z   l e   v e r b e   *d o r m i r*   a u   p r é s e n t   d e   l ' i n d i c a t i f .

DORMIR   je ....nous ....

tu ....vous ....

il ....ils ....

Les verbes en *–ir*, sauf *vêtir*, perdent également la consonne (en l'occurrence le *t*) qui précède la terminaison de l'infinitif au singulier, sauf à la 3e personne, où le *t* est la terminaison.

EXERCICE 20

C o n j u g u e z   l e s   v e r b e s   *m e n t i r*   e t   *v ê t i r*   a u   p r é s e n t   d e   l ' i n d i c a t i f .

MENTIR   je ....nous ....

tu ....vous ....

il ....ils ....

VÊTIR   je ....nous ....

tu ....vous ....

il ....ils

Courir, ainsi que ses composés, se conjugue normalement.

EXERCICE 21

C o n j u g u e z   l e   v e r b e   *c o u r i r*   a u   p r é s e n t   d e   l ' i n d i c a t i f .

COURIR   je ....nous ....

tu ....vous ....

il ....ils ....

Tenir, *venir* et leurs composés, les trois composés du verbe défectif *quérir (acquérir conquérir, requérir)* ainsi que *mourir* et *bouillir*, subissent des modifications de radical au singulier et à la 3e personne du pluriel.

EXERCICE 22

Conjuguez *tenir*, *venir*, *acquérir*, *mourir* et *bouillir* au présent de l'indicatif. N'oubliez pas qu'ils sont parfaitement réguliers aux 1re et 2e personnes du pluriel. Ne doublez pas le *r* d'*acquérir* et n'en transformez pas l'accent aigu en accent grave aux 1re et 2e personnes du pluriel.

TENIR   je.........................nous ....

            tu.........................vous ....

            il.........................ils ....

VENIR   je.........................nous ....

            tu.........................vous ....

            il.........................ils ....

ACQUÉRIR j'.........................nous ....

            tu.........................vous ....

            il.........................ils ....

MOURIR   je.........................nous ....

            tu.........................vous ....

            il.........................ils ....

BOUILLIR je.........................nous ....

            tu.........................vous ....

            il.........................ils ....

Pour des raisons phonétiques, *fuir* et *s'enfuir* ont également une conjugaison particulière. Le *i* de la terminaison de l'infinitif se maintient au singulier et à la 3e personne du pluriel, mais se transforme en **y** aux 1re et 2e personnes du pluriel. Le processus est le même que dans les verbes en –**yer** : *j'appuie, nous appuyons; je fuis, nous fuyons.*

EXERCICE 23

Conjuguez le verbe *fuir* au présent de l'indicatif.

FUIR   je.............................nous ....

tu.............................vous ....

il.............................ils ....

b) Il reste finalement une dernière catégorie de verbes en *–ir*, qui se comportent anormalement et se conjuguent comme les verbes en *–er*. La plupart sont des verbes courants.

EXERCICE 24

Écrivez les verbes suivants au présent de l'indicatif.

1. *Cueillir*   je.............................nous ....

2. *Accueillir*   tu.............................vous ....

3. *Couvrir*   il.............................ils ....

4. *Découvrir* je.............................nous ....

5. *Ouvrir*   tu.............................vous ....

6. *Offrir*   il.............................ils ....

7. *Souffrir*   je.............................nous ....

8. *Assaillir*   tu.............................vous ....

9. *Défaillir*   il.............................ils ....

10. *Tressaillir* je.............................nous ....

EXERCICE 25

Récapitulation du présent de l'indicatif de tous les verbes en *–ir*.

1. Paul (*détenir*) .... trente pour cent des actions.

2. Attention ! Les voleurs (*s'enfuir*) ....

3. L'eau *(bouillir)* .... à 100° C.

4. Nous *(bouillir)* .... d'impatience.

5. La garde *(mourir)* ...., mais ne se rend pas.

6. Ils *(assaillir)* .... le professeur de questions.

7. Vous *(courir)* .... à votre perte.

8. Il *(gravir)* .... tranquillement tous les échelons.

9. Nous *(subvenir)* .... à ses besoins.

10. Il *(pressentir)* .... un malheur.

11. Tu *(se repentir)* .... vraiment ?

12. Il *(encourir)* .... de lourds reproches.

13. Le médecin *(s'enquérir)* .... de la santé du malade.

14. Je n'en *(disconvenir)* .... pas.

15. Vous *(remplir)* .... toutes les conditions.

16. Nous *(entretenir)* .... de bonnes relations.

17. Nous *(mourir)* .... de faim.

18. Émile nous *(offrir)* .... sa collaboration.

19. Tu *(mentir)* .... comme tu parles.

20. À cette idée, il *(tressaillir)* .... de joie.

21. Ce travail *(requérir)* .... une grande habileté.

1.3 Les verbes en *-re*

1° Voyelle + *-re*

La terminaison de l'infinitif est remplacée par les terminaisons *-s, -s, -t, -ons, -ez, ent*. Les modifications de radical sont fréquentes au pluriel.

EXERCICE 26
Conjuguez les verbes suivants au présent de l'indicatif.

SOURIRE   je ....   nous ....

tu.................................   vous ....

il.................................   ils ....

CONSTRUIRE   je ....   nous ....

tu.................................   vous ....

il.................................   ils ....

BOIRE   je ....   nous ....

tu.................................   vous ....

il.................................   ils ....

CROIRE   je ....   nous ....

tu.................................   vous ....

il.................................   ils ....

CONCLURE   je ....   nous ....

tu.................................   vous ....

il.................................   ils ....

FAIRE   je ....   nous ....

tu.................................   vous ....

il.................................   ils ....

2°   Verbes en *–dre* (sauf ceux en *–soudre* et en *–indre*)

Ils se conjuguent normalement. C'est dire qu'ils gardent le **d** dans toute la conjugaison, puisque le **d** appartient au radical.

EXERCICE 27
Conjuguez les verbes suivants au présent de l'indicatif.

VENDRE	je................................	nous................................	
	tu................................	vous................................	
	il................................	ils................................	
CONFONDRE	je................................	nous................................	
	tu................................	vous................................	
	il................................	ils................................	
PRENDRE	je................................	nous................................	
	tu................................	vous................................	
	il................................	ils................................	

3°   Verbes en *-soudre* et en *–indre* (*–aindre*, *–eindre* ou *–oindre*)

Ils perdent le *d* au singulier et subissent des transformations de radical au pluriel.

je résous	*je crains*
tu résous	*tu crains*
il résout	*il craint*
nous résolvons	*nous craignons*
vous résolvez	*vous craignez*
ils résolvent	*ils craignent*

EXERCICE 28
Conjuguez les verbes suivants au présent de l'indicatif.

DISSOUDRE	je................................	nous................................	
	tu................................	vous................................	
	il................................	ils................................	
PEINDRE	je................................	nous................................	
	tu................................	vous................................	
	il................................	ils................................	

4°   Verbes en *–ttre*

Ils gardent un *t* au singulier, les deux au pluriel.

EXERCICE 29
Conjuguez les verbes suivants au présent de l'indicatif.

ADMETTRE	j'	nous	
	tu......................................	vous	
	il......................................	ils	
BATTRE	je	nous	
	tu......................................	vous	
	il......................................	ils	

5°   Verbes en *–tre* (*–aître* ou *–oître*)

Ils perdent le *t* aux deux premières personnes du singulier. Un double *s* remplace le *t* au pluriel. L'accent circonflexe sur le *i* ne se trouve que lorsque le *i* est suivi d'un *t*, c'est-à-dire, pour le présent de l'indicatif, seulement à la 3e personne du singulier.

EXERCICE 30
Conjuguez les verbes suivants au présent de l'indicatif.

CONNAÎTRE	je	nous	
	tu......................................	vous	
	il......................................	ils	
ACCROÎTRE	j'	nous	
	tu......................................	vous	
	il......................................	ils	

6° *Vaincre* et *convaincre*

je vaincs	*nous vainquons*
tu vaincs	*vous vainquez*
il vainc	*ils vainquent*

EXERCICE 31
Conjuguez le verbe *convaincre* au présent de l'indicatif.

CONVAINCRE je.................................... nous....................................

tu .... vous....................................

il .... ils....................................

7° *Rompre* et **composés**

je romps	*nous rompons*
tu romps	*vous rompez*
il rompt	*ils rompent*

EXERCICE 32
Conjuguez le verbe *corrompre* au présent de l'indicatif.

CORROMPRE je.................................... nous....................................

tu .... vous....................................

il .... ils....................................

EXERCICE 33
Récapitulation du présent de l'indicatif des verbes en *-re*.

1. Vous *(enduire)* .... ensuite la surface de colle.

2. Nous n'*(exclure)* .... pas toute participation.

3. Je *(mettre)* .... tous mes espoirs en vous.

4. Nous *(craindre)*.................................... une nouvelle baisse des valeurs mobilières.

5.   Hélas! Les profits *(décroître)* .... rapidement.

6.   Il *(interrompre)* .... le fil de mes pensées.

7.   Il *(paraître)* .... que vous allez venir travailler pour notre compagnie.

8.   Je *(connaître)* .... quelqu'un qui ferait l'affaire.

9.   Nous *(croire)* .... pouvoir terminer à temps.

10. Tu *(coudre)* .... très bien.

1.4 Les verbes en *-oir*

1° *Pouvoir, vouloir, valoir*

Le radical change aux trois personnes du singulier et à la 3e personne du pluriel. La terminaison des 1re et 2e personnes du singulier est *x*.

EXERCICE 34
Écrivez les verbes au présent de l'indicatif.

1. *Pouvoir*   je................................... nous ....

2. *Vouloir*   tu................................... vous ....

3. *Valoir*   il................................... ils ....

2° *Voir* et composés (sauf verbes en *–cevoir*)

Le *i* est remplacé par un *y* semi-consonne comme dans les verbes *fuir* et *s'enfuir*.

EXERCICE 35
Conjuguez le verbe *voir* au présent de l'indicatif.

VOIR   je................................... nous ....

tu................................... vous ....

il................................... ils ....

3º   Verbes en *–cevoir*

Le radical change aux trois personnes du singulier et à la 3e personne du pluriel.

EXERCICE 36

Écrivez les verbes au présent de l'indicatif. N'oubliez pas la cédille sous le *c* devant *o*.

1.   *Apercevoir* j'................................... nous...................................

2.   *Recevoir* tu................................... vous...................................

3.   *Décevoir* il................................... ils...................................

4º *DEVOIR, SAVOIR, MOUVOIR*

Le radical change aux trois personnes du singulier et à la 3e personne du pluriel.

EXERCICE 37

Écrivez les verbes au présent de l'indicatif.

1.   *Devoir*   je................................... nous...................................

2.   *Savoir*   tu................................... vous...................................

3.   *Mouvoir* il................................... ils...................................

5º   *Asseoir*

Le verbe *asseoir (s'asseoir)* a deux conjugaisons. Notez la disparition du *e* de l'infinitif à la première forme.

j'assois	*assieds*
tu assois	*assieds*
il assoit	*assied*
nous assoyons	*asseyons*
vous assoyez	*asseyez*
ils assoient	*asseyent*

EXERCICE 38
Récapitulation du présent de l'indicatif des verbes en *–oir*.

1. Ce que l'on *(concevoir)* .... bien s'énonce clairement.

2. Cela m'*(émouvoir)* ....

3. Une image *(valoir)* .... mille mots.

4. Il *(pourvoir)* .... aux besoins de sa famille.

5. Je ne *(pouvoir)* .... accéder à votre demande pour l'instant.

1.5 Les verbes *être* et *avoir*

Nous avons négligé ces deux verbes comme s'il allait de soi que personne ne faisait de faute en les conjuguant. Mais nombreux sont ceux qui oublient parfois un bout de terminaison.

EXERCICE 39
Conjuguez les verbes *être* et *avoir* au présent de l'indicatif.

ÊTRE   je .... nous ....

tu .... vous ....

il .... ils ....

AVOIR   j' .... nous ....

tu .... vous ....

il .... ils ....

EXERCICE 40

Récapitulation générale du présent de l'indicatif.

1. Moi aussi, cela m'*(ennuyer)* .... prodigieusement.

2. Ce contrat me *(lier)* .... à vous.

3. Tous les matins, elle *(lire)* .... son journal.

4. Nous *(créer)* .... une nouvelle pièce tous les ans.

5. Je ne *(répondre)* .... pas de lui.

6. Nous *(se distraire)* .... comme nous *(pouvoir)*.

7. Les deux équipes *(se relayer)* .... toutes les quatre heures.

8. Nous *(rejoindre)* .... notre régiment dès demain.

9. Nous *(placer)* .... notre confiance en vous.

10. Pour quelque temps, nous *(se contraindre)* .... à faire des conjugaisons tous les jours.

11. Je *(protéger)* .... vos intérêts.

12. Il *(se fourvoyer)* .... complètement.

13. Je *(rejeter)* .... votre demande.

14. Mes créanciers me *(harceler)* ....

15. Cela n'en *(valoir)* .... pas la peine.

16. Il *(se souvenir)* .... de tout.

17. Pendant que vous *(être)*................................... ici, vous *(acquérir)* .... de l'expérience.

18. Vous *(faire)* .... honneur à vos parents.

19. Je *(soutenir)* .... votre candidature.

20. Une véritable foule *(accourir)* .... sur les lieux.

21. Il *(falloir)* .... partir immédiatement.

22. Il *(pleuvoir)* .... depuis ce matin.

1.6 La forme interrogative au présent de l'indicatif

La forme interrogative soulève deux difficultés d'ordre orthographique : le trait d'union entre le verbe et le pronom sujet postposé, au présent de l'indicatif et le *t* euphonique entre le verbe de 1er groupe et le pronom sujet de 3e personne en inversion.

1.6.1 Le trait d'union

Chaque fois que le pronom sujet est placé après le verbe, il y est joint par un trait d'union. Si l'on construit l'interrogation avec *est-ce que*, il ne faut pas oublier le trait d'union entre *est* et *ce* qui est également un sujet postposé :

> *Venez-vous... ?*
> *Allons-nous... ?*
> *Crois-tu... ?*
> *Partent-ils... ?*
> *Part-il... ?*
> *Est-ce que... ?*

1.6.2 Le *t* euphonique

La terminaison des verbes du 1er groupe à la 3e personne du singulier est *–e*. Pour l'euphonie, on intercale un *t* entre le verbe et les pronoms *il*, *elle* ou *on* en inversion. Même chose pour les verbes *aller* et *avoir* à la 3e personne du singulier.

> *Parle-t-il... ?*
> *Parle-t-elle... ?*
> *Parle-t-on... ?*
> *Va-t-il... ?*
> *A-t-elle... ?*

Le *t*, vous l'aurez remarqué, se trouve entre deux traits d'union.

EXERCICE 41
Ajoutez des traits d'union là où ils sont nécessaires.

1. Entend il me convaincre ainsi ?

2. Va t il falloir vendre nos actions ?

3. Cet argument te convainc t il ?

4. Est ce que je chante juste ?

5.   A t on vraiment besoin de cela ?

6.   Parle t il toujours autant ?

2 . LE PASSÉ COMPOSÉ

À la voix active, le passé composé est formé de l'auxiliaire *avoir* ou de l'auxiliaire *être* au présent[1] et du participe passé du verbe concerné :

> *Tu as chanté.*
> *Vous avez parlé.*
> *Nous sommes venus.*
> *Marie est partie.*
> *Ils sont devenus casaniers.*
> *Il s'est blessé.*

L'auxiliaire *être* est utilisé pour un nombre restreint de verbes, dont les verbes d'état, et pour la conjugaison passive, à tous les temps, même aux temps simples. Ainsi, dans :

> *La nouvelle est colportée dans toute la ville.*

le verbe est au présent, mais à la forme, ou voix, passive. Comparez :

> *On colporte la nouvelle...*
> *La nouvelle est colportée...*

La voix passive inverse le rapport entre le sujet, le verbe et le complément d'objet direct. Celui-ci devient le sujet, et le sujet devient complément d'agent ou disparaît. Au passé composé, on obtient :

> *On a colporté la nouvelle....*
> *La nouvelle a été colportée...*

La voix passive est donc formée de l'auxiliaire être, au temps du verbe actif correspondant, et du participe passé, qui s'accorde en genre et en nombre avec le sujet :

- Présent actif :

> *On diffuse souvent cette émission.*

- Présent passif :

> *Cette émission est souvent diffusée.*

- Passé composé actif :

> *On a diffusé cette émission plusieurs fois.*

- Passé composé passif :

> *Cette émission a été diffusée plusieurs fois.*

---

1   Sauf à la voix passive, où l'auxiliaire même est au passé composé.

N'oubliez pas que lorsqu'on emploie

Quand on emploie l'auxiliaire *être*, le participe passé s'accorde en genre et en nombre avec le sujet (sauf pour les verbes pronominaux où ce n'est pas nécessairement le cas[1]). Lorsque l'auxiliaire est *avoir*, le participe, comme vous savez, s'accorde avec le complément d'objet direct s'il est placé avant le verbe.

EXERCICE 42
Mettez les verbes entre parenthèses au passé composé.

N'oubliez pas d'accorder le participe passé des verbes conjugués avec *être* en genre et en nombre avec le sujet.

1. J'*(lire)* .... toute la soirée.

2. *(Être)* .... -tu .... absent longtemps ?

3. Il *(avoir)* .... une vilaine surprise.

4. Nous *(arriver)* .... à destination.

5. *(Monter)* .... - vous le spectacle tout seul ?

6. Ils *(aller)* .... se promener.

EXERCICE 43
Dites si les verbes en italique sont au présent passif, au passé composé actif ou au passé composé passif.

Vous trouverez un tableau de la conjugaison passive au § 342 du *Précis*.

1. Tout l'équipement *a été racheté*...................................

2. Ils *sont restés* .... une demi-heure.

3. *Es-tu tombé* .... sur la tête ?

---

[1]   Si le verbe pronominal a un c.o.d. placé avant le participe (souvent le pronom conjoint), c'est avec lui qu'il s'accorde; si le verbe pronominal n'a pas de c.o.d., soit que le participe s'accorde avec le sujet, soit qu'il reste invariable. Voir le module sur le participe passé.

4. Cette émission *est offerte* .... par notre commanditaire habituel.

5. Elle *a été préparée* .... par l'équipe habituelle.

6. Quand le chat *est parti* .... les souris dansent.

7. Notre émission *est terminée*.................................

EXERCICE 44
Mettez les phrases suivantes à la voix passive.

N'oubliez pas d'accorder le participe passé en genre et en nombre avec le sujet. Vous pouvez omettre le complément d'agent (*Précis*, § 57) s'il est superflu.

1. Le chat a mangé la souris.

   ....

2. Le juge a rejeté la requête.

   ....

3. On m'a volé tout mon argent.

   ....

4. Tous les journaux annoncent cet événement.

   ....

5. Nous avons consulté tous les intéressés.

   ....

3. L'IMPARFAIT DE L'INDICATIF

À l'imparfait, tous les verbes prennent les mêmes terminaisons :

	singulier	*pluriel*
1re	ais	ions
2e	ais	iez
3e	ait	aient

Les difficultés dans la conjugaison de l'imparfait tiennent pour l'essentiel à ce qu'on oublie parfois le *i* de la terminaison aux 1re et 2e personnes du pluriel parce qu'il ne s'entend guère :

> *nous criions*
> *nous louions*
> *nous continuions*
> *nous gagnions*
> *etc.*

et à ce que la terminaison s'ajoute tantôt au radical de l'infinitif, tantôt au radical modifié du présent :

> *payer   je payais*
> mais:
> *finir   je finissais*
> *fuir   je fuyais*
> *craindre   je craignais*
> *etc.*

En fait, on peut former l'imparfait de tous les verbes (sauf *être*) à partir du radical de la 1re personne du pluriel au présent :

> *Nous payons   je payais*
> *nous finissons   je finissais*
> *Nous fuyons   je fuyais*
> *Nous craignons   je craignais*
> *etc.*

Nous allons cependant faire le tour des difficultés orthographiques de l'imparfait. Pour chaque cas, pensez à la forme du verbe à la 1re personne du pluriel du présent.

EXERCICE 45
Conjuguez les verbes *être* et *avoir* à l'imparfait de l'indicatif.

ÊTRE   j'...................................nous ....

              tu ....vous ....

              il .... ils ....

AVOIR   j'................................... nous ....

              tu ....vous ....

              il................................... ils ....

3.1 Verbes en –*er*

Vous allez retrouver essentiellement les mêmes difficultés que pour le présent. Profitez-en pour les fixer ensemble dans votre mémoire.

1º   Verbes en –*cer*

Vous vous souvenez que pour garder la prononciation [*s*], le *c* prend une **cédille** devant *a*, *o* et *u*.

EXERCICE 46
Conjuguez le verbe *placer* à l'imparfait de l'indicatif.

PLACER   je...................................nous...

tu ....v.ous..

il ....ils...

2º   Verbes en –*ger*

Pour garder le son [*j*], il faut intercaler un *e* entre le *g* et le *a* de la terminaison, tout comme entre le *g* et le *o* au présent de l'indicatif.

EXERCICE 47
Conjuguez le verbe *mélanger* à l'imparfait de l'indicatif.

MÉLANGER   je................................... nous...................................

tu .... vous...................................

il .... ils...................................

3º   Verbes en –*yer*

Le *y* est maintenu devant une terminaison sonore, comme c'était le cas aux 1re et 2e personnes du pluriel du présent. Toutes les terminaisons de l'imparfait sont sonores : le *y* est donc maintenu dans toute la conjugaison.

EXERCICE 48

Conjuguez les verbes suivants à l'imparfait de l'indicatif.

N'oubliez pas le *i* aux 1re et 2e personnes du pluriel, même si on ne l'entend guère.

		ESSAYER	*NETTOYER*	*APPUYER*
sing	1re	....	....	....
	2e	....	....	....
	3e	....	....	....
pl.	1re	....	....	....
	2e	....	....	....
	3e	....	....	....

4o La terminaison des 1re et 2e personnes du pluriel : *–ions, –iez*

Il y a toujours un *i* dans la terminaison des 1re et 2e personnes du pluriel à l'imparfait même si on ne l'entend pas, comme dans *appuyer*, qui se prononce sensiblement de la même façon que *appuyons*. C'est le cas aussi pour les verbes du 1er groupe dont le radical se termine soit par une voyelle, soit par *ll* ou **gn** .

EXERCICE 49

Écrivez les verbes suivants aux 1re et 2e personnes du pluriel de l'imparfait.

Prier   nous .... vous ....

Renflouer   nous .... vous ....

Remuer   nous .... vous ....

Travailler   nous .... vous ....

Lorgner   nous .... vous ....

EXERCICE 50

Écrivez maintenant les verbes suivants aux 1re et 2e personnes du pluriel du présent de l'indicatif, puis de l'imparfait.

	présent	imparfait

Déblayer   nous.................................   nous.................................

               vous.................................   vous.................................

Noyer   nous.................................   nous.................................

               vous.................................   vous.................................

S'ennuyer   nous.................................   nous.................................

               vous.................................   vous.................................

Multiplier   nous.................................   nous.................................

               vous.................................   vous.................................

Déjouer   nous.................................   nous.................................

               vous.................................   vous.................................

Suer   nous.................................   nous.................................

               vous.................................   vous.................................

Bâiller   nous ....   nous ....

                   vous ....   vous ....

S'indigner   nous ....   nous ....

                   vous ....   vous ....

5° *E* muet à l'avant-dernière syllabe de l'infinitif

Vous vous rappelez qu'au présent, les verbes en *–eler* et en *–eter* doublaient généralement la consonne ou, comme les autres verbes ayant un *e* muet à l'avant-dernière syllabe, changeaient le *e* muet en *è* devant une terminaison muette, soit aux trois personnes du singulier et à la 3e personne du pluriel :

Présent	*j'appelle*	*j'achète*
	tu appelles	*tu achètes*
	il appelle	*il achète*
	nous appelons	*nous achetons*
	vous appelez	*vous achetez*
	ils appellent	*ils achètent*

Comme les terminaisons de l'imparfait sont toutes sonores, le radical reste celui de l'infinitif, ou de la 1re personne du pluriel du présent, à toutes les personnes de l'imparfait.

EXERCICE 51
Conjuguez les verbes *appeler* et *jeter* à l'imparfait.

APPELER   j' ....   nous ....

              tu ....   vous ....

              il ....   ils ....

JETER   je ....   nous ....

              tu ....   vous ....

              il.................................   ils ....

EXERCICE 52
Écrivez les verbes entre parenthèses à l'imparfait.

1. Je ne *(se rappeler)* .... pas vous avoir dit ça.

2. Il a été arrêté parce qu'il *(receler)* .... des objets volés.

3. Vos arguments ne *(peser)* .... pas lourd.

4. Pourquoi *(rejeter)* .... -vous toute offre d'aide ?

5. Pourquoi ne *(démanteler)* .... -vous pas le réseau, alors ?

6° *E fermé à l'avant-dernière syllabe de l'infinitif*

Au présent, le *é* fermé et le *e* muet ne se transformaient que devant une terminaison muette. À l'imparfait, le *é* fermé, comme le *e* muet, est maintenu dans toute la conjugaison, puisque les terminaisons de l'imparfait sont toutes sonores.

EXERCICE 53
Écrivez les verbes suivants à l'imparfait.

Céder   je................................. nous.................................

Énumérer   tu................................. vous.................................

Léguer   il................................. ils.................................

3.2 Les verbes en *–ir*

Les verbes en *–ir* qui prenaient un double *s* aux trois personnes du pluriel du présent prennent ce double *s* à toutes les personnes à l'imparfait.

EXERCICE 54

Conjuguez le verbe *répartir* à l'imparfait.

RÉPARTIR   je............................... nous...............................

tu............................... vous...............................

il............................... ils...............................

Il ne faut pas confondre l'imparfait de l'indicatif et le conditionnel présent. L'imparfait se construit à partir du **radical de l'infinitif**, ou de la 1re personne du pluriel du présent, le conditionnel se construit généralement à partir de **l'infinitif complet** :

	Imparfait	*Conditionnel*
DORMIR	*je dormais*	*je dormirais*
MENTIR	*je mentais*	*je mentirais*
DÉCOUVRIR	*je découvrais*	*je découvrirais*

EXERCICE 55

Écrivez les verbes suivants à l'imparfait.

Bâtir   je...............................nous ....

Haïr   tu...............................vous ....

Mourir   il...............................ils ....

Courir   je...............................nous ....

Tenir   tu...............................vous ....

Acquérir   il...............................ils ....

Vous vous souvenez que *tenir* faisait *tiens*, *tiens*, *tient* au singulier du présent de l'indicatif. Ce changement de radical n'est pas maintenu à l'imparfait. En fait, l'imparfait peut toujours se construire sur le radical de la 1re personne du pluriel du présent de l'indicatif : *nous tenons* (présent) --------> *je tenais* (imparfait). Récapitulons :

	Présent *(1ʳᵉ pers. du pl.)*	**Imparfait** *(1ʳᵉ pers. du sing.)*
MANGER	*nous mangeons*	*je mangeais*
PLACER	*nous plaçons*	*je plaçais*
PAYER	*nous payons*	*je payais*
APPELER	*nous appelons*	*j'appelais*
CÉDER	*nous cédons*	*je cédais*
HAÏR	*nous haïssons*	*je haïssais*
DORMIR	*nous dormons*	*je dormais*
ACQUÉRIR	*nous acquérons*	*j'acquérais*

Faites attention de ne pas oublier, aux 1ʳᵉ et 2ᵉ personnes du pluriel, le *i* de la terminaison dans les verbes en *-llir*, ainsi que dans *fuir* et *s'enfuir* .

EXERCICE 56

Écrivez les verbes suivants aux 1ʳᵉ et 2ᵉ personnes du pluriel du présent de l'indicatif, puis de l'imparfait.

	Présent	**Imparfait**
Cueillir	nous...............................	nous...............................
	vous	vous...............................
Tressaillir	nous...............................	nous...............................
	vous...............................	vous...............................
S'enfuir	nous...............................	nous...............................
	vous...............................	vous...............................

3.3 Les verbes en *-re*

EXERCICE 57

Écrivez les verbes suivants à l'imparfait.

Pensez toujours à la forme de la 1ʳᵉ personne du pluriel du présent de l'indicatif. Faites attention aux *i* qu'on n'entend pas.

Sourire	je...............................	nous...............................
Construire	tu	vous...............................

Boire	il....................................	ils ....
Conclure	je....................................	nous ....
Faire	tu....................................	vous ....
Plaire	il....................................	ils ....
Extraire	j'....................................	nous ....
Croire	tu....................................	vous ....
Attendre	il....................................	ils ....
Répondre	je....................................	nous ....
Apprendre	tu....................................	vous ....
Plaindre	il....................................	ils ....
Contraindre	je....................................	nous ....
Atteindre	tu....................................	vous ....
Enjoindre	il....................................	ils ....
Abattre	j'....................................	nous ....
Promettre	tu....................................	vous ....
Permettre	il....................................	ils ....
Paraître	je....................................	nous ....
Connaître	tu....................................	vous ....
Naître	il....................................	ils ....
Accroître	j'....................................	nous ....
Vaincre	tu....................................	vous ....
Convaincre	il....................................	ils ....
Corrompre	je....................................	nous ....
Pouvoir	tu....................................	vous ....

Entrevoir	il	ils....................................	
Décevoir	je.....................................	nous...................................	
Savoir	tu	vous...................................	
Écrire	j'.....................................	nous...................................	
Décrire	tu	vous...................................	
Souscrire	il	ils....................................	

EXERCICE 58
Récapitulation de l'imparfait.

1. Il *(s'enfuir)* .... à toutes jambes.

2. Tranquillement, nous *(acquérir)* .... de l'expérience.

3. Ses interventions *(surprendre)*................................... tout le monde.

4. Nous *(se relayer)* .... au travail.

5. Nous *(établir)*................................... un plan d'attaque.

6. Il *(déménager)* .... tous les trois mois.

7. S'il *(céder)*......................... à la panique, c'en *(être)* ....
    fini.

8. Il *(s'inquiéter)*................................... beaucoup de son avenir.

9. Tous mes espoirs *(s'éteindre)*................................... .

10. Toutes ses craintes *(s'évanouir)* ....

11. Nous *(découvrir)* .... des techniques qui nous *(être)*
    .... inconnues.

12. Il *(avoir)* .... la partie belle.

13. Nous *(mourir)*................................... d'impatience de vous connaître.

14. Vous *(courir)* .... à votre perte, mais vous ne le *(savoir)*
    pas.

15. Nous *(parcourir)*.................................. parfois plus de soixante kilomètres par jour.

16. Pourquoi lui *(interdire)* .... -vous toute sortie ?

17. Vous *(dire)* .... exactement le contraire dans votre lettre précédente.

18. Si j' *(obtenir)* .... les crédits nécessaires, consentiriez-vous (conditionnel) à continuer vos recherches ?

19. Si je *(devoir)* .... travailler dans un bureau sans fenêtre, j'en tomberais malade.

20. S'il *(modifier)* .... son programme, nous pourrions nous entendre.

4 . LE PLUS-QUE-PARFAIT

Le plus-que-parfait est formé de l'auxiliaire *avoir* ou *être* à l'imparfait et du participe passé :

> *J'avais pensé que nous pourrions en discuter.*
> *Il n'était pas rentré quand j'ai téléphoné.*

EXERCICE 59
Écrivez les verbes entre parenthèses au plus-que-parfait.

1. Si j'*(savoir)* ...., je ne serais pas venu.

2. Il *(terminer)* ....le travail quand je suis arrivé.

3. Quand il *(finir)* ....une plate-bande, il s'accordait un peu de repos.

4. J'*(venir)* ....vous présenter mes excuses.

5. Si j'*(être)* ....plus tenace, j'aurais peut-être eu gain de cause.

6. Si j'*(avoir)* ....gain de cause, je vous l'aurais dit.

5. LE FUTUR ET LE CONDITIONNEL PRÉSENT

Nous verrons le futur de l'indicatif et le présent du conditionnel parallèlement, car ils se construisent de la même façon. Seules les terminaisons diffèrent.

		Futur	*Conditionnel*
sing.	*1re*	*ai*	*ais*
	2e	*as*	*ais*
	3e	*a*	*ait*
pl.	*1re*	*ons*	*ions*
	2e	*ez*	*iez*
	3e	*ont*	*aient*

Les terminaisons du futur et du conditionnel s'ajoutent à l'infinitif, mais en dehors des verbes en –*er*, les altérations de radical sont très fréquentes. Dans les verbes en –*er*, on re-trouve certaines des altérations de radical du présent.

EXERCICE 60

Les verbes *être* et *avoir* sont totalement irréguliers. Assurez-vous qu'ils ne vous posent pas de problème au futur et au conditionnel.

	Futur	**Conditionnel**
ÊTRE	je....................................	je....................................
	tu....................................	tu....................................
	il.....................................	il.....................................
	nous.................................	nous.................................
	vous.................................	vous.................................
	ils....................................	ils....................................
AVOIR	j'....................................	j'....................................
	tu....................................	tu....................................
	il.....................................	il.....................................
	nous.................................	nous.................................
	vous.................................	vous.................................
	ils....................................	ils....................................

EXERCICE 61

Même chose pour le verbe *aller*.

ALLER   j' ....   j' ....

               tu....................................   tu....................................

               il....................................   il....................................

               nous ....   nous ....

               vous ....   vous ....

               ils ....   ils ....

5.1 Les verbes en *–er*

La terminaison s'ajoute après l'infinitif.

EXERCICE 62

Écrivez les verbes suivants au futur, puis au conditionnel.

	Futur	**Conditionnel**
Penser	je	je ....
Parler	tu....................................	tu....................................
Déborder	il....................................	il....................................
Améliorer	nous	nous ....
Créditer	vous	vous ....
Déménager	ils	ils ....

Vous aurez remarqué que même lorsqu'on fait l'ellipse du *e* de l'avant-dernière syllabe à l'oral, il ne tombe pas pour autant à l'écrit. On n'entend pas non plus le *e* dans les verbes dont le radical se termine par une voyelle (ex. : *crier*); ce n'est cependant pas une raison pour le laisser tomber : *je crierai*, *je crierais*, etc.

EXERCICE 63

Écrivez les verbes suivants au futur, puis au conditionnel.

	Futur	Conditionnel
Louer	je..	je..
Continuer	tu..	tu..
Lier	il..	il..
Revivifier	nous..	nous..
Replier	vous..	vous..
Tuer	ils..	ils..
Créer	je..	je..
Agréer	tu..	tu..
Suppléer	il..	il..

1º   *É* à l'avant-dernière syllabe de l'infinitif

Le futur et le conditionnel se construisent sur l'infinitif. Le *é* de l'avant-dernière syllabe restera donc tel quel, même s'il se prononce plutôt comme un *e* ouvert (*è*) :

céder   je céderai   je céderais

EXERCICE 64

Écrivez les verbes suivants au futur, puis au conditionnel.

	Futur	Conditionnel
S'inquiéter	je..	je..
Protéger	tu..	tu..
Assécher	il..	il..
Répéter	nous..	nous..

Léguer   vous ....   vous ....

Énumérer   ils ....   ils ....

2°   *E* muet à l'avant-dernière syllabe de l'infinitif

Dans *mener*, c'est le *r* qui donne le son [é] à la terminaison. Au futur et au conditionnel, le *r* appartient à la syllabe ajoutée. Pour éviter d'avoir deux *e* muets qui se suivent, le *e* muet de l'avant-dernière syllabe de l'infinitif se transforme en *è* :

mener   *je mè / ne / rai*
lever   *je lè / ve / rai*

Comme vous vous le rappelez, la plupart des verbes en *-eler* et en *-eter* doublent plutôt la consonne.

appeler   *j'ap / pel / le / rai*
jeter   *je jet / te / rai*

La transformation se maintient à toutes les personnes.

EXERCICE 65
Conjuguez le verbe *appeler* au futur.

APPELER   j' ....   nous ....

              tu...................................   vous ....

              il...................................   ils ....

EXERCICE 66
Écrivez les verbes entre parenthèses au conditionnel.

1. S'il le pouvait, il *(racheter)* .... toutes les parts.

2. Je ne croyais pas que la rivière *(geler)* .... si rapidement.

3. Je n'aurais jamais cru que vous *(rejeter)* .... la faute sur lui.

4. Si tu avais du nouveau, me *(rappeler)* ....-tu ?

5. À votre place, je *(peser)* .... mes mots.

3° Verbes en *-yer*

Le *e* de la terminaison infinitive devenant muet au futur et au conditionnel, le *y* doit se transformer en *i* , puisqu'il perd sa valeur de consonne. Dans les verbes en *–ayer*, on a toujours le loisir de conserver l'*y*, mais alors l'avant-dernière syllabe se prononce :

Futur		
	je payerai	*je paierai*
	tu payeras	*tu paieras*
	il payera	*il paiera*
	nous payerons	*nous paierons*
	vous payerez	*vous paierez*
	ils payeront	*ils paieront*

EXERCICE 67
Conjuguez les verbes suivants au futur.

ESSAYER   j'................................... nous...................................

tu .... vous...................................

il................................... ils...................................

CONVOYER je................................... nous...................................

tu .... vous...................................

il................................... ils...................................

APPUYER j'................................... nous...................................

tu .... vous...................................

il................................... ils...................................

EXERCICE 68
Conjuguez le verbe *renvoyer* au futur.

Le radical du verbe *envoyer* (et de ses composés) devient, au futur et au conditionnel, *enverr–*. Cette apparition d'un double *r* est typique du futur et du conditionnel.

RENVOYER   je ....   nous ....
(futur)

                  tu ....   vous ....

                  il ....   ils ....

5.2 Les verbes en *–ir*

Tous les verbes en *–ir*, qui au présent et à l'imparfait prennent un double *s*, et un certain nombre des verbes en *–ir* irréguliers se conjuguent normalement au futur et au conditionnel :

je finirai, je finirais
je partirai, je partirais

Voyons les cas problèmes.

1º *Courir, mourir, acquérir* et composés

Les radicaux se transforment en *courr–, mourr–* et *acquerr–* (chute de l'accent). Le double *r*, nous l'avons déjà dit, est propre au futur et au conditionnel.

EXERCICE 69
Conjuguez ces trois verbes au futur.

COURIR   je ....   nous ....

                  tu ....   vous ....

                  il ....   ils ....

MOURIR   je ....   nous ....

                  tu ....   vous ....

                  il ....   ils ....

ACQUÉRIR   j' ....   nous ....

                  tu ....   vous ....

                  il ....   ils ....

EXERCICE 70

Écrivez les verbes suivants à l'imparfait de l'indicatif, puis au présent du conditionnel.

	Imparfait	Conditionnel
Courir	je..................................	je..................................
Mourir	tu..................................	tu..................................
Acquérir	il..................................	il..................................
Accourir	nous..................................	nous..................................
Requérir	vous..................................	vous..................................
Recourir	ils..................................	ils..................................

Les confusions orthographiques, vous l'imaginez, sont fréquentes.

2°   *Cueillir* et composés

Vous vous souvenez qu'un certain nombre de verbes en *–ir* se conjuguent au présent comme les verbes en *–er* : *cueillir, assaillir, offrir, souffrir*, etc. Seuls *cueillir* et ses composés conservent cette altération au futur et au conditionnel :

je cueillerai
mais :
j'assaillirai
j'offrirai
je souffrirai

EXERCICE 71

Conjuguez le verbe *accueillir* au futur.

ACCUEILLIR	j'..................................	nous..................................
	tu..................................	vous..................................
	il..................................	ils..................................

EXERCICE 72

Conjuguez le verbe *recueillir* au conditionnel.

RECUEILLIR   je ....   nous ....

tu.................................   vous ....

il.................................   ils ....

3°   *Tenir*, *venir* et composés

Le radical se modifie en *tiendr–* et *viendr–*.

EXERCICE 73

Écrivez les verbes suivants au futur.

1. Nous *(tenir)* .... une assemblée vendredi.

2. Nous espérons que vous ne nous en *(tenir)* .... pas rigueur.

3. Je ne *(retenir)* .... pas plus longtemps votre attention.

4. Nous *(maintenir)* .... l'embargo.

5. Il *(venir)* .... plus de mille congressistes.

6. Tu n'*(intervenir)*.................................que si c'est nécessaire.

7. L'État *(subvenir)* .... aux besoins des sinistrés.

5.3.   Les verbes en *–re*

Les verbes en *–re* ne présentent aucune difficulté au futur et au conditionnel. Bien sûr, le *e* de l'infinitif tombe; n'essayez pas de le replacer ailleurs :

conclure   *je conclurai*

Il y a tout de même une exception, le verbe *faire*, dont le radical se transforme.

EXERCICE 74

Conjuguez le verbe *faire* au futur et au conditionnel. (*Précis*, § 349)

	Futur	Conditionnel
FAIRE	je....................................	je....................................
	tu'....................................	tu....................................
	il....................................	il....................................
	nous....................................	nous....................................
	vous....................................	vous....................................
	ils....................................	ils....................................

Vous aurez sans doute remarqué que la première syllabe du verbe *faire* se prononce souvent [e] tout en s'écrivant *ai* : *nous faisons*, *je faisais*; ce n'est qu'au futur et au conditionnel que la première syllabe s'écrit avec un *e*.

EXERCICE 75

Écrivez les verbes entre parenthèses au futur.

L'accent circonflexe dans les verbes en *-aître* et en *-oître* se maintient au futur et au conditionnel puisque le *t* est toujours présent.

1. Cela (*dépendre*) .... de vous.

2. Nous (*soumettre*).................................... votre demande aux autorités compétentes.

3. Les témoins (*comparaître*) .... demain.

4. Nous (*vaincre*) .... cette maladie.

5. Tu ne me (*convaincre*) .... pas.

6. Cela ne (*résoudre*).................................... pas le problème.

7. Vous en (*conclure*) .... ce que vous voudrez.

8. Nous (*poursuivre*) .... vaille que vaille.

9.   *(Relire)* .... -vous les épreuves ?

10. Nous *(écrire)* .... au député.

11. Je vous *(conduire)* .... à l'aéroport.

4. LES VERBES EN *–OIR*

Les altérations de radical sont fréquentes. Vérifiez chaque cas au § 349 du *Précis*.

EXERCICE 76
Écrivez les verbes entre parenthèses au futur.

1.   J'y *(voir)* .... demain.

2.   Je vous *(recevoir)* .... cet après-midi.

3.   L'État *(pourvoir)* .... aux besoins des sinistrés.

4.   Vous *(savoir)* .... la semaine prochaine si votre candidature a été retenue.

5.   À l'avenir, vous *(devoir)* .... faire preuve de plus de vigilance.

6.   *(Pouvoir)* .... -vous terminer à temps ?

7.   Il *(falloir)* .... que nous en parlions.

8.   Demain, il *(pleuvoir)* .... toute la journée.

9.   Vous *(prévoir)* .... pour dix personnes.

10. J'espère que je ne vous *(revoir)* .... pas de sitôt.

EXERCICE 77
Écrivez les verbes entre parenthèses au conditionnel.

1.   Que *(prescrire)* .... -vous ?

2.   *(Vouloir)* .... -vous m'appeler demain matin ?

3. Y (*voir*) .... -tu un inconvénient ?

4. Il (*falloir*)................................. prendre des précautions.

5. (*Pouvoir*)................................. -vous nous rencontrer ?

EXERCICE 78

Récapitulation du futur et du conditionnel présent. Écrivez les verbes entre parenthèses au futur ou au conditionnel selon ce qui vous semble le plus approprié.

Les deux formes sont parfois possibles.

1. (*Avoir*)................................. -vous l'amabilité de me répondre par retour du courrier ?

2. (*Être*) .... -tu à ton bureau cet après-midi ?

3. (*Continuer*) .... -vous à enseigner ?

4. Il ne (*céder*) .... pas à votre chantage.

5. Nous ne (*répéter*) .... pas la même erreur.

6. Me (*rappeler*) .... -vous les termes de notre entente ?

7. Je ne (*payer*) .... pas un sou de plus.

8. Ils s'en (*souvenir*)................................. longtemps.

9. Il (*devoir*) .... accepter le poste; il y (*acquérir*) .... de l'expérience.

10. (*Accueillir*) .... -vous un réfugié chez vous ?

11. (*Maintenir*)................................. -t-il son offre ?

6. LE FUTUR ANTÉRIEUR ET LE CONDITIONNEL PASSÉ

Le futur antérieur est formé de l'auxiliaire *avoir* ou *être* au futur et du participe passé :

*J'**aurai terminé** et je **serai parti** quand vous arriverez.*

Le conditionnel passé est formé de l'auxiliaire *avoir* ou *être* au conditionnel présent et du participe passé :

*J'**aurais aimé** être un artiste.*
*Si j'avais su, je ne **serais** pas **venu**.*

Il existe une deuxième forme, plus littéraire et en fait peu usitée, du conditionnel passé :

*Qui **eût cru** pareille histoire ?*

EXERCICE 79

Écrivez les verbes entre parenthèses au futur antérieur ou au conditionnel passé selon ce qui vous semble le plus approprié.

1.   On *(devoir)* ....remettre la partie.

2.   Il *(céder)* ....si vous aviez insisté.

3.   Quand vous *(relire)* ....votre devoir, rendez-le-moi.

4.   J'*(aimer)* ....vous dire deux mots.

5.   Quand j'*(terminer)* .... mes études, je ferai un grand voyage.

7. LE PASSÉ SIMPLE

Le passé simple s'emploie presque exclusivement à l'écrit, et surtout dans les textes narratifs (romans, etc.). Dans les textes pragmatiques et à l'oral, il est remplacé par le passé composé. Qui s'exprimerait ainsi ?

*Nous **soupâmes** au restaurant, puis nous **allâmes** au cinéma.*
*Nous **vîmes** un excellent film.*
*Et vous, **allâtes**-vous au théâtre hier soir ?*

Il existe cependant des cas où on utilise le passé simple à l'écrit en dehors des textes de fiction; c'est le plus souvent dans des textes à caractère chronologique :

*En 1970, le premier prix **fut remporté*** (passé simple à la voix passive)

*En 1971, le premier prix ne **fut** pas **décerné**. En 1972, X **obtint** le premier prix et Y le second.*

*Une équipe de chercheurs **découvrit** le bacille en 1975. Au début ils **crurent** que...*
*mais peu à peu, ils se **convainquirent** que...*

Dans les textes courants, le passé simple n'est guère employé qu'à la 3e personne. Nous limiterons nos efforts d'apprentissage à la 3e personne d'un certain nombre de verbes courants, mais faisons tout de même auparavant un bref tour d'horizon de la conjugaison du passé simple.

	Chanter	*Finir*	*Rendre*	*Savoir*
je	chantai	finis	rendis	sus
tu	chantas	finis	rendis	sus
il	chanta	finit	rendit	sut
nous	chantâmes	finîmes	rendîmes	sûmes
vous	chantâtes	finîtes	rendîtes	sûtes
ils	chantèrent	finirent	rendirent	surent

La première chose à observer est que l'accent circonflexe n'apparaît qu'aux **1ʳᵉ et 2ᵉ personnes du pluriel**. À la 3ᵉ personne du pluriel, remarquez que la terminaison **-èrent** n'appartient qu'au 1ᵉʳ groupe. N'écrivez donc pas :

Ils *mettèrent tous leurs efforts dans cette entreprise.
mais plutôt :
*Ils **mirent** tous leurs efforts dans cette entreprise.*

Retenez que les verbes en *–ir* du 2ᵉ groupe (ceux où apparaît le double *s* au présent et à l'imparfait) sont réguliers au passé simple. (Au singulier, les formes du passé simple de ces verbes sont les mêmes qu'au présent.)

Les verbes en *–ir* irréguliers, les verbes en *–re* et en *–oir* ont des terminaisons en *i* ou en *u*. Il vaut toujours mieux vérifier. Les altérations de radical sont par ailleurs nombreuses.

Remarquez finalement que la terminaison de la 3ᵉ personne du singulier des verbes en *–er* ne se termine pas par un *t*. Ce n'est qu'à l'imparfait de l'indicatif, au présent du conditionnel et à l'imparfait du subjonctif qu'on trouve un *t* à la terminaison de la 3ᵉ personne du singulier des verbes en *–er* :

il chantait
il chanterait
qu'il chantât
mais :
il chante
il chantera
il chanta

EXERCICE 80

Conjuguez les verbes *être* et *avoir* au passé simple.

ÊTRE   je.......................... nous..........................

tu.......................... vous..........................

il.......................... ils..........................

AVOIR   j'................................. nous ....

tu................................. vous ....

il................................. ils ....

EXERCICE 81

Conjuguez les verbes suivants à la 3ᵉ personne du singulier, puis du pluriel du passé simple.

Arriver   il................................. ils ....

Rester   il................................. ils ....

Modifier   il................................. ils ....

Essayer   il................................. ils ....

Déployer   il................................. ils ....

Appuyer   il................................. ils ....

Déménager   il................................. ils ....

Appeler   il................................. ils ....

Rejeter   il................................. ils ....

Protéger   il................................. ils ....

Établir   il................................. ils ....

Bâtir   il................................. ils ....

Partir   il................................. ils ....

Recourir   il................................. ils ....

Mourir   il................................. ils ....

Acquérir   il................................. ils ....

Requérir   il................................. ils ....

Conquérir il.................................... ils....................................

Accueillir il.................................... ils....................................

Tenir il.................................... ils....................................

Retenir il.................................... ils....................................

Obtenir il.................................... ils....................................

Maintenir il.................................... ils....................................

Venir il.................................... ils....................................

Intervenir il.................................... ils....................................

Parvenir il.................................... ils....................................

Revenir il.................................... ils....................................

Rendre il.................................... ils....................................

Croire il.................................... ils....................................

Prendre il.................................... ils....................................

Entreprendre il.................................... ils....................................

Surprendre il.................................... ils....................................

Confondre il.................................... ils....................................

Joindre il.................................... ils....................................

Rejoindre il.................................... ils....................................

Contraindre il.................................... ils....................................

Paraître il.................................... ils....................................

Connaître il.................................... ils....................................

Naître il.................................... ils....................................

Mettre il.................................... ils....................................

Admettre il.................................... ils....................................

Remettre   il................................... ils ....

Démettre   il................................... ils ....

Omettre   il................................... ils ....

Faire   il................................... ils ....

Défaire   il................................... ils ....

Vaincre   il................................... ils ....

Convaincre   il................................... ils ....

Vivre   il................................... ils ....

Devoir   il................................... ils ....

Pouvoir   il................................... ils ....

Savoir   il................................... ils ....

Falloir   il................................... ils ....

Voir   il................................... ils ....

Décevoir   il................................... ils ....

S'apercevoir   il................................... ils ....

Élire   il................................... ils ....

Sourire   il................................... ils ....

EXERCICE 82
Récapitulation du passé simple.

Ludwig Van Beethoven *(naître)* .... à Bonn en 1770. Il *(recevoir)*................................... très tôt une éducation musicale sévère. Son père lui *(faire)*................................... donner son premier concert à Cologne en 1778 et .... *(entreprendre)* .... avec lui une tournée en Hollande [...]

Franklin Roosevelt *(naître)* .... à New York en 1882 et *(mourir)* .... en Georgie en 1945. Dès 1910, il *(élire, voix passive)*........................... sénateur démocrate de l'État de New York. En 1921, une attaque de poliomyélite *(interrompre)* .... sa vie politique. Il fut élu gouverneur de New York en 1929. La crise de 1929 ayant pris de court le président Hoover, le congrès démocrate lui *(opposer)*.. Roosevelt qui *(remporter)*............................. un succès absolu. Avant son entrée en fonction, il *(préparer)* .... un programme économique et social contre la crise, le *New Deal*. Dès 1933, Roosevelt *(faire)* .... voter par le Congrès une série de lois qui *(éloigner)*............................... les États-Unis de leur conception purement libérale de l'économie et les *(faire)* .... entrer dans l'interventionnisme étatique. Les premières mesures d'urgence *(être)* .... d'ordre bancaire, financier et économique. À la même époque, Roosevelt *(reconnaître)* .... le gouvernement soviétique. La reprise étant lente et insuffisante, Roosevelt *(pratiquer)*...................... une politique de déficit budgétaire. Les critiques contre le *New Deal (venir)* .... surtout du capitalisme et de ses appuis politiques. Désireux de lutter contre les pays totalitaires européens, Roosevelt *(avoir)* .... à surmonter le réflexe traditionnel de neutralité. L'effort de guerre des États-Unis *(commencer)* .... en 1941. Roosevelt *(rencontrer)* .... Churchill en août 1941, mais la loi sur le service militaire ne *(voter, voix passive, accord du participe avec le sujet)* .... qu'à une voix de majorité. L'attaque de Pearl Harbour *(soulever)* .... l'opinion publique américaine et les États-Unis *(faire)* .... face au conflit. Roosevelt *(participer)* .... à toutes les grandes conférences entre les Alliés. À Yalta, il *(consentir)* .... à Staline, malgré l'opposition de Churchill, des positions importantes en Europe et en Extrême-Orient. Il *(réélire, voix passive)* .... en 1944 et *(mourir)* .... le 12 avril 1945 d'une crise cardiaque. Le vice-président Truman lui *(succéder)* ....·

D'après le *Robert 2*

8. LE PASSÉ ANTÉRIEUR

Le passé antérieur s'emploie pour marquer l'antériorité par rapport au passé simple. Il est formé de l'auxiliaire *avoir* ou *être* au passé simple et du participe passé :

> *Dès qu'il **eut succédé** à Roosevelt, Truman décida...*
> *Dès qu'il **fut devenu** président, Truman décida...*

À la voix passive, c'est l'auxiliaire qui est au passé antérieur :

> *Dès qu'il **eut été réélu**, Roosevelt décida...*

Ne confondez pas le passé antérieur et le plus-que-parfait du subjonctif, dont l'auxiliaire porte un accent à la 3ᵉ personne du singulier :

> *Je ne croyais pas que Truman **eût succédé** à...*
> *Je ne croyais pas que Truman **fût devenu**...*
> *(cf. Je ne crois pas qu'il devienne...)*

Ne confondez pas non plus le passé antérieur avec le conditionnel passé deuxième forme, qui est identique au plus-que-parfait du subjonctif :

> *Il **eût succédé** à Roosevelt si...*
> *(cf. Il aurait succédé à Roosevelt si...)*

EXERCICE 83
Écrivez les verbes entre parenthèses au passé antérieur.

1. Quand il *(terminer)* .... ce fastidieux travail, il poussa un immense soupir de soulagement.

2. Dès qu'ils *(partir)* ...., on appela la police.

3. Après qu'on *(lancer)* ....le dernier feu d'artifice, la foule se dispersa.

9. L'IMPÉRATIF

Il n'y a que trois personnes à l'impératif : la 2ᵉ personne du singulier et les 1ʳᵉ et 2ᵉ personnes du pluriel :

		Chanter	*Finir*	*Rendre*	*Voir*
2ᵉ	sing.	chante	finis	rends	vois
1ʳᵉ	pl.	chantons	finissons	rendons	voyons
2ᵉ	pl.	chantez	finissez	rendez	voyez

Sauf à la 2ᵉ personne du singulier des verbes du premier groupe, les formes de l'impératif sont les mêmes qu'au présent de l'indicatif. La terminaison de la 2ᵉ personne du singulier des verbes en *–er* à l'impératif est *–e*.(sauf le verbe *aller* qui fait va). L'impératif se distingue du présent de l'indicatif par ce qu'il exprime un ordre, un commandement et qu'il s'emploie sans pronom sujet. Il est cependant souvent accompagné de pronoms compléments d'objet, qui sont joints au verbe par des traits d'union :

> *Parle-lui.*
> *Parlons-en au directeur.*
> *Allez-y immédiatement.*

Par euphonie, on ajoute un *s* à la 2ᵉ personne du singulier des verbes en *–er* à l'impératif quand ils sont suivis des pronoms *en* ou *y* :

> *Parles-en au directeur.*
> *Vas-y immédiatement.*

Ne mettez pas de *s,* ni de trait d'union, si *en* est complément d'un autre verbe :

> *Va en chercher au bureau de poste.*

ou si *en* est préposition :

> *Voyage en paix.*

On met des traits d'union entre l'impératif et tous les pronoms personnels (dont *en* et *y* font partie) qui le suivent :

> *Parles-en au directeur.*
> *Parle-lui-en.*

Remarquez, dans le 2ᵉ exemple, la disparition du *s,* qui n'est plus requis par l'euphonie.

D'autres pronoms personnels objets sont possibles :

> *Parle-moi .*
> *Parle-nous .*
> *Parle-leur.*

Devant les pronoms *en* ou *y, moi* s'élide. La marque de l'élision est l'apostrophe :

> *Parle-m'en*[1].
> *Parle-nous-en.*
> *Parle-leur-en.*

Les verbes pronominaux (conjugués avec *se*) s'emploient couramment à l'impératif :

> *Tais-toi.* (se taire)
> *Promenons-nous.* (se promener)
> *Servez-vous.* (se servir)
> *Toi* s'élide comme *moi* :
> *Inquiète-toi* (s'inquiéter) *de ton avenir.*
> *Inquiète-t'en.*
> *Mets-toi tout de suite au travail.*
> *Mets-t'y tout de suite.*

Ne confondez pas le pronom *toi* élidé avec le *t* euphonique de la forme interrogative :

> *S'inquiète-t-il vraiment ?*

À l'écrit, les compléments d'objet d'un impératif se placent dans l'ordre : 1º c.o.d., 2º c.o.i., 3º *en* et *y* (aussi c.o.i.) :

> *Donne-le-moi.*
> *Parle-nous-en.*

À l'oral, l'ordre est souvent inversé.

---

1   *Parle-moi-z-en appartient à l'oral très familier.*

EXERCICE 84

Conjuguez à l'impératif les quatre verbes suivants, dont le radical se modifie.

Être ....   Avoir   ....

....

....

Savoir ....   Vouloir   ....

....

....

EXERCICE 85

Écrivez les verbes entre parenthèses à la 2e personne du singulier de l'impératif.

1. *(Manger)* .... vite.

2. *(Revenir)*.................................... vite.

3. *(Partir)*.................................... immédiatement.

4. *(Être)* .... assuré de mon amitié.

5. N'*(avoir)*.................................... pas peur.

6. *(Savoir)* .... bien que c'est impossible.

7. *(Se soulever)* .... contre son autorité.

8. *(Se garder)* .... de lui en parler.

9. *(Se souvenir)* .... de ce que nous avons fait ensemble.

10. *(Se méfier)* .... de lui.

EXERCICE 86

Écrivez les verbes entre parenthèses à la 2ᵉ personne du pluriel de l'impératif.

1. *(Essayer)* .... de le joindre par téléphone.

2. Ne *(céder)* .... pas à son chantage.

3. *(Accepter)* .... son offre.

4. Ne *(rejeter)* .... pas son offre.

5. *(Faire)* .... tout ce qui est en votre pouvoir.

6. *(Lire)*................................... ce rapport et *(dire)*........................-moi ce que vous en pensez.

7. *(Savoir)* .... tenir compte de mes conseils.

8. Ne *(être)* .... pas si pessimistes.

9. *(Vouloir)* .... agréer mes salutations distinguées.

10. *(Résoudre)* .... ce problème comme vous voulez, mais *(résoudre)*...................................-le.

EXERCICE 87

Écrivez les verbes entre parenthèses à la 2ᵉ personne du singulier de l'impératif.

1. *(Parler)* ....

2. *(Parler)* ....-lui.

3. *(Parler)* ....-lui-en.

4. *(Parler)* ....-en au ministre.

5. *(Penser)* .... à ton avenir.

6. *(Penser)* ....-y.

7. *(Aller)* .... à l'imprimerie voir ce qui se passe.

8.   *(Aller)* .... -y !

9.   *(Aviser)* .... -en le syndicat.

10.   *(Vérifier)* .... -en le fonctionnement.

11.   *(S'en aller)*.................................. !

12.   *(S'en garder)* .... bien.

EXERCICE 88

Récrivez les phrases suivantes en remplaçant les mots en italique par un pronom.

1.   Livrez-moi *cette marchandise* dès demain.

      ....

2.   Livrez-moi trois douzaines *de ces sacs à main.*

      ....

3.   Ne te sers pas *de l'imprimante à laser* pour les documents internes.

      ....

4.   Souviens-toi *de ce que tu avais dit.*

      ....

5.   Charge-toi *de ce travail* toi-même.

      ....

6.   Chargez-vous *de l'appeler*.

      ....

7.   Apportez-nous *des échantillons* dès demain.

      ....

EXERCICE 89

Écrivez les verbes entre parenthèses à l'impératif ou au présent de l'indicatif selon le cas.

1. *(Rejeter)* ....-tu mon offre ?

2. *(Rejeter)* .... son offre; elle est inintéressante.

3. *(Expédier)*...........................-tu ton colis par avion ?

4. *(Expédier)*...........................-le donc par avion.

5. *(Emporter)*...........................-tu le dossier chez toi ?

6. *(Emporter)*...........................-le chez toi.

7. S'il te plaît, *(fermer)* .... la fenêtre.

10. L'IMPÉRATIF PASSÉ

L'impératif passé, d'emploi plutôt rare, est formé de l'auxiliaire *avoir* ou *être* à l'impératif présent et du participe passé :

Sois rentré *à minuit.*
Ayez fini *lorsque je reviendrai.*

EXERCICE 90

Écrivez les verbes entre parenthèses à l'impératif passé.

1. *(Ranger*, 2ᵉ pers. du sing.) ....tout ....
lorsque je reviendrai.

2. *(Partir*, 2ᵉ pers. du pluriel) ....avant qu'il revienne.

11. LE SUBJONCTIF PRÉSENT

Le subjonctif exprime, en général, un fait envisagé dans la pensée. Il s'emploie surtout dans des propositions subordonnées. Seuls le présent et le passé du subjonctif sont courants; l'imparfait et le plus-que-parfait sont plutôt d'emploi littéraire.

Les terminaisons du subjonctif présent sont les mêmes pour tous les verbes (sauf *être* et *avoir*) :

	singulier	pluriel
1re	e	ions
2e	es	iez
3e	e	ent

Il faut	que	je loue	je finisse	je coure	je voie
	que	tu loues	tu finisses	tu coures	tu voies
	qu'	il loue	il finisse	il coure	il voie
	que	nous louions	nous finissions	nous courions	nous voyions
	que	vous louiez	vous finissiez	vous couriez	vous voyiez
	qu'	ils louent	ils finissent	ils courent	ils voient

Retenez l'omniprésence du *e* dans les terminaisons du singulier (sauf dans *être* et *avoir*).

EXERCICE 91
Conjuguez les verbes *être* et *avoir* au subjonctif présent.

ÊTRE   Il faut   que je...............................

que tu...............................

qu'il...............................

que nous ....

que vous ....

qu'ils ....

AVOIR   Il faut   que j'...............................

que tu ....

qu'il ....

que nous ....

que vous ....

qu'ils ....

Outre la transformation du radical, il faut retenir les deux anomalies suivantes : premièrement, l'absence de *e* aux trois personnes du singulier pour le verbe *être* et à la

3e personne du singulier pour le verbe *avoir*, et deuxièmement l'absence de *i* aux 1re et 2e personnes du pluriel :

Il se peut qu'il ait, que nous ayons, que vous ayez une réponse dès aujourd'hui.

mais :

Je crains qu'il ne voie, que nous ne voyions, que vous ne voyiez pas les choses de la même façon.

Faites attention à ne pas oublier le *i*, même si on ne l'entend guère, aux 1re et 2e personnes du pluriel des verbes dont le radical se termine par une voyelle, *y, ll* ou *gn*.

EXERCICE 92
Écrivez les verbes entre parenthèses au subjonctif présent.

1. Je ne crois pas que nous *(publier)*............................ ce livre cet hiver.

2. Nous regrettons que vous *(essuyer)*............................ de telles pertes.

3. Il faut que nous *(travailler)* .... jusqu'à minuit.

4. Les poules auront des dents avant que vous ne *(gagner)*............................ un million à la loterie.

La terminaison en *e* du singulier entraîne fréquemment des changements de radical dans les verbes irréguliers. Souvent, le radical sera le même qu'à la 3e personne du pluriel du présent de l'indicatif :

Ils acquièrent de l'expérience.
*Il faut que j'**acquière** de l'expérience avant de quitter mon poste.*
Ils s'aperçoivent de leur erreur.
*Il aurait fallu que je m'en **aperçoive** plus tôt.*
Ils résolvent ainsi tous les problèmes.
*Je ne crois pas que je m'y **résolve**.*

En même temps que nous verrons la conjugaison d'un certain nombre de verbes difficiles, faisons le tour des principaux cas d'emploi du subjonctif.

EXERCICE 93
Écrivez les verbes entre parenthèses au subjonctif présent.

Le subjonctif s'emploie après de nombreux verbes de sentiment (parfois des noms ou des adjectifs) :

1. Je veux qu'il *(s'abstenir)* .... de voter.

2. Nous craignons qu'il ne *(venir)* .... trop tard.

3. Nous sommes contents qu'il *(aller)* .... à Montréal.

Après certains verbes d'opinion dans des principales négatives, interrogatives ou conditionnelles :

4.   Je ne crois pas que cela en *(valoir)*............................ la peine.

5.   Pensez-vous qu'il *(falloir)* .... conclure à un échec ?

6.   J'admettrais que tu *(s'enfuir)*.................................. si cela pouvait donner quelque chose.

Après de nombreuses locutions impersonnelles :

7.   Il est impossible que je *(faire)* .... ce travail aujourd'hui.

8.   Il ne faut pas que tu *(conclure)* .... trop rapidement.

9.   Il vaut mieux que tu *(disparaître)* .... immédiatement.

Dans des propositions relatives après un superlatif ou les adjectifs *seul, dernier, unique :*

10.   C'est la meilleure voiture qui *(se vendre)* .... en ce moment.

11.   C'est le seul magazine que je *(recevoir)*............................. actuellement.

12.   C'est le plus petit modèle que nous *(avoir)*................................. en stock actuellement.

Dans les subordonnées introduites par le relatif indéfini *quoi que* :

13.   Quoi que tu *(croire)* ...., tu te trompes.

Dans les subordonnées compléments circonstanciels introduites par certaines conjonctions :

14.   Puis-je vous parler avant que vous ne *(prendre)* .... une décision ?

15.   Je vous écris afin que vous *(savoir)* .... la vérité.

16.   Prenez les mesures nécessaires pour que cela ne *(se reproduire)* .... pas.

17.   J'accepte, bien que rien ne m'y *(contraindre)* ....

18.   Quoique vous ne *(être)* .... pas très expérimenté, vous êtes tout de même le meilleur candidat.

19. D'aussi loin que je *(se souvenir)* ...., nous avons toujours procédé ainsi.

20. Pourvu qu'il *(faire)* .... beau!

21. Tout s'est fait sans que je *(pouvoir)* .... intervenir.

12. LE SUBJONCTIF PASSÉ

Le subjonctif passé est formé de l'auxiliaire *avoir* ou *être* au subjonctif présent et du participe passé :

*Crois-tu qu'il **ait réussi** ?*
*Crois-tu qu'il **soit devenu** plus sage ?*

EXERCICE 94
Écrivez les verbes entre parenthèses au subjonctif passé.

1. Il est venu sans que nous le lui *(demander)* ....

2. Je craignais qu'il ne *(s'en apercevoir)*............................. .

3. C'est la seule lettre que j' *(recevoir)* .... de lui.

4. C'est heureux que vous *(revenir)* .... aussi rapidement.

5. Je ne crois pas que tu *(avoir)*............................. raison d'agir ainsi.

6. La décision a été prise sans qu'il *(être)* ....possible d'intervenir.

13. LE SUBJONCTIF IMPARFAIT

Les terminaisons du subjonctif imparfait sont soit en *a*, en *i* ou en *u* :

	Parler	*Rendre*	*Conclure*
Il aurait fallu	*que je parlasse*	*que je rendisse*	*que je conclusse*
	que tu parlasses	*que tu rendisses*	*que tu conclusses*
	qu'il parlât	*qu'il rendît*	*qu'il conclût*
	que nous parlassions	*que nous rendissions*	*que nous conclussions*
	que vous parlassiez	*que vous rendissiez*	*que vous conclussiez*
	qu'ils parlassent	*qu'ils rendissent*	*qu'ils conclussent*

Seule la 3e personne du singulier est d'un emploi relativement courant. La terminaison de la 3e personne du singulier comporte toujours un **accent circonflexe** et un *t*.

EXERCICE 95
Écrivez les verbes entre parenthèses au subjonctif imparfait.

1. Il n'admettait pas qu'on *(faire)* .... des erreurs.

2. Nous n'avions jamais cru qu'il *(être)* .... coupable.

3. Il était impossible que M. Dupont *(avoir)* .... tort.

4. C'était la meilleure chose qui *(pouvoir)* .... arriver.

14. LE SUBJONCTIF PLUS-QUE-PARFAIT

Le subjonctif plus-que-parfait est d'emploi extrêmement rare. Il est formé de l'auxiliaire *avoir* ou *être* au subjonctif imparfait et du participe passé :

*Il avait tout fait sans qu'on le lui **eût demandé**.*
*Je craignais qu'il ne s'en **fût aperçu**.*

EXERCICE 96
Écrivez les verbes entre parenthèses au subjonctif plus-que-parfait.

1. C'était la seule lettre qu'il *(recevoir)* ....

2. La décision avait été prise sans qu'on l'en *(aviser)* ....

15. L'INFINITIF PASSÉ

L'infinitif passé est formé de l'auxiliaire *avoir* ou *être* à l'infinitif présent et du participe passé :

*Après **avoir dîné**, il se coucha.*
*Sans s'**être consultés**, ils partageaient le même avis.*

EXERCICE 97
Écrivez les verbes entre parenthèses à l'infinitif passé.

1. Après *(lire)* .... le texte plusieurs fois, il finit par comprendre.

2. Pour *(terminer)* .... trop tard, ils ont perdu beaucoup d'argent.

CORRIGÉ

1. **1**. passé simple (indicatif) **2**. imparfait du subjonctif **3**. présent de l'indicatif; passé du subjonctif **4**. imparfait de l'indicatif **5**. plus-que-parfait de l'indicatif; présent du conditionnel **6**. futur antérieur (indicatif) **7**. passé du conditionnel; présent du subjonctif **8**. imparfait du subjonctif **9**. passé du conditionnel, 2e forme; passé du subjonctif **10**. impératif présent

2. **1**. publier, je publie **2**. vérifier, je vérifie **3**. parier, je parie **4**. crier, je crie **5**. tuer, tu tues **6**. lier, je lie **7**. se fier, je me fie **8**. ruer, il rue **9**. louer, tu loues **10**. bafouer, il bafoue

3. **1**. chante **2**. regardes **3**. raconte **4**. aimons **5**. parlez **6**. brassent **7**. pensent **8**. méritez **9**. embêtez **10**. pensons **11**. pensons

4. j'essaie (j'essaye), tu essaies (tu essayes), il essaie (il essaye), nous essayons, vous essayez, ils essaient (ils essayent) je nettoie... nous nettoyons... ils nettoient j'appuie... nous appuyons... ils appuient

5. **1**. emploie **2**. paie (paye) **3**. essuie **4**. broies **5**. fraie (fraye) **6**. se plie **7**. ennuie **8**. avoue **9**. appuient **10**. côtoie

6. **1**. rage **2**. piges **3**. ronge **4**. ménagez **5**. nagent **6**. rageons **7**. pigeons **8**. rongeons **9**. ménageons **10**. nageons

7. **1**. a, o, u **2**. Ceci, cela, ça, j'avance, nous avançons, je vous remercie pour le reçu. Merci pour le conseil.

8. je parsème, tu parsèmes, il parsème, nous parsemons, vous parsemez, ils parsèment

9. j'appelle, tu appelles, il appelle, nous appelons, vous appelez, ils appellent je jette... nous jetons... ils jettent

10. j'achète... nous achetons... ils achètent je décèle... nous décelons... ils décèlent je gèle... nous gelons... ils gèlent

11. **1**. soulève **2**. emmenons **3**. pèlent **4**. rappelle **5**. ruisselle **6**. se congèle **7**. volettent **8**. grommelle **9**. se lèvent **10**. menez (*qui* a pour antécédent *vous*)

12. je cède, tu cèdes, il cède, nous cédons, vous cédez, ils cèdent

13. je crée... nous créons... ils créent

14. **1**. siègent **2**. interprétez **3**. se révèle **4**. allèche **5**. alléguons **6**. sidèrent

15. je vais, tu vas, il va, nous allons, vous allez, ils vont

16. **1**. je plie, nous plions **2**. tu ploies, vous ployez **3**. il supplée, ils suppléent **4**. je supplie, nous supplions **5**. tu cloues, vous clouez **6**. il dore, ils dorent **7**. je pagaie (pagaye), nous pagayons **8**. tu rames, vous ramez **9**. il recrée, ils recréent **10**. je me méfie, nous nous méfions **11**. tu époussettes, vous époussetez **12**. il sèche, ils sèchent **13**. j'appuie, nous appuyons **14**. tu t'inquiètes, vous vous inquiétez **15**. il rejette, ils rejettent **16**. je délègue, nous déléguons **17**. tu épelles, vous épelez **18**. il crie, ils crient **19**. je mange, nous mangeons **20**. tu rouspètes, vous rouspétez **21**. il serre, ils serrent **22**. je trace, nous traçons **23**. tu côtoies, vous côtoyez **24**. il expédie, ils expédient **25**. tu vas, vous allez

17. je fournis, tu fournis, il fournit, nous fournissons, vous fournissez, ils fournissent

18. je hais, tu hais, il hait, nous haïssons, vous haïssez, ils haïssent

19. je dors… nous dormons…

20. Je mens, tu mens, il ment, nous mentons ; je vêts, tu vêts, il vêt, nous vêtons

21. je cours… il court… nous courons…

22. je tiens… il tient … nous tenons… ils tiennent ; je viens… il vient… nous venons… ils viennent ; j'acquiers… il acquiert… nous acquérons… ils acquièrent ; je meurs… il meurt… nous mourons… ils meurent ; je bous… il bout… nous bouillons… ils bouillent

23. je fuis… il fuit… nous fuyons… ils fuient

24. **1**. je cueille, nous cueillons **2**. tu accueilles, vous accueillez **3**. il couvre, ils couvrent **4**. je découvre, nous découvrons **5**. tu ouvres, vous ouvrez **6**. il offre, ils offrent **7**. je souffre, nous souffrons **8**. tu assailles, vous assaillez **9**. il défaille, ils défaillent **10**. je tressaille, nous tressaillons

25. **1**. détient **2**. s'enfuient **3**. bout **4**. bouillons **5**. meurt **6**. assailllent **7**. courez **8**. gravit **9**. subvenons **10**. pressent **11**. te repens **12**. encourt **13**. s'enquiert **14**. disconviens **15**. remplissez **16**. entretenons **17**. mourons **18**. offre **19**. mens **20**. tressaille **21**. requiert

26. je souris… il sourit… nous sourions… ils sourient ; je construis… il construit… nous construisons… ils construisent ; je bois… il boit… nous buvons… ils boivent ; je crois… il croit… nous croyons… ils croient ; je

conclus... il conclut... nous concluons... ils concluent ; je fais... il fait... nous faisons... vous faites... ils font

27. je vends... il vend... nous vendons... ; je confonds... il confond... ; je prends... il prend... nous prenons... ils prennent

28. je dissous, tu dissous, il dissout, nous dissolvons, vous dissolvez, ils dissolvent ; je peins, tu peins, il peint, nous peignons, vous peignez, ils peignent

29. j'admets, tu admets, il admet, nous admettons, vous admettez, ils admettent ; je bats...

30. je connais... il connaît... nous connaissons... ; j'accrois... il accroît... nous accroissons

31. je convaincs... il convainc... nous convainquons...

32. je corromps... il corrompt... nous corrompons...

33. **1**. Enduisez **2**. excluons **3**. mets **4**. craignons **5**. décroissent **6**. interrompt **7**. paraît **8**. connais **9**. croyons **10**. couds

34. **1**. je peux, nous pouvons **2**. tu veux, vous voulez **3**. il vaut, ils valent

35. je vois... il voit... nous voyons... ils voient

36. **1**. j'aperçois, nous apercevons **2**. tu reçois, vous recevez **3**. il déçoit, ils déçoivent

37. **1**. je dois, nous devons **2**. tu sais, vous savez **3**. il meut, ils meuvent

38. **1**. conçoit **2**. émeut **3**. vaut **4**. pourvoit **5**. peux

39. Voir tableau dans le *Précis*, dans le *Bescherelle* ou dans un dictionnaire.

40. **1**. ennuie **2**. lie **3**. lit **4**. créons **5**. réponds **6**. nous nous distrayons, pouvons **7**. se relaient (se relayent) **8**. rejoignons **9**. plaçons **10**. nous nous contraignons **11**. protège **12**. se fourvoie **13**. rejette **14**. harcèlent (harcellent) **15**. vaut **16**. se souvient **17**. êtes, acquérez **18**. faites **19**. soutiens **20**. accourt **21**. faut **22**. pleut

41. **1**. Entend-il me convaincre ainsi ? **2**. Va-t-il falloir vendre nos actions ? **3**. Cet argument te convainc-t-il ? **4**. Est-ce que je chante juste ? **5**. A-t-on vraiment besoin de cela ? **6**. Parle-t-il toujours autant ?

42.   **1**. J'ai lu   **2**. As-tu été   **3**. Il a eu   **4**. Nous sommes arrivés   **5**. Avez-vous monté   **6**. Ils sont allés

43.   **1**. passé composé passif   **2**. passé composé actif   **3**. passé composé actif   **4**. présent passif   **5**. passé composé passif   **6**. passé composé actif   **7**. présent passif

44.   **1**. La souris a été mangée (par le chat).   **2**. La requête a été rejetée (par le juge).   **3**. Tout mon argent m'a été volé.   **4**. L'événement est annoncé dans tous les journaux (*dans* est préférable à *par*).   **5**. Tous les intéressés ont été consultés.

45.   Voir tableaux de conjugaison.

46.   je plaçais… nous placions… ils plaçaient

47.   je mélangeais… nous mélangions… il mélangeaient

48.   j'essayais… nous essayions… ; je nettoyais… nous nettoyions… ; j'appuyais… nous appuyions

49.   **1**. nous priions, vous priiez   **2**. nous renflouions, vous renflouiez   **3**. nous remuions, vous remuiez   **4**. nous travaillions, vous travailliez   **5**. nous lorgnions, vous lorgniez

50.   **1**. nous déblayons, nous déblayions, vous déblayez, vous déblayiez   **2**. et **3**. (Voir n° 1.)   **4**. nous multiplions, nous multipliions, vous multipliez, vous multipliiez   **5**., **6**., **7**., **8**., Comme les précédents.

51.   j'appelais… nous appelions… ; je jetais… nous jetions...

52.   **1**. me rappelais   **2**. recelait   **3**. pesaient   **4**. rejetiez   **5**. démanteliez

53.   **1**. je cédais, nous cédions   **2**. tu énumérais, vous énumériez   **3**. il léguait, ils léguaient

54.   je répartissais...

55.   **1**. je bâtissais…   **2**. tu haïssais…   **3**. il mourait…   **4**. je courais…   **5**. tu tenais…   **6**. il acquérait…

56.   **1**. nous cueillons, nous cueillions; vous cueillez, vous cueilliez   **2**. nous tressaillons, nous tressaillions.   **3**. nous nous enfuyons, nous nous enfuyions...

57.   **1**. je souriais, nous souriions   **2**. tu construisais, vous construisiez   **3**. il buvait, ils buvaient   **4**. je concluais, nous concluions   **5**. tu faisais, vous faisiez   **6**. il plaisait,

ils plaisaient 7. j'extrayais, nous extrayions 8. tu croyais, vous croyiez 9. il attendait, ils attendaient 10. je répondais, nous répondions 11. tu apprenais, vous appreniez 12. il plaignait, ils plaignaient 13. je contraignais, nous contraignions 14. tu atteignais, vous atteigniez 15. il enjoignait, ils enjoignaient 16. j'abattais, nous abattions 17. tu promettais, vous promettiez 18. il permettait, ils permettaient 19. je paraissais, nous paraissions 20. tu connaissais, vous connaissiez 21. il naissait, ils naissaient 22. j'accroissais, nous accroissions 23. tu vainquais, vous vainquiez 24. il convainquait, ils convainquaient 25. je corrompais, nous corrompions 26. tu pouvais, vous pouviez 27. il entrevoyait, ils entrevoyaient 28. je décevais, nous décevions 29. tu savais, vous saviez 30. j'écrivais, nous écrivions 31. tu décrivais, vous décriviez 32. il souscrivait, ils souscrivaient

58. 1. il s'enfuyait 2. nous acquérions 3. surprenaient 4. nous nous relayions 5. nous établissions 6. il déménageait 7. S'il cédait, c'en était 8. il s'inquiétait 9. s'éteignaient 10. s'évanouissaient 11. nous découvrions, étaient (sujet qui, reprenant techniques) 12. il avait 13. nous mourions 14. vous couriez, saviez 15. nous parcourions 16. interdisiez-vous 17. vous disiez 18. Si j'obtenais 19. si je devais 20. s'il modifiait (Faites attention de ne pas mettre de conditionnel après *si* ; c'est une faute.)

59. 1. Si j'avais su 2. Il avait terminé 3. Quand il avait fini 4. J'étais venu 5. Si j'avais été 6. Si j'avais eu

60. Voir tableaux de conjugaison.

61. j'irai… j'irais…

62. 1. je penserai, je penserais 2. tu parleras, tu parlerais 3. il débordera, il déborderait 4. nous améliorerons, nous améliorerions 5. vous créditerez, vous créditeriez 6. ils déménageront, ils déménageraient

63. 1. je louerai, je louerais 2. tu continueras, tu continuerais 3. il liera, il lierait 4. nous revivifierons, nous revivifierions 5. vous replierez, vous replieriez 6. ils tueront, ils tueraient 7. je créerai, je créerais 8. tu agréeras, tu agréerais 9. il suppléera, il suppléerait

64. 1. je m'inquiéterai…. 2. tu protégeras…. 3. il asséchera… 4. nous répéterons… 5. vous léguerez… 6. ils énuméreront……

65. j'appellerai…

66. 1. il rachèterait 2. gèlerait 3. vous rejetteriez 4. rappellerais-tu 5. je pèserais

67. j'essaierai (j'essayerai)… je convoierai… j'appuierai…

68.   je renverrai...

69.   je courrai... je mourrai... j'acquerrai...

70.   **1**. je courais, je courrais **2**. tu mourais, tu mourrais **3**. il acquérait, il acquerrait **4**. nous accourions, nous accourrions **5**. vous requériez, vous requerriez **6**. ils recouraient, ils recourraient

71.   j'accueillerai...

72.   je recueillerais...

73.   **1**. nous tiendrons **2**. tiendrez **3**. je ne retiendrai **4**. nous maintiendrons **5**. il viendra (il impersonnel) **6**. tu n'interviendras **7**. subviendra

74.   je ferai, je ferais...

75.   **1**. dépendra **2**. nous soumettrons **3**. comparaîtront **4**. nous vaincrons **5**. tu convaincras **6**. résoudra **7**. vous conclurez **8**. nous poursuivrons **9**. relirez-vous **10**. nous écrirons **11**. je conduirai

76.   **1**. j'y verrai **2**. je recevrai **3**. pourvoira **4**. vous saurez **5**. vous devrez **6**. pourrez-vous **7**. il faudra **8**. il pleuvra **9**. vous prévoirez **10**. je reverrai

77.   **1**. prescririez-vous **2**. voudriez-vous **3**. verrais-tu **4**. il faudrait **5**. pourriez-vous

78.   **1**. auriez-vous **2**. seras-tu **3**. continuerez-vous **4**. il cédera **5**. nous répéterons **6**. rappelleriez-vous **7**. je paierai **8**. ils s'en souviendront **9**. il devrait, il acquerrait **10**. accueilleriez-vous **11**. maintiendra-t-il

79.   **1**. On aurait dû **2**. Il aurait cédé **3**. Quand vous aurez relu **4**. J'aurais aimé **5**. Quand j'aurai terminé

80.   Voir tableaux de conjugaison.

81.   **1**. il arriva, ils arrivèrent **2**. il resta, ils restèrent **3**. il modifia, ils modifièrent **4**. il essaya, ils essayèrent **5**. il déploya, ils déployèrent **6**. il appuya, ils appuyèrent **7**. il déménagea, ils déménagèrent **8**. il appela, ils appelèrent **9**. il rejeta, ils rejetèrent **10**. il protégea, ils protégèrent **11**. il établit, ils établirent **12**. il bâtit, ils bâtirent **13**. il partit, ils partirent **14**. il recourut, ils recoururent **15**. il mourut, ils moururent **16**. il acquit, ils acquirent **17**. il requit, ils requirent **18**. il conquit, ils conquirent **19**. il accueillit, ils accueillirent **20**. il tint, ils tinrent **21**. il retint, ils retinrent **22**. il obtint, ils obtinrent **23**. il maintint, ils maintinrent **24**. il vint, ils vinrent **25**. il intervint, ils intervinrent **26**. il parvint,

ils parvinrent **27.** il revint, ils revinrent **28.** il rendit, ils rendirent **29.** il crut, ils crurent **30.** il prit, ils prirent **31.** il entreprit, ils entreprirent **32.** il surprit, ils surprirent **33.** il confondit, ils confondirent **34.** il joignit, ils joignirent **35.** il rejoignit, ils rejoignirent **36.** il contraignit, ils contraignirent **37.** il parut, ils parurent **38.** il connut, ils connurent **39.** il naquit, ils naquirent **40.** il mit, ils mirent **41.** il admit, ils admirent **42.** il remit, ils remirent **43.** il démit, ils démirent **44.** il omit, ils omirent **45.** il fit, ils firent **46.** il défit, ils défirent **47.** il vainquit, ils vainquirent **48.** il convainquit, ils convainquirent **49.** il vécut, ils vécurent **50.** il dut, ils durent **51.** il put, ils purent **52.** il sut, ils surent **53.** il fallut (verbe impersonnel : pas de pluriel) **54.** il vit, ils virent **55.** il déçut, ils déçurent **56.** il s'aperçut, ils s'aperçurent **57.** il élut, ils élurent **58.** il sourit, ils sourirent

82. naquit, reçut, fit, entreprit naquit, mourut, fut élu, interrompit, opposa, remporta, prépara, fit, éloignèrent (*série* est un nom collectif; il arrive souvent qu'on accorde le verbe avec le complément [ici *lois*] d'un collectif sujet plutôt qu'avec le collectif même), firent, furent, reconnut, pratiqua, vinrent, eut, commença rencontra, fut votée, souleva, firent, participa, consentit, fut réélu, mourut, succéda

83. **1.** Quant il eut terminé **2.** Dès qu'ils furent partis **3.** Après qu'on eut lancé

84. Voir tableaux de conjugaison.

85. **1.** mange **2.** reviens **3.** pars **4.** sois **5.** n'aie (Les verbes ayant une terminaison en *e* se comportent comme les verbes en *–er*, c'est-à-dire qu'ils ne prennent pas de *s* à la 2e pers. du sing...) **6.** sache (Voir note précédente.) **7.** soulève-toi **8.** garde-toi **9.** souviens-toi **10.** méfie-toi

86. **1.** essayez **2.** cédez **3.** acceptez **4.** rejetez **5.** faites **6.** lisez, dites **7.** sachez **8.** soyez **9.** veuillez **10.** résolvez, résolvez

87. **1.** parle **2.** parle-lui **3.** parle-lui-en **4.** parles-en **5.** pense **6.** penses-y **7.** va **8.** vas-y **9.** avises-en **10.** vérifies-en **11.** va-t'en **12.** garde-t'en

88. **1.** Livrez-la-moi dès demain. **2.** Livrez-m'en trois douzaines. **3.** Ne t'en sers pas pour les documents internes. **4.** Souviens-t'en **5.** Charge-t'en toi-même. **6.** Chargez-vous-en. **7.** Apportez-nous-en dès demain.

89. **1.** rejettes-tu... ? **2.** rejette **3.** expédies-tu... ? **4.** expédie-le **5.** emportes-tu... ? 6. emporte-le **7.** ferme

90. **1.** Aie tout rangé **2.** Soyez partis

91. Voir tableaux de conjugaison.

92. **1.** nous publiions **2.** vous essuyiez **3.** nous travaillions **4.** vous gagniez

93. **1.** qu'il s'abstienne **2.** qu'il ne vienne **3.** qu'il aille **4.** que cela en vaille **5.** qu'il faille **6.** que tu t'enfuies **7.** que je fasse **8.** que tu conclues **9.** que tu disparaisses **10.** qui se vende **11.** que je reçoive **12.** que nous ayons **13.** quoi que tu croies **14.** avant que vous ne preniez **15.** afin que vous sachiez **16.** pour que cela ne se reproduise pas. **17.** bien que rien ne m'y contraigne **18.** quoique vous ne soyez pas **19.** d'aussi loin que je me souvienne **20.** pourvu qu'il fasse **21.** sans que je puisse

94. **1.** sans que nous le lui ayons demandé **2.** qu'il ne s'en soit aperçu **3.** la seule lettre que j'aie reçue (*que*, mis pour *lettre*, c.o.d. placé avant : accord) **4.** que vous soyez revenu **5.** que tu aies eu **6.** sans qu'il ait été

95. **1.** qu'on fît **2.** qu'il fût **3.** que M. Dupont eût **4.** qui pût

96. **1.** qu'il eût reçue **2.** sans qu'on l'en eût avisé

97. **1.** avoir lu **2.** avoir terminé

MODULE IV

L'ACCORD DU VERBE AVEC LE SUJET

L'ACCORD DU VERBE AVEC LE SUJET

Le verbe s'accorde en personne et en nombre avec le sujet. Or, dans certains cas, il peut être difficile d'identifier exactement le sujet, ou d'en déterminer la personne ou le nombre. Nous ferons le tour des cas problèmes, mais en premier lieu, révisons le fonctionnement général de cet accord, ce qui demande avant tout de savoir reconnaître le sujet.

1. RÔLE DU SUJET

Le sujet est, dans la phrase, le mot ou le groupe de mots sur lequel on dit quelque chose par l'intermédiaire d'un verbe ; il est donc tout naturel que ce soit le premier qui impose l'accord au second. Le verbe peut donner, à propos du sujet, les informations suivantes :

- Le sujet fait l'action

    Pierre lave la vaisselle.

- Le sujet subit l'action

    La vaisselle a été lavée par Pierre.

- Le verbe exprime l'état du sujet

    La vaisselle est lavée.

2. NATURE DU SUJET

Tout groupe de mots ayant une valeur substantive peut être sujet. Voyons-en les formes principales, en commençant par la plus simple :

Marie lit. (nom propre)
L'auteur a lu un extrait de son livre. (article + nom)
Il a lu d'une voix grave. (pronom)
Son livre a remporté un très grand succès. (déterminant + nom)
Le dernier livre de cet auteur est un peu décevant. (groupe nominal)
Le dernier livre que vous m'avez recommandé était excellent.
(groupe nominal incluant une proposition relative)
Lire est un des grands plaisirs de la vie. (infinitif)
Lire à haute voix en famille n'est plus une activité très répandue. (proposition infinitive)
Que la lecture soit une activité moins prisée qu'auparavant n'est pas certain du tout. (proposition subordonnée)

3. PLACE DU SUJET

Dans tous les exemples ci-dessus, le sujet précède immédiatement le verbe ; rien ne vient s'intercaler entre les deux, si ce n'est l'adverbe de négation *ne*. Mais tel n'est pas toujours le cas. Le mot qui précède le verbe n'est pas forcément son sujet.

- Les pronoms personnels compléments d'objet s'intercalent entre le sujet et le verbe :

(J'achète ces skis.)
*Je **les** (complément d'objet direct) achète.*
*Je **vous** (complément d'objet indirect) **les** (complément d'objet direct) achète.*
*Ils **te** (complément d'objet indirect) **les** (complément d'objet direct) achètent.*

- Un complément circonstanciel peut être intercalé entre le sujet et le verbe :

*Les enfants, **pendant ce temps** (complément circonstanciel de temps), achetaient des bonbons.*

*Ces skis, **malgré leur prix prohibitif** (complément circonstanciel d'opposition), me tentent beaucoup.*

- Le sujet peut suivre le verbe :

*Les achètes-**tu** ?*
*Les achète-t-**il** ?*

4. IDENTIFICATION DU SUJET

L'habitude de l'analyse logique et grammaticale fait reconnaître le sujet à la première lecture. Lorsqu'on n'a pas cette habitude, la façon la plus sûre et la plus pratique de reconnaître le sujet est de poser la question qui est-ce qui ? ou qu'est-ce qui ? devant le verbe :

*Sur la falaise, se dressaient **les ruines du château de Robert le Diable**.*
(qu'est-ce qui se dressait ?)

*Des Grands Lacs à l'estuaire, **la pollution de la voie maritime du Saint-Laurent** est totale.*
(qu'est-ce qui est total ?)

*Pour nos successeurs se poseront surtout **les trois problèmes suivants**.*
(qu'est-ce qui se posera ?)

Dans les groupes nominaux sujets, il est également nécessaire de reconnaître le support du groupe sujet, car c'est lui qui régit l'accord

*Le **retard** dans les livraisons inquiète le directeur.* (3ᵉ personne du singulier)
*Le **mécontentement** des employés s'explique facilement.* (3ᵉ personne du singulier)
*Les **étudiants** que nous avons reçus cette année seront nos hôtes l'année prochaine.*
(3ᵉ personne du pluriel)

Les sujets à base nominale sont toujours de la 3ᵉ personne, sauf s'ils sont associés à un impératif :

*Dors, **mon petit enfant**.*
*Viens, **Marie**.*
*Venez, **mes petits**.*

EXERCICE 1

Soulignez les sujets des verbes en italique.

1. Les *crois*-tu ?

2. Où l'*as*-tu *mis*, ce marteau ?

3. Malgré ce que vous en dites, tout *peut* encore arriver.

4. Je te les *apporte*, c'est promis.

5. *Écoute* Paul qui est en train de jouer du piano.

6. Sur les rives du Rhin, *s'élèvent* de magnifiques châteaux et de très nombreuses usines.

7. Ils ne nous *écouteront* que si nous sommes bien préparés.

8. Quelles bêtises *ont* encore *faites* les enfants ?

9. *Envoyez*-les-moi dès que vous aurez terminé.

10. Des jardins *montaient* mille et un parfums.

11. Vous avez fait ces exercices trop rapidement ; aussi les *referez*-vous ce soir.

12. *Laissez*-nous vos enfants pour la fin de semaine ; nous les *garderons* avec plaisir.

13. Que ce soit vous le coupable ne *fait* aucun doute.

14. À qui *revient* cet argent ?

15. Manger trop de carottes *donne* un teint jaune.

16. Qui ne fume ni ne boit *mourra* en bonne santé *(aphorisme russe)*.

5. PERSONNE GRAMMATICALE DU SUJET

Les verbes s'accordent donc en personne et en nombre avec le sujet. Comme nous l'avons vu plus haut, les sujets nominaux sont de la 3e personne. En fait, la quasi-totalité des sujets sont de la 3e personne, à l'exception des pronoms personnels des 1re et 2e personnes ou des sujets en contenant un :

Je *travaille.*
Nous *travaillons.*
Marie (Elle) et moi *travaillons ensemble.*
Toi et moi *travaillons trop fort.*
Tu *travailles.*
Vous *travaillez.*
Ma soeur et toi *êtes du même âge.*
Ma soeur et vous *êtes du même âge.*

Les autres sujets sont de la 3e personne.

- Pronoms personnels

Il *travaille tous les soirs.*
Elles *travaillent souvent ensemble.*

- Pronoms démonstratifs

Cela *se saura.*
C'est drôle.
Celui-ci *me convient.*
Ceux-ci *sont meilleur marché que ceux-là.*

- Pronoms possessifs

Le vôtre *est peut-être plus beau, mais* *le mien* *fonctionne mieux.*
Vos enfants sont de véritables pestes ; *les nôtres* *n'auraient jamais fait ça.*

- Pronoms indéfinis

Rien *ne me sourit.*
Tout *te réussit.*
Nul *ne veut me dire ce qui s'est passé!*
On *verra bien!*
Certains *pensent qu'elle a eu tort d'agir ainsi.*
D'autres *disent qu'elle a eu raison.*
Tous *ne sont pas d'accord.*

- Pronoms interrogatifs

Qui *frappe ?*
Lesquels *sont les meilleurs ?*

- Pronoms relatifs sujets

Les soupçons *qui* *pèsent sur lui ne sont pas fondés.*
(Mais *Est-ce toi qui as obtenu le contrat ?* L'antécédent est de la 2e personne du singulier.)

- Noms et groupes nominaux

Les listes des étudiants reçus *seront affichées en face du secrétariat.*

Verbes et propositions :

> **Rire** *fait du bien.*
> **Qui a bu** *boira.*
> **Que sa nomination n'ait pas plu à tout le monde** *ne fait aucun doute.*

En révisant les conjugaisons dans le module précédent, vous aurez remarqué que d'un temps à l'autre, si les terminaisons varient, on trouve néanmoins certaines récurrences dans les marques de la personne. Assurez-vous que celles-ci sont bien fixées dans votre mémoire.

EXERCICE 2

Répondez aux questions suivantes à l'aide des tableaux de conjugaisons de votre *Précis*.

1. Quelles lettres retrouve-t-on toujours dans la terminaison de la 3e personne du pluriel ?

   ....

2. Quelle lettre retrouve-t-on toujours dans la terminaison de la 1re personne du pluriel ?

   ....

3. Par quelle lettre finit généralement la terminaison de la 2e personne du pluriel ?

   ....

4. À quel temps la terminaison de la 2e personne du pluriel finit-elle en *-s* ?

   ....

5. Quelles sont les finales possibles des terminaisons de la 2e personne du singulier ?

   ....

6. Quelle lettre retrouve-t-on toujours (sauf à l'impératif des verbes en *-er*) dans la terminaison de la 2e personne du singulier ?

   ....

7. Par quelles lettres peut finir la terminaison de la 3e personne du singulier ?

   ....

EXERCICE 3

Écrivez vos réponses de l'exercice précédent sous forme de tableau.

	singulier	pluriel
1re personne	....	....
2e personne	....	....
3e personne	....	....

6. ACCORD DES FORMES COMPOSÉES DU VERBE

Aux formes composées, l'**auxiliaire** s'accorde en personne et en nombre avec le sujet, en suivant les terminaisons des temps simples correspondants

> j'**ai** mangé
> tu **avais** mangé
> il **eut** mangé
> nous **aurons** mangé
> vous **auriez** mangé
> qu'ils **aient** mangé

L'accord du participe est indépendant. Vous allez en revoir le fonctionnement dans un module distinct. Dans ce module, nous ne nous intéresserons qu'aux formes composées avec l'auxiliaire être, leur participe s'accordant avec le sujet

> « **Je suis cuite** », s'écria la voleuse en voyant douze policiers à ses trousses.
> « **Tu es cuite**, Paula », lui cria un des policiers.
> « **Elle est cuite** », renchérit un second.
> « **Nous sommes cuits** », constata également le complice de Paula
> (qui l'attendait au coin de la rue).
> « **Vous êtes cuits** », crièrent en choeur les policiers.
> « **Les carottes sont cuites** », soupira Paula.

L'auxiliaire *être* s'emploie dans quatre cas.

- Certains verbes demandent l'auxiliaire *être* :

> Elle **est née** à Tombouctou, au Mali.
> Elles **sont devenues** riches tout d'un coup.

- D'autres verbes prennent tantôt *avoir*, tantôt *être*, selon qu'ils sont transitifs directs ou intransitifs :

    *Elle **a descendu** les pommes de terre à la cave.*
    *Elle **est descendue** de la voiture avec une grâce infinie.*

- La voix passive se construit toujours avec *être* :

    *La cérémonie **sera présidée** par la ministre.* (Futur passif)
    La ministre présidera la cérémonie. (Futur actif)

- La forme pronominale se construit également avec *être* :

    *À son entrée, le silence **s'est fait**.*

L'accord des participes des verbes pronominaux est particulier, et vous le verrez dans le module consacré à l'accord du participe passé.

EXERCICE 4
Mettez les verbes entre parenthèses au temps demandé et accordez-les.

1. Mes triplets (*naître*, passé composé) .... à Trois-Rivières.

2. Toutes les pommes (*cueillir*, présent passif) ....

3. L'annonce (*paraître*, passé composé) .... dans tous les journaux.

4. Tous les obstacles (*surmonter*, passé composé passif) ....

5. Cette pièce (*rejouer*, futur passif) .... cet été.

Dans la plupart des cas, déterminer la personne et le nombre du sujet ne présente pas de difficulté particulière. Nous verrons les cas litigieux dans les parties suivantes. Pour l'instant, assurez-vous que vous maîtrisez le mécanisme de l'accord du verbe avec le sujet. Pour ce faire, procédez avec méthode :

1o identifiez le sujet (ainsi que le mot support du sujet – ou noyau – dans les groupes nominaux complexes) ;

2o déterminez sa personne et son nombre.

EXERCICE 5

Soulignez les sujets et mettez les verbes à la forme demandée.

1. De derrière la maison (*surgir*, passé simple) .... soudain trois chiens menaçants.

2. Ils nous (*écouter*, futur) ....

3. Pierre les (*écouter*, conditionnel présent) .... davantage s'ils lui (*parler*, imparfait) .... sur un autre ton.

4. (*S'ajouter*, présent) .... à cette somme les frais de séjour.

5. Nous possédons plusieurs salles où (*se rencontrer*, présent) .... le personnel.

6. Je ne comprends pas ce que te (*demander*, présent) .... tes supérieurs.

7. Le bruit des machines m'(*étourdir*, imparfait)................................

8. Tout t'(*effrayer*, présent) .... !

9. Pourquoi mon refus te (*surprendre*, présent) ....-il ?

10. Ce travail me (*plaire*, présent) ....beaucoup.

11. Un mur d'une hauteur de six mètres (*entourer*, présent) .... la nouvelle prison.

12. Je regretterai les avantages que me (*procurer*, imparfait) .... cette situation.

13. Nous ne pouvons assumer les frais qu'(*entraîner*, conditionnel) .... cette transformation.

14. Tout au bout du bâtiment (*se trouver*, présent) .... les dortoirs.

15. Puis (*venir*, imparfait) .... les représentants des différents pays.

16.   La nappe de clarté que le soleil (*répandre*, présent)..................................... sur le monde (*être*, présent) .... pour Monet une foule innombrable où (*errer*, présent) ....et (*s'entrecroiser*, présent) .... cent mille atomes colorés que les autres hommes (*voir*, présent) .... d'un bloc (*Élie Faure*).

17.   Il est le peintre des eaux, le peintre de l'air, le peintre des miroitements de l'air dans l'eau, de l'eau dans l'air et de tout ce qui (*flotter*, présent) .... (*rôder*, présent) ...., (*hésiter*, présent) .... (*aller*, présent) ....et (*venir*, présent) .... entre l'air et l'eau (*Élie Faure*).

18.   Quelles que (*être*, subjonctif présent) ....ces raisons, dont le détail n'est pas ici le propos, on (*voir*, présent) ....que les langues florissant à partir de l'anglais, comme toutes celles qui, au cours de l'histoire, (*naître*, passé composé) .... d'un tronc commun, (*accomplir*, présent). .... la vocation même des rejetons, qui (*être*, présent) ....d'emprunter des chemins divergents (*Claude Hagège*).

19.   En (*faire*, présent) .... aussi partie un avocat des services juridiques et le directeur de la compagnie.

20.   Le conseil national, qui regroupe l'exécutif national, les délégations des associations de comté et les députés, (*écouter*, futur simple) .... religieusement le discours d'ouverture du chef, (*se donner*, futur simple) .... un plan d'action, (*adopter*, futur simple) .... le budget, (*s'employer*, futur simple) .... aux préparatifs du congrès de l'automne et (*jeter*, futur simple) .... les bases des fêtes commémoratives du vingtième anniversaire de fondation du parti.

21.   Les problèmes qui n'(*résoudre*, passé composé passif) .... seront repris.

CAS PARTICULIERS

L'accord du verbe avec le sujet suit une certaine logique. Dans les cas litigieux, c'est généralement le sens qui détermine l'accord ; on ne s'étonnera donc pas que l'accord soit parfois facultatif.

7. LE VERBE ET PLUSIEURS SUJETS (*Précis*, § 399)

1º Sujets unis par *et*

Le verbe qui a plusieurs sujets unis par *et* se met évidemment au pluriel :

> *Le gouvernement souhaite que la loi et les règlements qui s'y rapportent* **soient appliqués** *de façon souple.*

2º Sujets juxtaposés

L'addition est parfois simplement marquée par la juxtaposition. Plusieurs sujets juxtaposés appellent bien sûr un verbe au pluriel :

> *L'or, l'argent, le platine* **sont** *des métaux précieux.*

On ne doit pas confondre l'apposition avec un sujet juxtaposé. Dans :

> *M. Côté, médecin à Chicoutimi,* **prononcera** *le discours d'ouverture.*

Personne n'aurait l'idée de mettre le verbe au pluriel. Dans :

> *Nous avons, depuis sa mort, déplacé nos certitudes sur certains points,* *mais l'essentiel de l'œuvre, faits et perspectives,* **demeure** *intact.*

il faut voir également que *faits* et *perspectives* est un complément d'apposition et non un sujet juxtaposé.

3º Sujets synonymes ou exprimant une gradation

Lorsque le sujet est composé de plusieurs mots qui expriment de façons différentes la même idée ou les divers degrés d'une même qualité, le verbe s'accorde avec le sujet le plus rapproché :

> *Un vent doux, une brise de printemps, un souffle chaud* **caressait** *ma joue.* *Sa bonté, sa gentillesse, sa naïveté la* **rendait** *sotte à mes yeux.*

4º Sujets unis par *ou*

Lorsque les sujets sont unis par *ou*, le verbe se met au pluriel si les deux sujets peuvent faire l'action, c'est-à-dire si *ou* a un sens voisin de *et* :

> *Le moindre choc physique ou une mauvaise nouvelle* **peuvent** *le terrasser.*

Si l'un des deux sujets exclut l'autre, le verbe se met au singulier :

> *Le directeur ou le sous-directeur* **présidera** *l'assemblée.*

On garde aussi le singulier si les deux sujets sont synonymes :

> *Le maïs, ou blé d'Inde,* **est** *très nutritif.*

Remarquez dans ce dernier cas l'absence d'article devant le deuxième nom, lequel est d'ailleurs placé entre virgules ; *ou blé d'Inde* est en fait un complément d'apposition.

5° Sujets unis par *ni*

En règle générale, l'accord du verbe est facultatif lorsque les sujets sont unis par *ni* :

> *Ni la natation ni le tennis ne l'**intéresse** (ou ne l'**intéressent**).*

Mais, comme pour *ou*, si l'action ne peut être attribuée aux deux sujets à la fois, le singulier est de rigueur :

> *Ni Jacques ni son cousin n'**est** le père de Manon.*

6° Sujets unis par une conjonction de comparaison *ainsi que, comme, de même que, non moins que*, etc.

Lorsque ces conjonctions gardent leur valeur de comparaison, le deuxième « sujet » est plutôt un complément d'apposition. Il est placé entre virgules et le verbe conserve le singulier :

> *Mon père, comme beaucoup d'hommes, **réclamait** une autorité qu'il ne savait imposer.*
> *L'enfant, ainsi qu'un petit animal sauvage, ne nous **approcha** guère.*

À l'idée de comparaison peut se substituer celle d'addition. On a alors véritablement un double sujet. Le verbe se met au pluriel et les virgules disparaissent :

> *Votre argent ainsi que votre passeport **doivent** toujours être en lieu sûr.*
> *La sociologie comme la philosophie **sont** en voie de disparition.*

7° Sujets de personnes différentes

Comme vous l'avez vu dans les exercices sur les conjugaisons, lorsqu'il y a plusieurs sujets et qu'ils ne sont pas de la même personne grammaticale, le verbe se met au pluriel, à la personne qui a la priorité : la 1re personne l'emporte sur les 2e et 3e personnes ; la 2e personne l'emporte sur la 3e personne :

> *Claire (3e) et moi (1re) **avons** (1re) réussi à notre examen.*
> *Claire (3e) et toi (2e) **devriez** (2e) sortir.*

EXERCICE 6
Mettez les verbes entre parenthèses à la forme demandée.

1. Né en 1873, mort en 1939, Élie Faure est un autodidacte dans toute la force que ce terme peut prendre lorsque la passion de savoir et l'intelligence (*assimiler*, présent)

.... et (*dépasser*, présent)......................................
les découvertes des spécialistes et des érudits.

2.   L'anglo-américain, langue de masse, (*exposer*, présent passif) ....,
aux États-Unis mêmes, à toutes les évolutions, à tous les avatars qui furent ceux du
latin dans les derniers siècles de l'Empire *(Claude Hagège).*

3.   Si la santé et l'énergie du cinéma québécois (*se mesurer*, présent) ....
au nombre de prix accordés, nul doute que tous nos réalisateurs (*pouvoir*, conditionnel présent) .... gravir l'Everest à pied demain matin.

4.   Les enfants et vous (*devoir*, conditionnel présent) ....
essayer de vous entendre.

5.   Ni lui ni moi ne (*être*, présent) .... en mesure de vous
répondre.

6.   M. Dubé ou Mme Tremblay vous (*appeler*, futur) ....

7.   Votre suggestion ainsi que celle de M. Tremblay (*retenir*, passé composé passif)
....

8.   Le service comptable de même que le service des abonnements (*réorganiser*, futur
passif) ....

9.   Son sens de l'organisation, son efficacité (*être*, présent) ....
remarquable.

10. Le directeur, pas plus que son adjoint, ne (*pouvoir*, présent) ....
vous recevoir.

8. LE PRONOM *IL* IMPERSONNEL

Dans :

Il tombe des clous.

on dit que *il* est le sujet grammatical et *des clous*, le sujet réel, ou sujet sémantique. L'accord se fait avec le sujet grammatical, *il*, et non, comme on pourrait être tenté de le faire,
avec le sujet sémantique, *des clous*.

EXERCICE 7

Mettez les verbes entre parenthèses à la forme demandée.

1.   Il (*manquer*, présent) .... encore deux élèves.

2.   Il (*se passer*, imparfait) .... de drôles de choses dans cette maison.

3.   Chaque jour, il (*arriver*, imparfait) .... des centaines de lettres.

4.   Il n'y (*avoir*, imparfait) ....que des célébrités.

9 . LE PRONOM *ON* SUJET

Le pronom *on* est de la 3e personne du singulier. Le verbe ayant pour sujet le pronom on sera donc à la 3e personne du singulier :

> *Au ministère, on **semble** s'étonner des réactions de la population.*

Le pronom *on* a normalement une valeur indéfinie ; il renvoie à une personne ou, plus souvent, à un groupe de personnes dont on tait l'identité soit parce qu'on l'ignore, soit parce qu'on la juge non pertinente. *On* a souvent une valeur totalement neutre comme dans la phrase précédente *(on tait, on ignore)*, ou encore il peut renvoyer à l'humanité en général, par exemple dans les sentences, les proverbes :

> *On n'est jamais si bien servi que par soi-même.*

Cette parenthèse définitoire était nécessaire pour expliquer le point d'accord suivant. Dans la conversation, *on* est le plus souvent employé avec la valeur de *nous* :

> *Est-ce qu'on va au cinéma ?*
> *Pierre et moi, on va au cinéma.*

Si *on* est employé dans le sens de *nous* et que le verbe est suivi d'un attribut, celui-ci s'accorde avec ce que *on* représente :

> *On est **contents** de vous voir.*
> *On est **contentes** de vous voir.*

Le participe passé des verbes conjugués avec l'auxiliaire *être* s'accorde également avec ce que *on* représente :

> *On est **allés** faire du ski au Mont Sainte-Anne.*
> *Je suis tombée sur Julienne en sortant du bureau et on est **allées** souper au restaurant ensemble.*

EXERCICE 8

Mettez les verbes entre parenthèses à la forme demandée. Dites si *on* est employé dans son sens indéfini ou dans le sens de *nous*.

1.   Au ministère de l'Environnement, on (*sembler*, présent) .... tout ignorer de cette histoire.

2.   Est-ce qu'on (*venir*, passé composé) ....prendre votre commande ?

3.   On (*pouvoir*, conditionnel) .... se donner un délai de réflexion.

4.   De cette façon, on (*résoudre*, conditionnel)................................... tous les problèmes d'un seul coup.

5.   Si on (*pouvoir*, plus-que-parfait) .... prévoir ce qui arriverait, on (*prendre*, conditionnel passé) .... les mesures nécessaires pour que ça n'arrive pas.

6.   Je suis sortie avec mon mari hier soir. La gardienne n'était pas contente parce qu'on (*revenir*, passé composé) .... plus tôt que prévu.

7.   Je suis allée voir l'exposition de Chagall hier avec Marie. On (*arriver*, passé composé) .... à l'ouverture du musée, mais il y avait déjà un monde fou.

10. LE PRONOM RELATIF *QUI*

Le pronom relatif *qui* est sujet s'il n'est pas précédé d'une préposition. Le verbe de la proposition relative s'accorde alors avec lui. Comme la plupart des pronoms, il a un antécédent. Le pronom relatif *qui* est donc de la même personne et du même nombre que son antécédent, c'est-à-dire le nom, le pronom ou le groupe nominal qu'il remplace :

> *C'est **moi qui** irai.* (1re personne du singulier)
> *C'est **toi qui** iras.* (2e personne du singulier)
> *C'est **nous qui** l'avons emprunté.* (1re personne du pluriel)

Mais il arrive que les choses se compliquent. Dans certains cas, par exemple, le pronom relatif a la possibilité de représenter deux personnes grammaticales :

> *Je (1re) suis un étudiant (3e) qui...*

La règle veut que l'on accorde le verbe avec l'attribut de la principale (ici *étudiant*) s'il est précédé de l'article défini *(le, la, les)* ou de l'adjectif démonstratif *(ce, cet, cette)* :

*Je suis l'étudiant qui **voulait** vous rencontrer.*
*Je suis cet étudiant qui **voulait** vous rencontrer.*

Si l'article qui précède l'attribut est indéfini *(un, une, des)*, on a le choix de l'accord :

*Je suis un étudiant qui **veux** apprendre.*
ou
*Je suis un étudiant qui **veut** apprendre.*

Même liberté lorsque l'attribut est *le seul, le premier* ou *le dernier* :

*Vous êtes le seul qui m'**ayez remis** mon argent.*
ou
*Vous êtes le seul qui m'**ait remis** mon argent.*

Lorsque le pronom *qui* représente *un des, une des* ou *un de, une de*, c'est le sens qui détermine l'accord :

*À l'un des policiers qui l'**interrogeait** (un seul policier l'interrogeait)...*
*À l'un des policiers qui l'**interrogeaient** (tous les policiers l'interrogeaient)...*

Les participes passés des verbes conjugués avec *être* ayant pour sujet *qui* s'accordent donc avec lui :

*Madame Lavigne, qui est **arrivée** première au...*

EXERCICE 9
Mettez les verbes entre parenthèses à la forme demandée.

1. Comme d'habitude, c'est encore Claire ou Judith qui *(décrocher,* futur) .... le premier prix.

2. Est-ce vous qui *(téléphoner,* passé composé) .... ?

3. Vous êtes la seule qui ne m'*(demander,* subjonctif passé) .... pas d'argent.

4. Vous êtes la seule qui ne *(venir,* subjonctif passé)....................................pas me demander d'argent.

5. Ce n'est pas moi qui *(avoir,* conditionnel présent) .... une pareille chance.

6. Ce n'est pas à moi qu'on *(faire,* conditionnel passé) .... une pareille offre.

7. Je cherche une personne qui (*savoir*, subjonctif présent) .... écrire sans fautes.

8. Les téléromans sont parmi les émissions de télévision qui (*regarder*, présent passif) .... les plus ....

9. Pas un qui (*savoir*, subjonctif présent) .... me répondre.

10. C'est toi qui (*devoir*, conditionnel présent) .... être nommé.

11. Est-ce toi qui (*prononcer*, futur) .... l'allocution d'ouverture ?

12. La liste des invités (*être prêt*, futur) .... la semaine prochaine.

13. (*Oublier*, impératif) .... un peu les faillites qui te (*menacer*, présent) ....

14. Le bruit des machines qui (*gronder*, présent) .... m'étourdit.

15. Le bruit des machines, qui n'(*arrêter*, présent) .... pas une seconde, m'étourdit.

16. Je sentais un vent doux, une brise de printemps, un souffle chaud qui me (*caresser*, imparfait) .... la joue.

17. C'est Claire et toi qui (*ouvrir*, futur) .... la séance.

18. Ce n'est ni Pierre ni son cousin qui (*être*, présent) .... le père de Jacques.

19. Les personnes qui (*désirer*, présent) .... avoir de la documentation peuvent nous écrire.

20. Est-ce vous qui (*faire*, passé composé) .... cette requête ?

21. Tu es un crédule qui (*croire*, présent) .... n'importe quoi.

22. Ce n'est pas nous qui (*prendre*, présent) .... la décision.

23. Ce n'est pas vous non plus qui la (*prendre*, présent) ....

24. Ce sont eux qui la (*prendre*, présent) ....

11. PARENTHÈSE SUR LES PARONYMES *QUI / QU'IL*

On confond parfois le *il* impersonnel précédé de la conjonction de subordination *que* avec le pronom relatif *qui*. Maintenant que vous êtes habitués à chercher l'antécédent du pronom relatif sujet *qui* pour accorder le verbe de la subordonnée relative, vous ne devriez plus commettre cette faute. Dans :

*Je crois **qu'il** faut partir.*

on reconnait le *il* impersonnel, sujet du verbe impersonnel *falloir*, précédé de la conjonction de subordination *que*. D'aucune façon, on n'arriverait à trouver un antécédent à ce *qu'il*.

Dans le cas d'un *il* personnel, la difficulté ne se pose pas. Personne n'écrirait autre chose que :

*Je crois **qu'il** a raison.*

Qui n'est pas toujours un pronom relatif ; il est parfois un pronom interrogatif. Sujet d'une proposition indépendante ou principale, il se reconnaît bien :

Qui parle ?
Qui est cette personne avec laquelle vous parliez ?

Le pronom interrogatif *qui* peut également être sujet d'une subordonnée :

*Je ne sais pas **qui** parle.*
*Sais-tu **qui** parle ?*

Précédé d'une préposition, le pronom interrogatif *qui* devient complément :

*De **qui** parles-tu ?*
*Avec **qui** parles-tu ?*
*Par l'entremise de **qui** as-tu obtenu cette faveur ?*

Aucune confusion entre *qu'il* et le pronom interrogatif *qui* ne semble possible.

La séquence *qu'il* peut finalement être formée du pronom relatif objet direct *que* suivi du pronom personne sujet *il* :

*Après tous les ennuis **qu'il** a eus, il mérite bien un peu de repos.*

Comparez avec l'exemple suivant :

*Après tous les ennuis **que tu** as eus, tu mérites bien un peu de repos.*

Comme vous voyez, une simple substitution suffit à lever toute ambiguïté.

EXERCICE 10

Complétez les phrases suivantes avec *qui* ou *qu'il (qu'ils)*.

1.   .... parte immédiatement.

2.   .... frappe ?

3.   Saviez-vous .... avait déjà remporté une médaille d'or ?

4.   Ce n'est pas une chose .... doive être ébruitée.

5.   À ce .... paraît, notre budget va être augmenté.

6.   Nous avons décidé de diminuer la production, ce .... signifie qu'une partie du personnel sera mis à pied.

7.   Nous avons décidé d'agrandir l'usine, ce .... a l'heur de plaire au syndicat.

8.   Nous avons décidé d'augmenter la production, ce .... semble faire l'affaire de tout le monde.

9.   À ce .... semble, les effectifs seront augmentés.

10.   Je crois .... neige.

11.   Penses-tu .... va pleuvoir en fin de semaine ?

12.   Je ne savais pas .... pouvait faire si froid à Miami.

13.   Je regarde la neige .... tombe et je me dis .... est encore heureux .... ne fasse pas trop froid.

14.   Le cours des actions ....a achetées a beaucoup baissé.

15.   Je doute ....vienne.

16.   Je n'aurais jamais cru .... viendrait.

17.   Nous ne savons pas .... a obtenu le poste.

18.   Nous ne savions pas .... avait obtenu le poste.

19.   Après ce .... vous a dit, il a intérêt à disparaître.

20.   ....fait beau !

12. LE PRONOM *CE* SUJET DU VERBE *ÊTRE* (*Précis*, § 397)

Devant les 1re et 2e personnes du pluriel, le verbe *être* s'écrit au singulier :

> *C'est nous qui prenons...*
> *C'est vous qui prenez...*

mais devant la 3e personne du pluriel, le verbe *être* s'écrit au pluriel :

> *Ce sont eux qui...*
> *Ce sont les employés qui...*

À l'oral, on ne respecte pas cette règle de façon stricte.

Cependant, si le pronom ou le nom pluriel est précédé d'une préposition, le verbe *être* s'écrit au singulier :

> *C'est à des employés surnuméraires de faire ce travail.*
> *C'est à eux que revient la décision.*
> *C'est aux employés que revient la décision.*

Comme vous savez, *aux* est un article contracté, c'est-à-dire qu'il équivaut à la préposition *à* plus l'article défini *les*. *Des*, pour sa part, est parfois un article indéfini :

> *Ce sont des employés fiables.*

parfois un article contracté, équivalant donc à *de les* :

> *C'est des employés que la plainte est venue.*

Enfin, si le verbe *être* est suivi de plusieurs noms dont le premier est singulier, il s'écrit généralement au singulier :

> *C'est Jean Gagnon et Réal Côté qui ont remporté les deux premiers prix.*

Note : Voici un moyen pour vous aider à différencier *des*, article contracté, de *des*, article indéfini. Vous pouvez essayer de mettre l'article au singulier. La préposition « réapparaîtra » dans le cas d'un article contracté :

> *Ce sont des individus fort aimables.*
> *C'est un individu fort aimable.* (*des* = article indéfini)
> *C'est des vaches que vient le lait.*
> *C'est de la vache que vient le lait.* (*des* = article contracté)

EXERCICE 11

Mettez les verbes entre parenthèses à la forme demandée.

1.   (*Ce + ne + être*, présent) .... pas des risques à prendre.

2.   (*Ce + être*, présent) ....des décisions difficiles à prendre.

3.   (*Ce + être*, présent)).................. de grosses décisions à prendre.

4.   (*Ce + être*, présent)................. des mesures qui profiteront à tout le monde.

5.   (*Ce + être*, présent)...................... des agriculteurs mêmes que nous vient cette requête.

6.   (*Ce + être*, présent)........................... des problèmes que nous devrons résoudre rapidement.

7.   (*Ce + être*, futur)................. à vous de faire la demande.

8.   (*Ce + être*, présent)................. des erreurs que l'on apprend le mieux.

9.   (*Ce + être*, présent)................. aux Antilles que j'aimerais aller.

10. (*Ce + être*, présent).......................... principalement des considérations d'ordre personnel qui (être, passé composé) .... déterminantes dans sa décision.

11. (*Ce + être*, présent) .... des lieux où l'on éduque, où l'on construit.

12. (*Ce + être*, futur) .... les employés qui (*décider*, futur) ....

13. (*Ce + être*, présent)............................... des contraires que (*résulter*, présent) .... l'harmonie.

14. (*Ce + être*, imparfait) .... de drôles de gens.

15. Je me demande bien qui peut avoir fait cela, si (*ce + ne + être*, présent) .... eux.

13. LE NOM COLLECTIF (*Précis*, § 395)

Le nom collectif est un nom qui désigne un ensemble d'objets et de personnes : *tas, foule, série, partie*, etc.

> *Une **foule** de commères **attendait** devant la porte.*
> *Une foule de **commères attendaient** devant la porte.*

Dans les phrases de ce type, on est libre d'accorder le verbe avec le nom collectif ou avec son complément. Si on voit la foule de commères comme un tout, le verbe s'accorde avec *foule* et se met au singulier ; si on voit une multitude de commères les unes à côté des autres, le verbe s'accorde avec *commères* et se met au pluriel.

Le sens du verbe et du reste de la phrase détermine parfois l'accord. Dans :

> *Le **cercle** des commères **se referma**.*

c'est le cercle qui fait l'action de *se refermer*. À l'inverse, dans :

> *Un groupe d'**enfants criaient** à tue-tête.*

il nous vient plus naturellement à l'esprit l'image d'enfants qui crient que celle d'un groupe qui crie. Le pluriel est donc préférable.

Avec *la plupart*, le verbe s'accorde toujours avec le complément, qu'il soit exprimé ou non :

> *La plupart pensent que...*
> *La plupart des gens pensent que...*

Tout le monde demande le singulier :

> *Tout le monde est bien content.*

Le *monde* dans le sens de tout le *monde* appartient à la langue très familière :

> ** Le monde sont contents.*

même si vous mettez le verbe au singulier :

> ** Le monde est content.*

Quand le collectif a un sens numéral et exprime une quantité précise, le singulier est de rigueur. S'il s'agit d'un nombre approximatif, l'accord est libre :

> *Une douzaine d'huîtres coûte 5 $.*
> *Une quinzaine de jours sera / seront nécessaire(s).*

N'oubliez pas d'accorder aussi les attributs.

EXERCICE 12

Complétez les phrases suivantes avec les verbes entre parenthèses au temps demandé.

1.   Un tas de papiers (*traîner*, imparfait) .... sur son bureau.

2.   Une bande de pigeons (*élire*, passé composé) .... domicile au cinéma Capitol.

3.   Une bande de voyous (*sévir*, présent) .... dans le quartier du port.

4.   La plupart des arguments invoqués ne m'(*convaincre*, passé composé) .... pas ....

5.   Une partie des lots n'(*attribuer*, passé composé passif) .... pas ....

6.   Une douzaine d'oeufs (*coûter*, présent) .... entre un et trois dollars, selon leur fraîcheur et selon ce qu'ont mangé les poules qui les ont pondus.

7.   Une douzaine de personnes (*venir*, passé composé) .... se plaindre.

8.   La foule des curieux (*couper*, passé simple passif) .... en deux par le service d'ordre.

9.   Une foule de gens (*considérer*, présent) .... que cette mesure est nécessaire.

10.   Une grande majorité de gens (*désirer*, présent) ....que des élections aient lieu au printemps.

11.   La majorité des étudiants (*être*, présent) .... (hostile / hostiles) .... à la hausse des frais de scolarité.

12.   C'est la majorité qui (*voter*, passé composé) ....en faveur de ce changement.

13.   Une nuée de sauterelles (*dévaster*, passé composé) ....
son champ.

14.   Une nuée de touristes (*envahir*, passé composé) .... les
plages.

15.   Une partie des infirmières (*vouloir*, présent) .... poursuivre
la grève.

16.   La plupart (*être*, présent) .... en faveur d'un retour au
travail.

17.   Le nombre de mécontents (*grossir*, présent) .... chaque
jour.

18.   La demi-douzaine d'escargots d'hier soir m'(*rester*, passé composé) ....
.... sur l'estomac.

19.   Le tiers des voix (*aller*, passé composé) .... au parti
Rhinocéros.

20.   Presque un tiers des infirmières (*reprendre*, passé composé) ....
le travail.

14.   LES ADVERBES DE QUANTITÉ (*Précis*, § 395)

Un certain nombre d'adverbes de quantité prennent parfois une valeur nominale et peuvent par conséquent occuper la fonction sujet :

> *Beaucoup sont venus.*
> *Combien s'en sont plaints!*
> *Trop de gens négligent leur santé.*

Si le complément de l'adverbe est singulier, le verbe aussi est au singulier :

> *Beaucoup de monde a assisté à cette rencontre.*

Plus d'un, pour des raisons obscures, demande le singulier :

> *Plus d'un marin périt au cours de ce voyage.*

mais :

> *Plus d'un marin, plus d'un capitaine ne revinrent jamais.*

puisqu'il y a ici deux sujets juxtaposés.

EXERCICE 13
Complétez les phrases suivantes avec les verbes entre parenthèses.

1.   Tant d'efforts (*anéantir*, participe passé) .... !

2.   Bien des contretemps (*pouvoir*, conditionnel passé) .... être évités.

3.   Quantité d'Afghans (*partir*, passé composé) .... au Pakistan.

4.   Nombre de gens (*connaître*, présent) ....mal la géographie.

5.   Peu de subventions (*accorder*, passé composé passif) .... cette année.

6.   Trop d'informations (*nuire*, présent) .... parfois à la clarté d'une explication.

7.   Trop (*être*, présent) .... encore analphabètes.

8.   Beaucoup d'inexactitudes (*relever*, passé composé passif) .... dans son rapport.

9.   Plus d'une personne (*contester*, futur simple) .... cette décision.

10. Combien (*être prêt*, présent) .... à me suivre ?

EXERCICE 14
Récapitulation.

1.   (Ce + *être*) .... à vous de prendre les mesures nécessaires.

2.   Il nous (*manquer*, présent) .... encore deux rapports.

3.   Un air vicié, un nuage de fumée vous (*assaillir*, présent) .... dès que vous ouvrez la porte.

4.   Albert et moi (*venir*, futur) ...., c'est promis.

5.   Ni Albert ni moi ne (*pouvoir*, futur) .... venir.

6.   Ni l'un ni l'autre n'(*répondre*, passé composé) ....

7.   Vingt pour cent des étudiants de la Faculté des lettres (*être*, présent) ....
     des non-francophones.

8.   C'est moi qui (*aller*, futur) .... le rencontrer.

9.   Le manque de ressources humaines non moins que le manque d'argent (*commencer*,
     présent) .... à être (inquiétant / inquiétants)
     ....

10. Cette façon de procéder, qui est une insulte à l'intelligence des gens, ne (*tolérer*, futur
     passif) .... plus

11. (Ce + *être*, présent) .... de drôles d'arguments que vous
     m'objectez là.

12. La plupart (*s'opposer*, présent) .... à cette mesure.

13. C'est le ministère de l'Éducation ou celui des Affaires culturelles qui (*avoir*, futur)
     .... la responsabilité de ce dossier.

14. Claire et moi (*aller*, présent) .... passer un mois dans les Cyclades.

15. Je suis cette personne qui vous (*téléphoner*, passé composé) .... la
     semaine dernière.

16. Un groupe de manifestants (*passer*, passé composé) .... la
     matinée devant le Parlement.

17. Dans cette histoire, tout le monde (*avoir tort*, présent) ....

18. Trop de risques (*subsister*, présent) .... pour que notre groupe
     de pression (*se dissoudre*, subjonctif présent) ....

19. Une partie des fonds (*allouer*, futur passif) .... à
     l'amélioration du matériel.

20. Plus d'un accident (*pouvoir*, conditionnel) .... être évité.

21. (Ce + *être*, présent) .... encore nous qui (*payer*, futur)
     .... la facture.

22. Combien d'argent (*dépenser*, passé composé passif) .... ?

23. Personne ne (*sembler*, présent) ....soulever d'objection.

CORRIGÉ

1.   **1**. tu **2**. tu (*as mis* n'est évidemment qu'un seul verbe, le verbe *mettre* au passé composé) **3**. tout **4**. Je **5**. Verbe à l'impératif ; le sujet, de la 2ᵉ pers. du sing., n'est pas exprimé **6**. de magnifiques châteaux et de très nombreuses usines **7**. Ils **8**. les enfants **9**. Impératif ; sujet de 2ᵉ pers. du pluriel non exprimé **10**. mille et un parfums **11**. Vous **12**. *Laissez* : impér. ; 2ᵉ pers. du pluriel ; *garderons* : nous **13**. Que ce soit vous le coupable (Les propositions n'ont ni genre ni nombre ; pour les accords, elles sont de la 3ᵉ pers. du sing. **14**. cet argent **15**. Manger trop de carottes (Proposition infinitive : 3ᵉ pers. du sing.) **16**. Qui ne fume ni ne boit (Proposition relative sans antécédent : 3ᵉ pers. du sing.)

2.   **1**. nt **2**. s **3**. z **4**. Au passé simple : *vous mangeâtes, vous finîtes*. N'oublions pas les quelques irrégularités au présent de l'indicatif : *vous dites, vous faites* et les composés de *faire*. **5**. e, s, i **6**. e (à l'impératif), s et x. **7**. e, t, d, a (*Vaincre* et *convaincre* ont leur 3ᵉ pers. du sing. en *c* : *il vainc, il convainc*.)

4.   **1**. sont nés **2**. sont cueillies **3**. est parue (a paru) **4**. ont été surmontés **5**. sera rejouée

5.   **1**. surgirent **2**. écouteront **3**. écouterait, parlaient **4**. S'ajoutent **5**. se rencontre **6**. demandent **7**. étourdissait **8**. effraie (ou effraye) **9**. surprend **10**. plaît **11**. entoure **12**. procurait **13**. entraînerait **14**. se trouvent **15**. venaient **16**. répand, est, errent, s'entrecroisent, voient **17**. flotte, rôde, hésite, va, vient **18**. soient, voit, sont nées, accomplissent, est **19**. font **20**. écoutera, se donnera, adoptera, s'emploiera, jettera **21**. n'ont pas été résolus

6.   **1**. assimilent, dépassent **2**. est exposé **3**. se mesurent, pourraient **4**. devriez **5**. sommes (*Précis*, § 402 b 2.) **6**. appellera **7**. ont été retenues **8**. seront réorganisés **9**. est **10**. peut

7.   **1**. manque **2**. se passait **3**. arrivait **4**. avait

8.   **1**. semble **2**. est venu **3**. pourrait **4**. résoudrait **5**. avait pu, aurait pris **6**. est revenus **7**. est arrivées
      (1-2 : valeur indéfinie ; 3-7 : valeur de *nous*. Le *on* à valeur de *nous* appartient à la langue familière.)

9.   **1**. décrochera (*ou* exclusif) **2**. avez téléphoné **3**. ne m'ayez pas demandé, ne m'ait pas demandé **4**. ne soyez pas venue (auxiliaire *être*, accord du participe passé *venue* avec le sujet), ne soit pas venue **5**. aurais (l'antécédent de *qui* est de la 1ʳᵉ personne)

6. aurait fait **7.** sache **8.** sont les plus regardées (auxiliaire *être*, accord du participe passé avec le sujet ; l'antécédent de *qui* est *les émissions de télévision*) **9.** sache **10.** devrais **11.** prononceras **12.** sera prête **13.** Oublie, menacent (l'antécédent de *qui* est *faillites*) **14.** grondent (Ce sont obligatoirement les machines qui grondent et non le bruit.) **15.** arrête (Ici, c'est plutôt le bruit qui n'arrête pas et qui, par suite, m'étourdit ; un accord avec *machines* est cependant concevable.) **16.** caressait (sujets synonymes) **17.** ouvrirez (3e pers. du sing. + 2^e pers. du sing. = 2^e pers. du pl.) **18.** est (*ni* exclusif) **19.** désirent **20.** avez fait **21.** crois ou croit **22.** prenons **23.** prenez **24.** prennent

10. **1.** Qu'il **2.** Qui **3.** qu'il **4.** qui **5.** qu'il **6.** qui **7.** qui **8.** qui **9.** qu'il (sujet : *il* impersonnel) **10.** qu'il **11.** qu'il **12.** qu'il **13.** qui, qu'il, qu'il **14.** qu'il **15.** qu'il **16.** qu'il **17.** qui **18.** qu'il (qui) **19.** qu'il **20.** Qu'il

11. **1.** Ce ne sont pas **2.** Ce sont **3.** Ce sont **4.** Ce sont **5.** C'est **6.** Ce sont **7.** Ce sera **8.** C'est **9.** C'est **10.** Ce sont, ont été **11.** Ce sont **12.** Ce seront, décideront **13.** C'est des contraires que... (*des*, article contracté = *de les* ; le verbe est au singulier à cause de la préposition *de*), résulte (sujet : *l'harmonie*) **14.** C'étaient de drôles de gens. (Ici *de* est un article indéfini pluriel. Quand un adjectif qualificatif s'intercale entre un article indéfini pluriel (*des*) et un nom, la forme correcte de cet article indéfini pluriel est *de : Ce sont de braves gens, de drôles de gens.. J'ai passé de bonnes vacances.* Etc. Voir *Précis*, § 147) **15.** Si ce n'est (*si ce n'est* est une expression figée ; *Précis*, § 397, 1 a)

12. **1.** traînait, traînaient **2.** ont élu (*Bande* sert surtout ici à indiquer un pluriel, un nombre important. Les pigeons en effet ne vivent pas en bande. Comparez : *Une bande de loups nous attaqua.* Les loups vivent en bande. Ce ne serait cependant pas une « faute » d'écrire : *Une bande de pigeons a élu...*) **3.** sévit **4.** ne m'ont pas convaincu **5.** n'a pas été attribuée, n'ont pas été attribués **6.** coûte **7.** sont venues (Appliqué à des personnes, le mot *douzaine* a un sens approximatif et le pluriel est préférable.) **8.** fut coupée (Le sens de la phrase impose un singulier.) **9.** considèrent (*Foule* a ici le sens de *beaucoup* et ne sert qu'à indiquer une multitude.) **10.** désirent **11.** est hostile, sont hostiles (est *hostile*, si l'idée de pourcentage (+ de 50%) prévaut sur celle de la *plupart*) **12.** a voté (L'idée de pourcentage prédomine.) **13.** a dévasté (Le singulier est préférable. Les sauterelles ont coutume de s'abattre en nuées. On en parle déjà dans la Bible. Ne s'agit-il pas, en effet, d'une des dix plaies d'Égypte ?) **14.** ont envahi (Le pluriel est préférable : *nuée* est véritablement pris ici au sens métaphorique.) **15.** veulent (Un verbe d'intention s'accorde mieux avec un sujet animé qu'avec un inanimé.) **16.** sont **17.** grossit (C'est obligatoirement le nombre qui grossit ; les mécontents ne grossissent pas.) **18.** est restée **19.** est allé, sont allées **20.** a repris, ont repris

13.   **1**. anéantis **2**. auraient pu **3**. sont partis **4**. connaissent **5**. ont été accordées **6**. nuit (C'est l'idée de quantité qui prime) **7**. sont **8**. ont été relevées **9**. contestera **10**. sont prêts

14.   **1**. C'est à vous **2**. manque **3**. assaille (sujets synonymes) **4**. viendrons **5**. pourrons **6**. n'ont répondu, n'a répondu **7**. sont (L'attribut pluriel oblige à mettre le verbe au pluriel.) **8**. irai **9**. commencent à être inquiétants **10**. ne sera plus tolérée **11**. Ce sont de drôles d'arguments (*de* est ici un article indéfini) **12**. s'opposent **13**. aura **14**. allons **15**. a téléphoné **16**. a passé, ont passé **17**. a tort **18**. subsistent, se dissolve **19**. sera allouée (seront alloués) **20**. pourrait (2 *r*) **21**. C'est, paierons (payerons) **22**. a été dépensé **23**. semble

MODULE V

L'ACCORD DU PARTICIPE PASSÉ

L'ACCORD DU PARTICIPE PASSÉ

Nous pouvons maintenant nous attaquer à la question de l'accord du participe passé. Les modules précédents, notamment ceux portant sur la morphologie du verbe et sur l'accord du verbe avec le sujet, ont préparé le terrain. Beaucoup des règles particulières d'accord du verbe avec le sujet s'appliquent en effet aussi à l'accord du participe passé.

Pour bien accorder les participes passés, il faut être capable d'analyser la phrase pour repérer le ou les sujets, le ou les compléments d'objet direct, selon la règle qui s'applique. Il faut aussi connaître les règles... évidemment! Ne vous laissez pas impressionner par la quantité de règles, car vous vous rendrez vite compte qu'elles ne sont que des dérivés des deux ou trois règles de base. Et dites-vous bien que la maîtrise des accords grammaticaux s'acquiert par la pratique et est affaire d'habitude. Revoyons donc l'ensemble de ces règles et principes en essayant de les systématiser le plus possible.

1. LA FORMATION DES PARTICIPES PASSÉS

Il est important de bien savoir former le participe passé des verbes avant d'aborder l'accord des participes passés.

1º Verbes du 1er groupe (terminaison –er)

La formation des participes passés des verbes du 1er groupe ne présente aucune difficulté. Les participes passés de ces verbes se terminent par :

é au masculin singulier
ée au féminin singulier
és au masculin pluriel
ées au féminin pluriel

2º Verbes du 2e groupe (terminaison –ir à l'infinitif présent et –issant au participe présent)

Les participes passés de ces verbes se forment eux aussi tous de la même façon. Ils se terminent par :

i au masculin singulier
ie au féminin singulier
is au masculin pluriel
ies au féminin pluriel

3º Verbes du 3e groupe

Les participes passés des verbes du 3e groupe sont irréguliers et parfois difficiles à former. Ils peuvent en effet se terminer, au masculin singulier, par :

i : *parti*   *s* : *repris*
u : *reçu*   *t* : *écrit*

Rappelez-vous que la lettre finale des participes passés qui se terminent par *s* ou *t* ne se prononce pas au masculin, mais s'entend au féminin singulier. Il suffit donc de mettre le participe passé au féminin pour s'assurer de son orthographe :

venu – venue
acquis – acquise
atteint – atteinte

Il y a deux exceptions à la règle précédente : les participes passés des verbes *absoudre* et *dissoudre,* qui forment leurs participes passés de la façon suivante :

masculin singulier	féminin singulier
absous	*absoute*
dissous	*dissoute*

Au moindre doute sur la forme d'un participe passé, n'hésitez pas à consulter le dictionnaire ou la grammaire…

EXERCICE 1
Écrivez le participe passé (masculin singulier) des verbes suivants.

1. *Salir* ....

2. *Vêtir* ....

3. *Découvrir* ....

4. *Secourir* ....

5. *Apercevoir* ....

6. *Devoir* ....

7. *Mouvoir* ....

8. *Asseoir* ....

9. *Rompre* ....

10. *Comprendre* ....

11. *Émettre* ....

12. *Peindre* ....

13. *Feindre* ....

14. *Joindre* ....

15. *Coudre* ....

16. *Moudre* ....

17. *Vivre* ....

18. *Conclure* ....

19. *Exclure* ....

20. *Clore* ....

21. *Croire* ....

22. *Croître* ....

23. *Résoudre* ....

24. *(S')enquérir* ....

25. *(S')enfuir* ....

26. *Circonscrire* ....

2. DISTINCTION ENTRE L'INFINITIF PRÉSENT ET LE PARTICIPE PASSÉ DES VERBES DU 1er GROUPE

Rappelez-vous que pour distinguer l'infinitif présent *(er)* du participe passé *(é)*, il suffit de remplacer l'infinitif ou le participe passé du 1er groupe par l'infinitif ou le participe passé d'un verbe du 3e groupe comme *vendre (vendu)* ou *mordre (mordu)*. Revoyez au besoin les explications, dans la section *Quelques homophones grammaticaux et orthographiques*.

RÈGLES D'ACCORD

1. LE PARTICIPE PASSÉ EMPLOYÉ SEUL (*Précis*, § 378)

Le participe passé employé seul, c'est-à-dire sans auxiliaire, fonctionne comme un adjectif et s'accorde donc en genre et en nombre avec le nom ou le pronom auquel il se rapporte. Pour trouver le nom ou le pronom auquel le participe passé se rapporte, posez une des questions *Qui est-ce qui est...?* ou *Qu'est-ce qui est ... ?* devant le participe passé :

> *Fatiguée de sa journée, Sophie s'est endormie dans le fauteuil.*
> Qui est-ce qui est fatigué ? *Sophie*. Le participe passé se met au féminin
> singulier : *fatiguée*.

Exceptions (*Précis*, § 381 et 382)

a) *Attendu, vu, supposé, compris, entendu, passé, excepté, ôté* sont invariables lorsqu'ils précèdent immédiatement le nom ou le pronom auquel ils se rapportent, car ils ont alors valeur de préposition. Toutefois, ils sont adjectifs, et donc variables quand ils suivent le nom ou le pronom auquel ils se rapportent :

> *Excepté les enfants, tout le monde s'est amusé.* (préposition)
> *Les enfants exceptés, tout le monde s'est amusé.* (adjectif)

b) *Ci-joint, ci-inclus* et *ci-annexé* sont invariables quand on leur donne une valeur adverbiale ; ils sont alors placés en tête de la phrase ou, à l'intérieur de la phrase, avant un nom sans article ou autre déterminant :

> *Ci-joint les documents que vous avez demandés.*
> *Vous trouverez ci-joint copie de mon curriculum vitae.*

L'accord est facultatif lorsqu'ils sont placés à l'intérieur de la phrase devant un nom précédé d'un article ou autre déterminant :

> *Vous trouverez ci-joint(s) les documents que vous avez demandés.*

Ils sont variables quand ils sont placés après le nom ou le pronom auquel ils se rapportent :

> *Veuillez consulter les documents ci-joints.*

c) Pour *étant donné*, l'usage admet l'accord ou l'absence d'accord :

> *Étant donné (Étant données) les circonstances, on a décidé de fermer l'école pour la journée.*

EXERCICE 2

Accordez, s'il y a lieu, les participes passés contenus dans les phrases suivantes.

1.   Ces athlètes ont abandonné au milieu du parcours, vaincu …… par la fatigue.

2.   La note ci-joint …… contient les informations nécessaires.

3.   Passé …… dix-sept heures, nos bureaux sont fermés.

4.   J'aime tous les sports, le hockey et la lutte excepté ……

5.   Il n'achète que des vins d'appellation contrôlé ……

6.   Étant donné …… les faits rapporté …… par les témoins, le juge a condamné Claude à dix jours de prison.

7.   Cette maison a de superbes planchers de bois verni ……

8.   Veuillez nous faire parvenir le montant de la facture indiqué …… ci-dessus.

9.   Disposé …… à nous accorder un prêt, la directrice de la banque veut nous rencontrer cette semaine.

10.   Vous trouverez ci-inclus …… photocopie des lettres envoyé …… à ce monsieur.

11.   Vu …… la grande disponibilité de cette candidate, nous avons décidé de l'embaucher.

12.   Veuillez trouver ci-joint …… les rapports des évaluateurs.

2. LE PARTICIPE PASSÉ EMPLOYÉ AVEC L'AUXILIAIRE *ÊTRE* (*Précis*, § 379)

Le participe passé employé avec l'auxiliaire *être* s'accorde en genre (masculin ou féminin) et en nombre (singulier ou pluriel) avec le sujet du verbe :

> *Les athlètes **sont** tous arrivés.*
> Qui est ce qui est arrivé ? *Les athlètes.*
> Le sujet est masculin pluriel, donc : *arrivés.*

La voix passive se construit avec l'auxiliaire *être*, qui peut être conjugué à tous les temps et à tous les modes. Le participe passé de ces verbes s'accorde donc avec le sujet.

> *Sophie est convoquée chez le directeur.*
> *Sophie a été convoquée chez le directeur.*
> *Se peut-il que Sophie ait été convoquée chez le directeur ?*
> *Sophie aurait été convoquée chez le directeur.*

L'auxiliaire *être* peut être lui-même à une forme composée avec *avoir*.

Remarque

Avec le sujet *on*, l'accord dépend de la valeur du pronom : s'il s'agit d'un *on* indéfini, le participe passé se met au singulier, mais le pluriel est de rigueur si *on* est employé dans le sens familier de *nous* :

> *On est sans cesse agressé par la publicité. (on* indéfini)
> *On est restés bons amis. (on = nous :* masculin pluriel)
> *On est restées bonnes amies. (on = nous :* féminin pluriel)

EXERCICE 3

Écrivez les participes passés des verbes entre parenthèses et accordez-les s'il y a lieu.

1. Elle a été *(accuser)* .... de violence contre son mari.

2. Les victoires de cette équipe ont été bien *(accueillir)* ....

3. Les tâches auxquelles Jean-Paul est *(astreindre)* .... sont extrêmement difficiles.

4. Il prétend que les choses ne sont pas *(aller)* .... aussi loin que l'affirment ses collègues.

5. L'incendie de cette chapelle, en 1888, fut *(combattre)* .... par plus de cinquante sapeurs-pompiers.

6. Ils ont été *(contraindre)* .... de se débarrasser de leur chien.

7. Ces petits bateaux étaient *(mouvoir)* .... à la vapeur.

8. Sont-elles *(parvenir)* .... à leur fins ?

9. Il paraît que la marchandise nous a été *(expédier)* .... la semaine dernière.

10. Aucune des candidatures ne sera *(rejeter)* .... avant d'avoir été *(examiner)* .... par le comité de sélection.

3. LE PARTICIPE PASSÉ EMPLOYÉ AVEC L'AUXILIAIRE *AVOIR*

3.1 Règle générale (*Précis*, § 380)

Le participe passé employé avec l'auxiliaire *avoir* s'accorde en genre et en nombre avec le complément d'objet direct s'il est placé avant le verbe.

Pour trouver le complément d'objet direct (c.o.d.), il suffit de poser la question *qui* ? ou *quoi* ? après le sujet et le verbe :

> *Finalement, quels livres as-tu empruntés* ?
> Tu as emprunté quoi ? *Les livres*. Le participe passé
> s'accorde avec le c.o.d. *livres : empruntés*.

> *Elles nous ont prévenus qu'elles seraient en retard.*
> Elles ont prévenu qui ? *Nous*. Le participe passé s'accorde
> avec le c.o.d. *nous : prévenus*.

Les pronoms personnels *le, la, les, l'* et le pronom relatif *que*, toujours placés devant le verbe, sont des compléments d'objet direct :

> *Je les ai cueillies hier, ces fraises. (les = les fraises)*
> *La voiture que nous avons achetée est un citron. (que = la voiture)*
> *Jacques l'a reconduite chez sa gardienne. (l' = Sophie, ou Julie, ou Laurence...)*

Le participe passé employé avec *avoir* ne s'accorde pas quand le verbe n'a pas de complément d'objet direct ou que ce complément suit le participe passé :

> *Elle a fini tous ses travaux.*
> (le c.o.d. *travaux* est placé après le participe passé)

> *Tous ses effets personnels ont brûlé dans ce terrible incendie. (pas de c.o.d.)*

EXERCICE 4
Écrivez les participes passés des verbes entre parenthèses et accordez-les s'il y a lieu.

1. Depuis quelques années, les prix ont beaucoup (*augmenter*) ....

2. Est-ce qu'il te l'aurait (*prêter*) ...., sa bicyclette ?

3. Ces musiciens, que dans toutes les grandes capitales la foule des mélomanes a (*acclamer*) .... , ont (*trouver*) .... ici un accueil enthousiaste.

4.   Je vous répète les paroles exactes qu'a *(dire)* .... Pierre.

5.   Tous les gens qu'elle a *(consulter)* .... l'ont *(avertir)* .... des dangers qu'elle courait en se lançant dans cette entreprise.

6.   Elles ont *(choisir)*..................................... de se taire.

7.   L'as-tu *(écrire)* ...., ta lettre de demande d'emploi ?

8.   Laquelle des trois candidatures avez-vous *(retenir)* .... ?

9.   Nous leur avons *(nuire)* .... en croyant les aider.

10.   Nous avons *(suivre)* .... la route que tu nous avais *(indiquer)* .... , mais elle nous a *(conduire)* .... à un cul-de-sac.

3.2 Règles particulières

3.2.1 Pronom personnel *l'* neutre *(Précis, § 386)*

Quand l'objet direct est le pronom neutre *l'* représentant une proposition, le participe passé reste toujours invariable :

> *La sole n'était pas aussi bonne que je l'avais cru.*
> J'avais cru quoi *? Que la sole était bonne.*
> Le c.o.d. est une proposition ; une proposition
> n'a ni genre ni nombre. Le participe passé reste donc
> invariable : *cru.*

> *La peinture n'était pas aussi belle que je l'avais pensé.*
> *(l' = que la peinture était plus belle)*

Si le pronom *l'* ne représente pas une phrase ou une proposition mais une personne ou une chose, on accorde le participe passé en conséquence :

> *Je l'ai déjà vue quelque part, cette fille.(l' = cette fille)*

EXERCICE 5

Écrivez les participes passés des verbes entre parenthèses et accordez-les s'il y a lieu.

1. La grammaire est-elle aussi rebutante que vous l'aviez *(imaginer)* .... ?

2. Les gens qui l'ont bien *(connaître)* .... s'entendent tous pour dire qu'elle avait un remarquable sens des affaires.

3. La guerre, ils ne l'ont pas *(croire)* ....si proche, ils jurent de ne pas l'avoir *(vouloir)* ....

4. Ces soldes sont moins intéressants que nous ne l'avions *(penser)* ....

5. Cette tâche est moins difficile que je ne l'aurais *(croire)* ....

6. Cette grippe qui court, l'avez-vous *(avoir)* .... vous aussi ?

7. Comment cette erreur a-t-elle pu être commise ? Je ne l'ai jamais *(comprendre)* ....

8. Je l'ai à peine *(sentir)* .... , la piqûre; la douleur était beaucoup moins forte que je ne l'avais *(craindre)* ....

3.2.2 Pronom *en* complément d'objet direct *(Précis, § 389)*

Quand l'objet direct est le pronom *en*, l'accord est facultatif, mais l'invariabilité est plus fréquente :

Des problèmes, il en a eu (s) plus souvent qu'à son tour!
Des romans policiers, combien en avez-vous lu(s) ?

Le participe passé est toujours invariable quand l'adverbe de quantité qui accompagne le pronom *en* est placé après celui-ci :

Des romans policiers? J'en ai beaucoup lu.

Le pronom *en* n'est pas toujours complément d'objet direct. Le participe passé précédé d'un *en* équivalant à *de lui, d'elles(s), de cela, d'eux* reste invariable, car *en* dans ce cas est complément d'objet indirect :

Elle en a bien profité de ses vacances!
(en = de cela - de ses vacances)

Cette pièce a eu un grand succès; les représentations
qu'on en a données sont innombrables.

En est ici complément d'objet indirect. On a donné des représentations de quoi ? De *en*, qui remplace *pièce*. Le c.o.d. est *représentations*.

EXERCICE 6

Écrivez les participes passés des verbes entre parenthèses et accordez-les s'il y a lieu.

1.   Quels gâteaux exquis! En avez-vous *(manger)* .... ?

2.   Ce sont les seuls souvenirs que j'en ai *(garder)* ...., de mon enfance.

3.   Il avait des yeux bleus comme je n'en ai jamais *(voir)* ....

4.   Quel bon placement ! Les profits que nous en avons *(retirer)* .... dépassent toutes nos prévisions.

5.   Des reproches, j'en ai *(recevoir)* .... de tout le monde.

6.   J'ai étudié la philosophie pendant deux ans. Les quelques notions que j'en ai *(retenir)* .... me sont précieuses.

7.   En as-tu *(acheter)* ...., des carottes ?

8.   Sa proposition, vous en avez *(penser)* .... plus de mal que de bien, n'est-ce-pas ?

9.   Vous avez analysé ce problème. Quelles conclusions en avez-vous *(tirer)* .... ?

10.   Des romans, j'en ai *(lire)* .... de toutes sortes dans ma vie.

3.2.3 Participe passé des verbes impersonnels par nature ou par construction *(Précis, § 384)*

Le participe passé de ces verbes est toujours invariable :

Les deux jours qu'il a neigé en février étaient mémorables.
Les chaleurs qu'il a fait l'été dernier étaient presque insupportables par moments.

EXERCICE 7

Écrivez les participes passés des verbes entre parenthèses et accordez-les s'il y a lieu.

1. La tempête qu'il y a *(avoir)* .... a complètement paralysé la circulation.

2. Les ennuis qu'il a *(avoir)* .... avec le propriétaire étaient-ils *(devoir)* .... à son manque de diplomatie ?

3. Pensez aux années d'efforts qu'il leur a *(falloir)* .... pour arriver à leur but !

4. Il faut ranger Dante au nombre des plus grands poètes qu'il y ait jamais *(avoir)* ....

5. Il devra corriger les erreurs qu'il a *(commettre)* ....

6. Les froids qu'il a *(faire)* .... cet hiver n'ont pas *(empêcher)* .... les gens de s'adonner aux sports d'hiver.

7. L'image qu'il nous a *(laisser)* .... est celle d'un homme intègre.

8. Le courage et la persévérance qu'il lui a *(manquer)* .... pour terminer ses études, personne ne peut les lui donner.

3.2.4 Participe passé des verbes *courir, coûter, dormir, durer, marcher, peser, valoir, vivre* et, de façon plus générale, des verbes qui peuvent être intransitifs ou transitifs directs (*Précis*, § 383)

Quand le verbe est **transitif direct**, le participe passé s'accorde avec le complément d'objet direct si ce complément précède le verbe. Le verbe est alors utilisé au sens figuré :

> *Je n'oublierai pas les efforts que cette victoire nous a coûtés.* (c.o.d. : *que* mis pour *efforts*)
> *Le douanier a ouvert les valises que l'employé avait pesées.* (c.o.d. : *que* mis pour *valises*)
> *Je n'oublierai pas les dangers que nous avons courus.* (c.o.d. : *que* mis pour *dangers*)

Si le verbe est **intransitif**, c'est-à-dire qu'il s'accompagne d'un complément circonstanciel, le participe passé reste invariable. Le verbe est alors utilisé au sens propre :

> *Les deux kilomètres qu'elle a couru l'ont épuisée.*
> (Elle a couru quelle distance ? *Deux kilomètres* : c.c.)
>
> *Les douze heures qu'il a dormi l'ont remis d'aplomb.*
> (Il a dormi combien de temps ? *Douze heures* : c.c.)

EXERCICE 8

Accordez, s'il y a lieu, les participes passés contenus dans les phrases suivantes.

1.   Je suis restée clouée à mon siège pendant les trois heures qu'a duré .... ce film.

2.   Nous avons dû emprunter les mille dollars que nous a coûté .... notre déménagement.

3.   Il a beaucoup maigri .... ; il est loin des quatre-ving-dix kilos qu'il a déjà pesé ....

4.   Les terrains qu'il a mesuré .... étaient de dimensions équivalentes.

5.   Ces paroles que vous avez prononcé ...., les aviez-vous bien pesé .... ?

6.   Pendant les dix ans que ce député a siégé ...., plusieurs lois importantes ont été adopté ....

7.   Tu mérites bien tous les éloges que ton travail t'a valu ....

8.   Que de nuits blanches ma thèse m'a coûté .... !

3.2.5   Participe passé suivi d'un verbe à l'infinitif (*Précis*, § 388)

Le participe passé conjugué avec *avoir* et suivi d'un infinitif s'accorde avec le complément d'objet direct placé avant lui si ce complément est bien c.o.d. du participe passé (et non de l'infinitif) et est en même temps sujet du verbe à l'infinitif. Si ces deux conditions ne sont pas réunies, le participe passé reste invariable :

> *Les enfants que j'ai **vus monter** dans l'autobus.*
> J'ai vu qui ? *Que*, mis pour *les enfants.* (c.o.d. de *ai vu*). Qui est-ce qui faisait l'action de monter ? *Les enfants* (sujet de *monter*). Le participe passé s'accorde.

> *Ces arbres que j'ai **vu abattre** étaient centenaires.*
> J'ai vu quoi ? *Que*, mis pour *Ces arbres*. Est-ce que *les arbres* peuvent faire l'action d'abattre ? Non. *Ces arbres* est le complément d'objet direct du verbe à l'infinitif, *abattre*, et non de *ai vu*. La réponse à la question « J'ai vu quoi ? » était *abattre les arbres*. Le participe passé reste donc invariable.

Faites le même raisonnement avec les exemples suivants :

> *Les enfants que j'ai **vu** réprimander par leurs parents.*
> (les enfants ne font pas l'action de l'infinitif *réprimander*)

> *Les parents que j'ai **vus** réprimander leurs enfants*
> (les parents font l'action de *réprimander*)

Remarques

1. Le participe passé *fait* suivi d'un infinitif est toujours invariable, le c.o.d. étant toujours complément de l'infinitif :

   *Nous les avons fait **imprimer** hier, ces documents.*

2. Les participes passés *pu, cru, dû* sont invariables quand ils sont suivis d'un infinitif ou qu'on peut sous-entendre après eux un infinitif ou une proposition :

   *Elle a fait tous les efforts qu'elle a pu (**faire**).*

3. Pour les participes passés *donné*, *eu* et *laissé* suivis de la préposition *à* et d'un verbe à l'infinitif, vous avez le choix entre l'accord et l'invariabilité :

   *Les exercices qu'on vous a donné(s) **à faire** vous permettront de bien assimiler les règles.*
   *Les impôts que j'ai **eu**(s) à payer cette année...*

EXERCICE 9

Accordez, s'il y a lieu, les participes passés contenus dans les phrases suivantes.

1. Les équipes de hockey que nous avons vu .... jouer venaient de Suisse et de Tchécoslovaquie.

2. Les pommiers que j'ai vu......... planter par mon père, je ne les ai vu .... donner des fruits que cinq ans plus tard.

3. Je vous rapporte cette montre que j'ai fait .... réparer il y a dix jours.

4. La somme qu'il nous a fallu .... payer était dérisoire.

5. Ces enfants, les as-tu vu .... traverser la rue sans faire attention ?

6. Le directeur les a fait .... appeler et les a laissé .... s'expliquer.

7. Il a réussi tous les examens qu'il a eu .... à subir pour être admis au doctorat.

8. J'ai fait toutes les petites courses que vous m'aviez demandé .... de faire.

9. Ces hirondelles, je les ai vu .... bâtir leurs nids.

10. Les voisins, tout l'immeuble les a entendu .... rentrer à 4 heures du matin!

11. Nous avons dû .... pelleter l'entrée deux fois, ce matin.

12. Les problèmes que tu m'as donné .... à résoudre n'étaient pas simples !

3.2.6 Autres règles (*Précis*, § 387)

a) Quand le complément d'objet direct du verbe est une expression collective et qu'il précède le verbe, on accorde le participe passé avec le nom collectif ou avec le complément de ce nom, suivant l'idée sur laquelle on veut insister ou le sens de la phrase :

> *Le nombre de **personnes** que j'ai connues à l'université...*
> *La **boîte** de livres que vous m'avez envoyée...*

b) Quand le participe passé est précédé d'un adverbe de quantité suivi d'un complément, le participe passé s'accorde avec le complément de l'adverbe :

> *Combien de **disques** avez-vous achetés ?*

Si le complément de l'adverbe de quantité est placé après le participe passé, celui-ci reste invariable :

> ***Combien** a-t-il fait de fautes ?*

Avec l'expression adverbiale ***le peu***, on a le choix d'accorder avec le complément ou avec *le peu* (singulier), suivant l'idée sur laquelle on veut insister :

> ***Le peu de noix** que vous m'avez donné(es)...*

> *Le peu d'**encouragements** que j'ai eus ne m'ont pas empêché de continuer.*
> (le pluriel exprime une quantité restreinte, mais réelle, positive)

> ***Le peu** d'encouragements que j'ai **eu** m'**a** déçu.*
> (le singulier marque l'amertume, l'insuffisance)

c) Si le pronom relatif ***que***, complément d'objet direct, représente *l'un des...* ou *l'une des...*, on peut accorder le participe passé soit avec *un* ou *une*, soit avec le complément.

> *C'est **l'une des personnes** les plus sympathiques que j'ai rencontrée(es).*

EXERCICE 10

Accordez, s'il y a lieu, les participes passés contenus dans les phrases suivantes.

1. Cet échec s'explique par le peu d'attention que vous avez apporté .... à ce travail.

2. C'est sûrement l'un des meilleurs films que j'ai vu ....

3. Combien d'heures t-a-t-il fallu .... consacrer à la rédaction de cette lettre ?

4. Beaucoup des observations que vous m'avez fait .... étaient justes.

5. La quantité de comptes que j'ai payé .... ce mois-ci ont vidé mon compte d'épargne.

6. Le peu d'efforts que vous avez fourni .... vous a empêché de réussir.

7. Que d'inquiétude m'ont occasionné .... ces enfants!

8. La majorité des étudiants que j'ai rencontré .... étaient bilingues.

9. Il a échappé .... la douzaine d'oeufs qu'il avait acheté ....

10. Le peu de notes que j'ai pris .... m'ont été très utiles.

EXERCICE 11

Accordez, s'il y a lieu, les participes passés contenus dans les phrases suivantes.

Récapitulation

1. Elles ont chanté .... toute la journée.

2. Les chemins que j'ai suivi .... étaient bien entretenus.

3. Appelle les personnes que nous avons invité .... pour ce soir.

4. Mes amis excepté .... , je ne veux voir personne.

5. Vous trouverez ci-joint .... copie du contrat.

6. Vous trouverez ci-inclus .... trois copies de ma lettre de démission.

7. Vu .... les notes qu'il a obtenu ...., il aura sûrement une excellente moyenne cumulative.

8. La troupe de comédiens que j'ai vu .... jouer est épatante.

9. Que d'efforts il a fait .... pour réussir !

10. Combien a-t-elle commis .... de gaffes cette semaine ?

11. Vous la leur avez prêté .... ?

12. Je les ai cherché .... pendant plus d'une heure, ces deux lettres.

13.   Voici la liste des travaux que j'ai exécuté .... cette semaine.

14.   Ma mère a dû .... choisir.

15.   Vous avez fait .... tout ce que vous avez pu ....

16.   Cette entreprise n'a pas réussi .... comme nous l'avions espéré ....

17.   Ce jardin n'a pas donné .... la récolte que j'en avais espéré ....

18.   Cette histoire , il en a inventé .... une bonne partie.

19.   Tous mes amis m'ont offert .... des services, mais aucun ne m'en a rendu ......

20.   Le peu de pratique que j'ai eu .... à l'université m'aidera plus tard dans l'exercice de ma profession.

21.   La chose était plus sérieuse que nous ne l'avions pensé ....

22.   On est facilement déçu .... par les personnes dont on a trop attendu ....

23.   On les a exécuté .... parce qu'ils avaient trahi ....

24.   Les nouvelles que j'ai entendu .... raconter à leur sujet n'étaient pas bien gaies.

25.   Ces chaises étaient brisé ...., alors je les ai fait .... réparer.

26.   Vu que vous étiez absente, nous avons dû .... remettre l'élection à plus tard.

27.   Les trois pouces de pluie qu'il est tombé .... hier ont fait .... beaucoup de dommages.

28.   Les enfants, je les ai laissé .... s'amuser dans la cour.

29.   La planche n'était pas très solide : nous l'avons senti .... céder sous nos pieds.

30.   Ils nous ont regardé .... travailler sans dire un mot.

31.   La truite, je l'avais senti .... s'agiter au bout de la ligne.

32.   Je les ai fait .... venir par la poste, ces livres.

33.   Cette sonate, l'avez-vous déjà entendu .... jouer ?

34.   Je lui ai rendu .... tous les services que j'ai pu ....

35. Ces jouets, je les avais cru .... solides.

36. De la limonade, j'en ai bu .... beaucoup dans mon enfance.

37. Voici les honneurs que son courage lui a valu ....

38. J'ai emprunté .... les dix mille dollars que cette voiture m'a coûté ....

39. Les quatre heures que ce récital a duré .... m'ont paru .... courtes.

40. As-tu reconnu .... la personne que tu as vu .... passer ?

41. Je suis en droit de considérer que vous aviez accepté .... le mode de paiement et l'échéance que je vous avais indiqué ....

42. Les orages qu'il a fait .... cet été ont nui .... aux agriculteurs.

43. Nous espérons que vous en avez connu ...., des réussites.

44. Cette explication nous a convaincu .... de votre bonne foi.

45. Les nouvelles qu'il avait appris .... l'avaient surpris ....

4 . VERBES PRONOMINAUX RÉFLÉCHIS ET RÉCIPROQUES (*Précis*, § 390)

Les verbes pronominaux sont ces verbes qui s'accompagnent, à l'infinitif, du pronom conjoint *se* et, dans la conjugaison, d'un pronom conjoint représentant la même personne que le sujet : *je, **me** ; tu, **te** ; il (elle* ou *on), **se** ; nous, **nous** ; vous, **vous** ; ils* (ou *elles), **se** :

*Se laver : je **me** lave, tu te laves...*

Les temps composés des verbes pronominaux se forment toujours avec l'auxiliaire *être* :

*Ils se **sont** trompés.*

Pour accorder les participes passés des verbes pronominaux, on applique tantôt la règle d'accord des participes passés conjugués avec *avoir* (accord avec le c.o.d. s'il est placé avant le verbe) tantôt la règle d'accord des participes passés conjugués avec *être* (accord avec le sujet). Tout dépend du type de verbe pronominal auquel on a affaire. Voyons voir...

4.1 Verbes pronominaux réfléchis ou réciproques

On dit qu'un verbe pronominal est réfléchi lorsque l'action revient sur le sujet ; le pronom conjoint est complément d'objet direct ou indirect :

> ***Elle s'est lavée.***
> ***Elle s'est nui** en répétant cette histoire.*

On le dit plutôt réciproque lorsque les sujets agissent les uns sur les autres ; le pronom conjoint est aussi complément d'objet direct ou indirect :

> ***Ils se** sont regardés.*
> ***Ils se** sont souri.*

Ces verbes s'emploient également à la forme non pronominale, avec l'auxiliaire *avoir*, et leur règle d'accord n'est donc pas différente. Y a t-il un complément d'objet direct ? Ce complément est-il placé avant le verbe ? Pour être sûr de ne pas vous fourvoyer, suivez bien les étapes suivantes. Soit les trois exemples suivants :

> *a) Elle s'est coupée.*
> *b) Elle s'est coupé le doigt.*
> *c) Elle s'est coupée au doigt.*

1. Transformez la forme pronominale en forme conjuguée avec *avoir* :

    a) Elle a coupé elle-même.
    b) Elle a coupé son doigt.
    c) Elle a coupé elle-même au doigt.

2. Y a-t-il un complément d'objet direct ?

a) Elle a coupé qui ? *Elle-même*, représentée par *se* dans la forme pronominale.

b) Elle a coupé quoi ? *Son doigt.* Le pronom *se* est ici complément d'objet indirect : le doigt à qui ? À *se*.

c) Elle a coupé qui ? Quoi ? *Elle-même* (*se* dans la forme pronominale). Elle s'est coupée où ? *Au doigt* : complément circonstanciel.

3. Le complément d'objet direct est-il placé avant le verbe ?

    a) Oui. *Elle s'est coupée.* (accord)
    b) Non. *Elle s'est coupé* le doigt. (pas d'accord)
    c) Oui. *Elle s'est coupée* au doigt. (accord)

EXERCICE 12

Indiquez la fonction (complément d'objet direct ou indirect) du pronom conjoint des verbes pronominaux réfléchis ou réciproques.

1. Elles *se sont croisées* dans la rue.

   ....

2. Ils *se sont raconté* tous leurs malheurs autour d'une bouteille de vin.

   ....

3. Elle *s'est lavé* les cheveux.

   ....

4. Elles *se sont couvertes* d'honneurs aux Jeux olympiques.

   ....

5. Ils ont attrapé la grippe parce qu'ils ne *s'étaient* pas *couvert* la tête.

   ....

6. Elles *se sont promis* de s'écrire souvent.

   ....

7. Je n'ai pas eu le choix de les inviter : ils se *sont imposés*.

   ....

8. Les sacrifices qu'ils *se sont imposés* n'auront donc servi à rien ?

   ....

9. Elles *se sont demandé* longtemps si elles avaient bien fait.

   ....

10. Pierre et Julie *se sont rencontrés* à l'université et *se sont parlé* plusieurs fois depuis.

    ....

EXERCICE 13
Faites les accords requis.

1. Ils *se sont juré* .... fidélité.

2. Elle *s'est habillé* .... en vitesse.

3. Les étudiants *se sont succédé* .... chez le directeur du programme.

4. Nous *nous sommes entassé* .... dans sa petite voiture.

5. Elle ne *s'est pas empêché* .... de dire ce qu'elle en pensait !

6. Pierre et Julie *se sont marié* .... en grande pompe.

7. Ils *se sont fait* .... un bon café avant de se mettre au travail.

8. Ils *se sont nui* .... beaucoup plus qu'ils ne *se sont aidé* ....

9. Ce sont les objectifs que je *me suis assigné* .... pour cette année.

10. Elle *s'est imaginé* .... qu'Eugène ne l'aimait plus.

4.2 Verbes essentiellement pronominaux

Les verbes essentiellement pronominaux sont des verbes qui n'existent qu'à la forme pronominale : le pronom *se* est indissociable du verbe, il en fait partie intégrante. Par exemple, *se méfier* ne peut être employé qu'avec le pronom *se*. Il n'existe pas de verbe *méfier* :

Je me méfie de lui.
* je méfie de lui.

Les participes passés de ces verbes s'accordent avec le sujet :

Elle *s'est méfiée de lui.*
Ils *se sont méfiés de lui.*

Il existe un certain nombre de verbes essentiellement pronominaux dans la langue. Voici les principaux :

s'absenter, s'abstenir, s'accroupir, s'affairer, s'adonner, s'agenouiller, s'en aller, s'attabler, s'avachir, se bagarrer, se balader, se blottir, se cabrer, se contorsionner, se décarcasser, se démener, se désister, s'ébattre, s'ébrouer, s'écrier, s'écrouler, s'efforcer, s'égosiller, s'embourgeoiser, s'emparer, s'empresser, s'enfuir, s'ennuager, s'enquérir, s'ensuivre, s'entraider, s'entre-déchirer, s'entre-dévorer, s'entre-nuire, s'entre-tuer, s'envoler, s'éprendre, s'esclaffer, s'évader, s'évanouir, s'évertuer, s'exclamer, s'extasier, se formaliser, se gargariser, s'immiscer, s'ingénier, s'insurger, se lamenter, se méfier, se méprendre, se moquer, s'obstiner, se parjurer, se pavaner, se prélasser, se prosterner, se raviser, se rebeller, se rebiffer, se recroqueviller, se réfugier, se remplumer, se renfrogner, se repentir, se soucier, se souvenir, se suicider...

EXERCICE 14

Faites les accords requis et indiquez si le verbe est occasionnellement ou essentiellement pronominal.

1. Elle *s'est absenté* .... pour une heure.

2. Ils *se sont moqué* .... de leur petit frère.

3. Elles *se sont blessé* .... au bras.

4. Elles *se sont* subitement *levé* ....

5. Les prisonniers *se sont évadé* ....

6. Ils *se sont donné* .... la peine de réfléchir.

7. Mes tantes *s'étaient décidé* .... à venir.

8. Elle *s'est emparé* .... de la fortune de son frère.

9. Elle *s'est souvenu* .... qu'elle avait un devoir à terminer.

10. Elle *s'est foulé* .... la cheville.

4.3 Autres emplois de la forme pronominale

4.3.1 Verbes pronominaux à valeur passive

La forme pronominale peut servir à donner une valeur passive à un verbe transitif direct. On emploie cette forme surtout lorsqu'il n'y a pas d'agent identifié :

On a vendu tous les billets.
Les billets ont tous été vendus. (passif ordinaire)
*Les billets **se sont** tous **vendus**.* (passif pronominal)

Les participes passés de ces verbes s'accordent avec le sujet :

*Les **billets** se sont vendu**s***
*La **classe** s'est vid**ée** en un clin d'oeil.*

4.3.2 Verbes pronominaux dont le pronom conjoint n'a pas de fonction logique.

Certains verbes acquièrent un sens différent lorsqu'ils sont construits à la forme pronominale. Un cas extrême est le verbe *se douter*, qui a un sens presque diamétralement opposé à celui du verbe *douter* :

Elle a douté de sa réussite. (Elle n'y croyait pas)
Elle s'est doutée qu'elle réussirait. (Elle croyait bien réussir)

Souvent la différence de sens n'est pas aussi radicale -elle est parfois même très mince, mais ce qui est constant, c'est que le pronom conjoint dans ces verbes n'a jamais de valeur réelle ou de fonction logique dans la phrase. Ces verbes s'apparentent aux verbes essentiellement pronominaux dont le pronom n'a souvent pas de valeur précise et s'accordent aussi avec le sujet :

***Elle** s'est doutée qu'elle réussirait.*
***Ils** ne se sont doutés de rien.*

Voici la liste des principaux verbes pronominaux dont le pronom conjoint est sans fonction logique :

s'adresser (à), s'apercevoir (de), s'attaquer (à), s'attendre (à), s'aviser (de), se douter (de), s'échapper (de), s'ennuyer (de), s'entendre (avec), se jouer (de), se passer (de), se plaindre (de), se prévaloir (de), se saisir (de), se servir (de), se taire, se tromper (de).

EXERCICE 15

Faites les accords requis et indiquez s'il s'agit d'un verbe pronominal à valeur passive ou d'un verbe pronominal dont le pronom conjoint est sans fonction logique.

1.   Ces tableaux *se sont vendu* .... très chers à l'encan.

2.   La séance *s'est ouvert* .... à seize heures précises.

3.   Ils *se sont tu* .... quand la présidente est entrée.

4.   Ils *se sont trompé* .... de jour et ils *s'en sont avisé* .... plus tard.

5.   Les enfants *se sont ennuyé* .... de leurs parents à la colonie de vacances.

6.   Des villes comme Londres ou Paris ne *se sont* pas *bâti* .... en un jour.

7.   Les militaires *se sont passé* .... de bière pendant quelques mois.

8.   La langue gauloise *s'est parlé* .... en Gaule pendant plusieurs siècles avant la conquête.

9.   Elles *se sont attaqué* .... à la thèse de leurs collègues.

10.   Ils ne *se sont* jamais *entendu* ....

4.4 Récapitulation de l'accord des participes passés pronominaux

On n'a pas toujours le loisir – ou l'envie – de prendre quinze minutes pour trouver à quelle catégorie appartient tel ou tel pronominal pour ensuite se demander comment l'accorder, d'autant plus qu'il est souvent difficile de déterminer la catégorie à laquelle il appartient.

C'est pourquoi nous vous proposons ici une façon plus simple de procéder pour arriver au résultat souhaité, qui est de bien accorder les participes passés des verbes pronominaux. Si vous maîtrisez bien les deux règles de base (accord du participe passé conjugué avec **avoir** et accord du participe passé conjugué avec **être**) et que vous savez bien faire la différence entre le sujet, le complément d'objet direct et le complément d'objet indirect, vous trouverez sans doute le maniement de cette règle simplifiée plus aisé que celui de la règle « traditionnelle ».

1. Il faut d'abord vous demander si le verbe a un complément d'objet direct, en posant la question comme vous l'avez appris dans le module I: SUJET + VERBE + *QUI* ? ou *QUOI* ?

    Si vous découvrez un complément d'objet direct, c'est lui qui gouvernera l'accord du participe passé : le participe passé s'accordera avec le complément d'objet direct si ce complément précède le verbe; s'il le suit, le participe passé restera invariable.

    Si vous posez bien la question, vous verrez tout de suite s'il y a un complément d'objet direct ou pas. S'il n'y en a pas – et ce sera souvent le cas –, passez à l'étape 2.

2. Le verbe n'a pas de complément d'objet direct. Il faut maintenant vous demander si le pronom réfléchi représente un complément d'objet indirect introduit par la préposition *à*. Si tel est le cas, laissez le participe passé invariable. Sinon, passez à l'étape 3.

3. À l'étape 3, vous accorderez le participe passé du verbe pronominal avec le sujet, tout simplement.

Cette règle simplifiée se fonde sur le fait que les seuls cas où l'accord ne se fait pas avec le sujet (ou avec le pronom conjoint qui, de toute façon, représente le sujet) sont ceux où le pronom réfléchi est complément d'objet indirect (étape 2) ou que la phrase contient un complément d'objet direct qui n'est pas le pronom conjoint. Comme beaucoup de participes passés de verbes pronominaux s'accordent avec le sujet, il faut s'attendre à avoir souvent besoin de passer par les trois étapes. Mais vous aurez au moins la certitude d'avoir la bonne réponse!

Il reste trois exceptions qui défient toutes les règles, la traditionnelle comme la simplifiée : *se rire*, *se plaire à*, et *se complaire*, dont le participe passé est toujours invariable :

> *Elles se sont **ri** des difficultés.*
> *Elles se sont **plu** à faire ce travail.*

Il suffit de les retenir…

Revenons à la règle simplifiée pour voir, à partir de quelques exemples, comment il faut travailler avec cette règle :

a) Elles se sont fait…une limonade.

1re étape : Elles se sont fait quoi ? –*une limonade* (c.o.d.).

Il y a donc un objet direct dans la phrase. Cet objet direct est placé après le verbe. Il faut donc laisser le participe passé invariable :

> *Elles se sont fait une limonade.*

b) La voiture que Paul s'est offert…lui a coûté une petite fortune.

1re étape : Paul s'est offert quoi ? – *que*, qui remplace *voiture* (c.o.d.).

Il y a un complément d'objet direct dans la phrase. Ce complément précède le verbe. Il faut donc accorder le participe passé avec ce complément d'objet direct *(que = voiture*, féminin singulier) :

> *La voiture que Paul s'est offerte lui a coûté une petite fortune.*

c) Pierre et Julie se sont téléphoné...hier soir.

1re étape : Pierre et Julie se sont téléphoné quoi ou qui ?

Pas de réponse à la question. Il n'y a donc pas d'objet direct dans la phrase. Il faut passer à l'étape 2.

2e étape : Le pronom conjoint *se* représente-t-il un complément d'objet indirect introduit par la préposition *à* ? Autrement dit, doit-on téléphoner à *se* (ou téléphoner **à** quelqu'un) ? Réponse : oui. Il faut donc laisser le participe passé invariable :

Pierre et Julie se sont téléphoné hier soir.

d) Pierre et Julie se sont succédé... à la présidence du syndicat.

1re étape : Pierre et Julie se sont succédé qui ou quoi ?

Pas de réponse à la question. Il n'y a donc pas d'objet direct dans la phrase. Il faut passer à l'étape 2.

2e étape : *Se* représente-t-il un complément d'objet indirect introduit par *à* ? Autrement dit, la phrase signifie-t-elle que Pierre et Julie ont succédé à *se*, que Pierre et Julie ont succédé **à** Pierre et Julie (puisque *se* représente Pierre et Julie) ? Réponse : oui. Il faut donc laisser le participe passé invariable :

Pierre et Julie se sont succédé à la présidence du syndicat.

e) Elle s'est déclaré... satisfaite de ta réponse.

1re étape : On déterminera qu'il n'y a pas d'objet direct (*satisfaite*, soit dit en passant est **attribut** et non complément d'objet direct : rappelez-vous qu'un adjectif ne peut en aucun cas être complément d'objet direct !).

2e étape : Il ne faut pas dire *elle a déclaré à se*, car ce n'est pas à elle-même qu'elle a fait la déclaration, mais à d'autres personnes extérieures au sujet.

3e étape : On accorde le participe passé avec le sujet *elle* :

Elle s'est déclarée satisfaite de ta réponse.

f) Elles se sont aperçu... de son absence.

1re étape : Elles se sont aperçu qui ou quoi ? Pas de réponse, il n'y a donc pas de complément d'objet direct.

2e étape : Elles ont aperçu à *elles* ? À *se* ? Non. Ça n'a aucun sens.

3ᵉ étape : On accorde le participe passé avec le sujet du verbe, soit *elles* :

Elles se sont aperçues de son absence.

g) *Ils se sont douté... de la supercherie.*

1ʳᵉ étape : Ils se sont douté qui ou quoi ? Pas de réponse. Il n'y a donc pas de complément d'objet direct.

2ᵉ étape : Ils ont douté à *se*, à eux-mêmes ? Dit-on douter à quelqu'un ? Non.

3ᵉ étape : On accorde le participe passé avec le sujet du verbe, c'est-à-dire avec *ils* :

Ils se sont doutés de la supercherie.

Avec un peu de pratique, vous y arriverez. Vous pouvez, en guise d'exercice, reprendre les exercices précédents en essayant de travailler avec cette règle simplifiée. Elle fonctionne à tout coup... mais il faut être très rigoureux dans la démarche et poser les bonnes questions ! La plupart du temps, vous devrez vous rendre jusqu'à la troisième étape, alors ne vous acharnez pas sur les deux premières. Si le problème doit se régler à la première ou à la deuxième étape, cela devrait apparaître évident. Si ça ne l'est pas, c'est qu'il faut passer à l'étape suivante !

EXERCICE 16
Écrivez les participes passés des verbes pronominaux suivants et accordez-les s'il y a lieu.

1. Les malheurs se sont *(s'abattre)* .... sur la famille.

2. La pluie s'est *(s'abattre)* .... sur nous.

3. Elle s'est *(s'absenter)* .... pour dix minutes.

4. Ils se sont *(s'abstenir)* .... de voter.

5. La hausse des prix s'est *(s'accentuer)* ....

6. Elle s'est *(s'accommoder)* .... de ses conditions de travail.

7. Les bagues qu'il s'est *(s'acheter)* .... sont extravagantes.

8. La réputation qu'il s'est *(s'acquérir)* .... le dessert.

9. Les dettes dont elle s'est *(s'acquitter)* .... étaient lourdes.

10. Ils se sont *(s'adresser)* .... au directeur.

11. Elles se sont *(s'adapter)* .... à la situation.

12. Elles se sont *(s'affronter)* .... en pleine rue.

13. La crevasse s'est *(s'agrandir)* .... toute seule.

14. Toutes les lumières se sont *(s'allumer)* ....

15. Elles se sont bien *(s'amuser)* .... hier soir.

16. La tempête s'est *(s'apaiser)* ....

17. Entre eux, la passion s'est *(s'apaiser)* ....

18. Ils se sont *(s'apercevoir)* .... de la fraude.

19. Elle s'est *(s'apercevoir)* .... qu'elle l'ennuyait.

20. Ils se sont *(s'arrêter)* .... à temps.

21. Elle s'est beaucoup *(s'assagir)* ....

22. Elle s'est *(s'assurer)* .... une retraite confortable.

23. Elle s'est *(s'assurer)* .... de son bien-être.

24. Ils se sont *(se blesser)* .... à la tête.

25. Ils se sont *(se blesser)* .... les pieds.

26. L'affaire s'est *(se compliquer)* .... depuis hier.

27. Elle s'est *(se boucher)* .... les oreilles.

28. Nos lettres se sont *(se croiser)* .... dans la poste.

29. Ils se sont *(se construire)* .... une maison.

30. Elles se sont *(se croiser)* .... les bras.

EXERCICE 17
Faites accorder les participes passés s'il y a lieu.

1. Ils se sont serré ...... la main.

2. Lorsque la concierge s'est plaint ...... à la police, elle s'est mis ...... dans de beaux draps.

3. Nous nous sommes trop longtemps menti ......

4. Tous les bruits se sont tu ......

5. Elles se sont dit ...... adieu.

6. Vos parents se sont imposé ...... des sacrifices.

7. Elles se sont demandé ...... à la fin si elles ne s'étaient pas mêlé ...... de quelque chose qui ne les regardait pas.

8. Les combattants s'étaient juré ...... de vaincre.

9. Ne quittez pas la voie que vous vous êtes tracé ......

10. Je n'aime pas les moyens dont la police s'est servi ...... dans cette affaire.

11. Les policiers se sont emparé ...... des malfaiteurs.

12. Ils se sont parlé ...... durant deux heures.

13. C'est une joie qu'il s'est offert ...... avant de mourir.

14. Elle s'était proposé ...... de partir tôt.

15. Elle s'est ennuyé ......

16. Les ministres se sont renvoyé ...... la balle.

17. Vos frères se sont énervé ...... pour rien ; ils ne se sont pas aidé ......, ils se sont nui ......

18. La secrétaire s'était trop fié ...... à sa mémoire.

19. Ma femme s'est précipité ...... vers moi.

20. Ils se sont répété ...... les mêmes injures.

21. La présidente s'est prévalu …… de son droit de vote.

22. Ces femmes se sont inconsidérément privé …… de manger.

23. Nos adversaires ne se sont douté …… de rien.

24. La maheureuse s'est suicidé ……

25. Les chevaux se sont cabré ……

26. Elles se sont raconté …… leurs aventures.

27. Votre mère s'est trop soucié …… de votre santé.

28. Mes cheveux se sont affaissé ……

29. Les années se sont succédé …… pareilles les unes aux autres.

EXERCICE 18

Accordez, s'il y a lieu, les participes passés des verbes pronominaux suivants (règles générales et particulières).

1. Les dettes dont il s'est acquitté …… étaient lourdes.

2. Ils se sont arrogé …… le droit de nous critiquer ouvertement.

3. Cette maison, ils se la sont fait …… construire il y a cinq ans.

4. Ils se sont fixé …… pour objectif de réussir.

5. Elle s'est laissé …… servir sans discuter.

6. Les comédiens se sont fait …… huer.

7. Elle s'est entendu …… reprocher ses erreurs.

8. Ils se sont laissé …… prendre au jeu.

9. Il s'est dit …… beaucoup de choses sur son compte.

10. La blague qu'elle s'est permis …… de faire n'a fait rire personne.

11. Le père et la fille se sont longtemps ressemblé ……

12.   Elle s'est vu ...... obligée de s'excuser publiquement.

13.   Elle s'est vu ...... remettre la médaille d'or.

14.   Elles s'en sont voulu ...... longtemps .

15.   Ils se sont vu ...... condamner à une forte amende.

16.   Elle s'est senti ...... défaillir et s'est laissé ...... aller.

17.   Que de choses il s'est passé ...... en peu de temps !

RÉCAPITULATION GÉNÉRALE

EXERCICE 19
Faites accorder les participes passés s'il y a lieu.

1.   Que de belles journées j'ai passé ...... à la montagne !

2.   Les hommes meurent comme ils ont vécu ......

3.   Des gens qu'on a longtemps cru ...... honnêtes n'étaient en fait que d'habiles escrocs.

4.   Combien de victoires ce boxeur a-t-il remporté ...... ?

5.   Ils se sont opposé ...... à leurs agresseurs et les ont vaincu ......

6.   Les amis se sont donné ...... rendez-vous au restaurant.

7.   Se sont-ils rendu ...... compte qu'ils étaient attendu ...... ailleurs ?

8.   Je les ai fait ...... venir pour la fête de ce soir.

9.   Les moines, au Moyen Âge, se sont fait ...... les éducateurs des pauvres.

10.   C'est une recette que nous avons cru ...... infaillible pendant longtemps.

11.   Accablé ...... de fatigue, les voyageurs se sont reposé ...... pendant quelques instants.

12. Les démarches que j'ai voulu ...... faire m'ont été déconseillé ......

13. Des souffrances, qui n'en a pas enduré ...... ?

14. Il y avait une bière excellente; nous en avons bu ...... volontiers.

15. Pendant trois mois, nous nous étions suffi ...... à nous-mêmes.

16. Les bandits se sont attaqué ...... à un camion des postes et des policiers se sont élancé ...... à leur poursuite.

17. De grands efforts sont nécessaires : en avez-vous fait ...... ?

18. Vous les avez laissé ...... partir avec tout votre argent ?

19. Après avoir servi ...... l'apéritif aux invités, ma mère les a fait ...... patienter quelques instants.

20. Après tous les travaux qu'il a fait ......, il mérite bien de se reposer.

EXERCICE 20
Mettez les verbes entre parenthèses au passé composé (ou au temps indiqué) et faites les accords qui s'imposent.

1. Pourquoi ne portes-tu jamais la chevalière que je t' *(offrir)* .... pour ton anniversaire ?

2. Elle *(revenir)* *(enchanter)* .... de son entrevue avec le directeur du journal.

3. C'est à Hélène qu'on *(demander)* .... d'organiser la réception qui soulignera le lancement du prochain numéro d'*Études littéraires*.

4. Les étudiants *(résoudre)* .... à empêcher toute hausse des frais de scolarité.

5. Si tu viens ce soir, je vais te montrer ma dernière acquisition : une chaîne stéréo que j'*(avoir)* .... pour une bouchée de pain.

6. La nappe sur laquelle j'*(renverser)* .... un verre de vin, est-ce que tu l'*(apporter)* .... chez le teinturier ?

7.   Ne t'en fais pas, quand elle *(boire)* ...., elle dit n'importe quoi.

8.   Jeanne, tu *(voir)* .... l'émission sur les résidences royales en Pologne dimanche soir ?

9.   Vous .... certainement *(entendre)* .... *(parler)* .... des terribles incendies de forêt qu'il y *(avoir)* .... cet été en Provence.

10.   Il *(venir)* .... au moins trois cents personnes au vernissage.

11.   Ginette ne *(se rendre compte)* .... de son erreur qu'à la toute dernière minute.

12.   S'il n'.............. pas *(obtenir)* .... tous les avantages qu'il *(prévoir*, plus-que-parfait*)* ...., c'est qu'il n'.................. pas *(faire)* .... toutes les démarches qu'il *(pouvoir*, conditionnel passé*)* ....

13.   J'ignore vraiment pourquoi ils *(rompre)* ....

14.   Dans cette histoire, elle *(se faire rouler)* .... incontestablement .

15.   La gravure que Jocelyn m'*(donner)* ...., je l'*(faire encadrer)* .... à la boutique que tu m'*(recommander)* ....

16.   Ci-*(joindre)* .... les trois photos que j'*(promettre)* .... de vous envoyer.

17.   Elle ne lui donnait pas toujours toute l'attention qu'il *(vouloir*, conditionnel passé*)* ....

18.   L'an dernier, plus de 10 000 diplômés *(se disputer)* .... les 200 postes disponibles au département d'État.

19.   Pendant les trois semaines que Lise *(passer)* .... en Argentine, ils *(se téléphoner)* .... tous les jours.

20.   S'entretenant chaque dimanche avec moi, vacances *(excepter)* ...., elle finit par me conter sa vie.

21. Les droits qu'il *(s'arroger)* .... pourraient le mener en prison.

22. Au fil des heures, civils et militaires *(se succéder)* .... chez le président.

23. Étant *(donner)* .... l'urgence à laquelle nous faisons face, j'agirai sans attendre l'avis de la direction.

24. Ils *(se plaire)* .... dès leur première rencontre.

25. Nous *(se rencontrer)* ...., Gilles et moi, au marathon de Montréal.

26. Elle ne *(se prévaloir)* .... pas ....au bon moment de son droit de réplique et elle *(se repentir)* .... en .... bien .... par la suite.

27. Les ennuis que sa décision nous causait, elle ne *(s'en soucier)* .... guère.

28. La nouvelle *(se répandre)* .... très vite.

29. L'algèbre est-elle aussi rebutante que vous l'*(croire, plus-que-parfait)* ....-... ?

30. Je ne regrette aucunement les cinquante mille dollars que la réparation m'*(coûter)* ....

31. Personne ne les *(voir)* .... échanger des coups de feu.

32. Combien de romans de Julien Green *(lire)* ....-vous .... ?

33. Cette épreuve a été beaucoup plus pénible que nous ne l'*(escompter, plus-que-parfait)* ....

34. Les deux braves dames *(se voir arrêter)* .... pour trafic de drogue à l'aéroport de Rome.

35. Elles *(se laisser prendre, plus-que-parfait)* .... au jeu de l'imposteur.

36. Le peu de sympathie que vous *(montrer)* .... m'a déçu profondément.

37.   La manifestation se déroula sans drame. Elle fut plus importante que nous ne l'*(escompter, plus-que-parfait)* ....

38.   Les quatre cents mètres qu'elle *(courir)* .... en quarante-quatre secondes lui *(valoir)* .... la médaille d'argent.

39.   Pendant les deux heures qu'*(durer)* .... l'émission, une vingtaine d'annonces publicitaires *(être présenté)* ....

40.   Cet homme *(acquérir)* .... une fortune considérable.

41.   Songe à tous les dangers qu'elle *(courir)* ....

42.   Cette maison, je l'*(croire, plus-que-parfait)* .... toute proche.

43.   C'est une caricature plutôt qu'un portrait que vous *(faire)* ....

44.   Hier soir, chez nos voisins, il *(se passer)* .... des choses.

CORRIGÉ

1.   **1.** sali **2.** vêtu **3.** découvert **4.** secouru **5.** aperçu **6.** dû (mais dus, due, dues) **7.** mû (mais mue) **8.** assis **9.** rompu **10.** compris **11.** émis **12.** peint **13.** feint **14.** joint **15.** cousu **16.** moulu **17.** vécu **18.** conclu **19.** exclu **20.** clos **21.** cru **22.** crû (mais crue) **23.** résolu **24.** enquis **25.** enfui **26.** circonscrit

2.   **1.** vaincus **2.** ci-jointe **3.** Passé **4.** exceptés **5.** contrôlée **6.** Étant donné(s), rapportés **7.** verni(s) **8.** indiqué **9.** Disposée **10.** ci-inclus, envoyées **11.** Vu **12.** ci-joint(s)

3.   **1.** accusée **2.** accueillies **3.** astreint **4.** allées **5.** combattu **6.** contraints **7.** mus **8.** parvenues **9.** expédiée **10.** rejetée, examinée

4.   **1.** augmenté **2.** prêtée **3.** acclamés, trouvé **4.** dites **5.** consultés, avertie **6.** choisi **7.** écrite **8.** retenue **9.** nui **10.** suivi, indiquée, conduits

5.   **1.** imaginé **2.** connue **3.** crue, voulue **4.** pensé **5.** cru **6.** eue **7.** compris **8.** sentie, craint

6.   **1.** mangé (s) **2.** gardés **3.** vu (s) **4.** retirés **5.** reçu (s) **6.** retenues **7.** acheté(es) **8.** pensé **9.** tirées **10.** lu (s) **Note :** quand le pronom *en* est complément d'objet direct, il vaut toujours mieux laisser le participe passé invariable.

7.   **1.** eu **2.** eus, dus **3.** fallu **4.** eu **5.** commises **6.** fait, empêché **7.** laissée **8.** manqué

8.   **1.** duré **2.** coûté **3.** maigri, pesé **4.** mesurés **5.** prononcées, pesées **6.** siégé, adoptées **7.** valus **8.** coûtées

9.   **1.** vues **2.** vu, vus **3.** fait **4.** fallu **5.** vus **6.** fait, laissé (s) **7.** eu (s) **8.** demandé **9.** vues **10.** entendus **11.** dû **12.** donné(s)

10.   **1.** apporté **2.** vu (vus) **3.** fallu (verbe impersonnel) **4.** faites **5.** payés **6.** fourni **7.** occasionnée **8.** rencontrés **9.** échappé, achetés (achetée) **10.** prises

11.   **1.** chanté **2.** suivis **3.** invitées **4.** exceptés **5.** ci-joint **6.** ci-inclus (ci-incluses) **7.** vu, obtenues **8.** vue **9.** faits **10.** commis **11.** prêtée **12.** cherchées **13.** exécutés **14.** dû **15.** fait, pu **16.** réussi, espéré **17.** donné, espérée **18.** inventé **19.** offert, rendu (s) **20.** eu(e) **21.** pensé **22.** déçu, attendu **23.** exécutés, trahi **24.** entendu **25.** brisées, fait **26.** dû **27.** tombé, fait **28.** laissé (s) **29.** sentie **30.** regardés **31.** sentie **32.** fait **33.** entendu **34.** rendu, pu **35.** crus **36.** bu **37.** valus **38.** emprunté, coûté **39.** duré, paru **40.** reconnu,

vue **41**. accepté, indiqués   **42**. fait, nui   **43**. connu (es)   **44**. convaincus
45. apprises, surpris

12.   **1**. c.o.d.   **2**. c.o.i.   **3**.c.o.i.   **4**. c.o.d.   **5**. c.o.i.   **6**. c.o.i.   **7**. c.o.d.   **8**. c.o.i.
9. c.o.i.   **10** c.o.d.; c.o.i.

13.   **1**. juré **2**. habillée **3**. succédé **4**. entassés **5**. empêchée **6**. mariés **7**. fait **8**. nui ;
aidés **9**. assignés **10**. imaginé

14.   **1**. absentée (essentiellement pronominal) **2**. moqués (essentiellement pronominal)
3. blessées (occasionnellement pronominal) **4**. levées (occasionnellement
pronominal) **5**. évadés (essentiellement pronominal) **6**. donné (occasionnellement
pronominal) **7**. décidées (occasionnellement pronominal) **8**. emparée (essentiellement pronominal) **9**. souvenue (essentiellement pronominal) **10**. foulé (occasionnellement pronominal)

15.   **1**.vendus (sens passif) **2**. ouverte (sens passif) **3**. tus (sans fonction logique)
4. trompés (sans fonction logique); avisés (sans fonction logique) **5**. ennuyés (sans
fonction logique) **6**. bâties (sens passif) **7**. passés (sans fonction logique) **8**. parlée
(sens passif) **9**. attaquées (sans fonction logique) **10**. entendus (sans fonction
logique)

16.   **1**. abattus **2**. abattue **3**. absentée **4**. abstenus **5**. accentuée **6**. accommodée
7. achetées **8**. acquise **9**. acquittée **10**. adressés **11**. adaptées **12**. affrontées
13. agrandie **14**. allumées **15**. amusées **16**. apaisée **17**. apaisée **18**. aperçus
19. aperçue **20**. arrêtés **21**. assagie **22**. assuré **23**. assurée **24**. blessés
25. blessé **26**. compliquée **27**. bouché **28**. croisées **29**. construit **30**. croisé

17.   **1**. serré **2**. plainte, mise **3**. menti **4**. tus **5**. dit **6**. imposé **7**. demandé, mêlées
8. juré **9**. tracée **10**. servie **11**. emparés **12**. parlé **13**. offerte **14**. proposé
15. ennuyée **16**. renvoyé **17**. énervés, aidés, nui **18**. fiée **19**. précipitée
20. répété **21**. prévalue **22**. privées **23**. doutés **24**. suicidée **25**. cabrés
26. raconté **27**. souciée **28**. affaissés **29**. succédé

18.   **1**. acquitté **2**. arrogé **3**. fait **4**. fixé **5**. laissé **6**. fait **7**. entendu **8**. laissé **9**. dit
10. permis **11**. ressemblé **12**. vue **13**. vu **14**. voulu **15**. vu **16**. sentie, laissé(e)
17. passé (verbe impersonnel)

19.   **1**. passées **2**. vécu **3**. crus **4**. remportées **5**. opposés, vaincus **6**. donné **7**. rendu,
attendus **8**. fait **9**. faits **10**. crue **11**. accablés, reposés **12**. voulu, déconseillées
13. enduré (es) **14**. bu **15**. suffi **16**. attaqués, élancés **17**. fait(s) **18**. laissé(s)
19. servi, fait **20**. faits

20.   **1**. ai offerte **2**. est revenue enchantée **3**. a demandé **4**. résolus **5**. ai eue **6**. ai
renversé, as apportée **7**. a bu **8**. as vu **9**. avez entendu parler, a eu **10**. est venu

11. s'est rendu compte **12.** a obtenu, avait prévu(s), a fait, aurait pu **13.** ont rompu **14.** s'est fait rouler **15.** a donnée, ai fait encadrer, as recommandée **16.** ci-joint : invariable, ai promis **17.** aurait voulu (e) **18.** se sont disputé **19.** a passées, se sont téléphoné **20.** exceptées **21.** s'est arrogés **22.** se sont succédé **23.** donné (e) **24.** se sont plu **25.** nous sommes rencontrés **26.** s'est prévalue, s'en est repentie **27.** s'en est souciée **28.** s'est répandue **29.** aviez cru **30.** a coûté **31.** a vus **32.** avez-vous lus **33.** avions escompté **34.** se sont vu arrêter **35.** s'étaient laissé prendre **36.** avez montré **37.** avions escompté **38.** a couru, ont valu **39.** a duré, ont été présentées **40.** a acquis **41.** a courus **42.** avais crue **43.** avez faite **44.** s'est passé

MODULE VI

LE NOM

LE NOM

Les noms forment en français une catégorie très hétéroclite par leur origine, leur morphologie, leur sens, leur extension. Ils partagent néanmoins deux caractéristiques, c'est qu'ils sont toujours marqués en genre et en nombre. Les difficultés morphologiques liées aux variations en genre et en nombre sont très limitées de même que les problèmes d'accord. Aussi aborderons-nous également certaines questions d'ordre sémantique et quelques points d'orthographe d'usage.

1. LE GENRE

Comme vous le savez, seuls les noms d'êtres animés varient en genre :

un ami, une amie

Les autres noms se répartissent arbitrairement entre les genres masculin et féminin et ils n'ont pas toujours le genre qu'on croit. L'exercice qui suit vous en donne quelques exemples.

EXERCICE 1
Faites les accords qui s'imposent.

1. On a eu *(un, une)* .... *(bel, belle)* .... été, mais *(un, une)* .... automne *(pluvieux, pluvieuse)* ....

2. On parle de construire *(un, une)* .... *(nouvel, nouvelle)* .... autoroute.

3. Pourquoi l'autobus a-t-*(il, elle)* .... tant de retard ce matin ? J'attends *(le, la)* .... 7 depuis quinze bonnes minutes.

4. *(Un, une)* .... gang de malfaiteurs sévit dans le quartier.

5. Aujourd'hui, j'ai dîné d'*(un, une)* .... sandwich et d'un café.

6. *(Grands, grandes)* .... soldes dans tous nos magasins.

7. L'ascenseur est *(plein, pleine)* ....

8. L'algèbre de Boole est *(un, une)* ....algèbre qui s'applique à l'étude des relations logiques.

9. As-tu reçu *(le, la)* .... circulaire de l'épicerie ?

10. J'ai profité des soldes pour acheter *(un, une)* .... *(nouveau, nouvelle)* .... radio.

1.1 Formation du féminin des noms d'êtres animés

Le féminin se forme généralement par addition d'un *e*. Les cas particuliers – modification ou addition de suffixe – sont recensés dans le *Précis* et dans toutes les autres grammaires. Les dictionnaires donnent également les féminins des noms d'êtres animés.

EXERCICE 2
Complétez les phrases suivantes avec les noms entre parenthèses.

1. C'est une *(Japonais)* .... qui a été nommée à la tête de l'entreprise.

2. C'est une *(Grec)* .... qui tient ce restaurant italien.

3. Est-ce une *(Italien)* .... qui vous enseigne l'italien ?

4. Il paraît que le Canadien veut embaucher une *(gardien)* .... de but.

5. Trois petites *(vieux)* .... faisaient la queue devant le magasin.

6. Ce livre a été écrit par une *(métis)* .... du Manitoba.

7. La *(demandeur)* .... voudrait faire entendre deux témoins.

8. C'est Marie qui est l'*(aîné)* .... de leurs enfants.

9. Le Musée a une nouvelle *(directeur)* ....

10. C'est une femme qui est *(ambassadeur)* .... du Canada en Espagne.

1.2 Féminisation des noms désignant une profession

Les noms qui désignent des professions traditionnellement exercées par des hommes ont rarement une forme féminine. Jusqu'à récemment, on palliait ces lacunes par des périphrases :

une femme professeur
une femme écrivain
etc.

Au Québec, on féminise de plus en plus les noms de titres et de fonctions :

une professeure
une écrivaine

Mais la féminisation n'est pas toujours facile :

un médecin, une... ?

De plus, dans la foulée, le masculin générique est remis en question :

Les étudiants nouvellement inscrits doivent rencontrer leur directeur d'études.
Les étudiants /es nouvellement inscrits/es doivent rencontrer leur directeur/trice d'études.
Les étudiant(e)s nouvellement inscrit(e)s doivent rencontrer leur directeur(trice) d'études.

Nombreux sont ceux qui trouvent pénibles de telles formulations.

EXERCICE 3
Complétez les phrases suivantes avec l'une ou l'autre forme proposée entre parenthèses.

1. Mme Côté est *(professeur, professeure)* .... à l'Université Laval.

2. Marguerite Yourcenar a été la première femme à faire partie de l'Académie française. Elle est l'*(auteur, auteure)* ...., entre autres, des *Mémoires d'Hadrien* et de *L'Oeuvre au noir.*

3. *(Le, La)* .... ministre Thérèse Lavoix-Roux vient de recevoir le rapport de la Commission Rochon.

4. *(Le, La)* .... *(gouverneur général, gouverneure générale)* .... a-t-elle apprécié son voyage en France ?

5. *(Le, La)* .... *(maire, mairesse)* .... a-t-elle été réélue ?

6. *(Le, La)* .... *(député, députée)* .... Louise Harel a tenu une conférence de presse.

7. Adressez-vous à notre *(ingénieur, ingénieure)* .... , Mme Côté.

2. LE PLURIEL DES NOMS

Les règles sont connues, mais pas toujours respectées. Tout le monde sait, par exemple, que les noms en **-al** font **-aux** au pluriel (sauf quelques exceptions), mais nombreux sont ceux qui ne respectent pas cette règle, particulièrement à l'oral. Tout le monde se souvient aussi, plus ou moins vaguement, des listes d'exceptions (*bijoux, cailloux, choux…*) ânonnées à la petite école. Une petite révision ne saurait nuire.

EXERCICE 4
Mettez les noms entre parenthèses au pluriel.

1. Les courses de *(cheval)* .... ont perdu de leur popularité.

2. Radu Lupu a donné plusieurs *(récital)* .... au Canada.

3. Il y a toutes sortes de *(festival)* .... l'été.

4. Il y a quelques années les *(bail)* .... se renouvelaient surtout au mois de mai.

5. Avez-vous vu l'exposition *Les (bijou)* .... *de Braque ?*

6. Les *(ciel)* .... des peintres hollandais ont souvent une lumière un peu jaune.

7. Combien de versions y a-t-il de la chanson *Savez-vous planter des (chou)* .... *?*

8. À prix égal, les *(pneu)* .... se valent.

9. Beaucoup d'ouvriers français portent, pour travailler, des *(bleu)* .... de travail.

10. Y a-t-il deux *(Canada)* .... ou n'y en a-t-il qu'un ?

11. Au hockey, il faut se protéger les *(genou)* ....

12. Grands soldes dans les *(clou)* .... de tapisserie.

13. Nous sommes encore à cent *(lieue)* .... de la réussite.

14. Ces *(lieu)* .... sont sinistres.

15. Cessons de couper les *(cheveu)* .... en quatre !

2.1 Le pluriel des noms composés

Les noms composés sont relativement nombreux en français. Aussi est-il bon d'avoir une vue générale du mode de formation de leur pluriel. Il y a deux principes fondamentaux à retenir.

a) Seuls varient les noms et les adjectifs :

des choux-fleurs (nom + nom : les deux sont variables)
des sourds-muets (adjectif + adjectif : les deux sont variables)
des coffres-forts (nom + adjectif : les deux sont variables)

Les noms composés peuvent être constitués de mots appartenant à n'importe quelle catégorie grammaticale; les éléments appartenant aux catégories autres que celles du nom et de l'adjectif ne varient pas :

des contre-attaques (préposition : invariable ; + nom : variable)
des on-dit (pronom : invariable ; + verbe : invariable)

b) Les noms qui entrent dans les noms composés varient aussi en fonction du sens :

des tête-à-tête (il n'y a jamais que deux têtes)

Avec les composés formés d'un verbe et de son complément, le problème est double, car le complément peut être au pluriel même quand le nom composé est singulier :

un cure-dents (pour curer les dents)
un casse-noisettes (pour casser les noisettes)

Inversement, quand le nom composé est au pluriel, le complément reste parfois au singulier :

des brise-glace (ils brisent la glace)

Ces deux principes étant posés, il n'en demeure pas moins que l'analyse du nom composé est parfois difficile à faire. Par ailleurs, l'usage ne respecte pas toujours les principes. Ainsi, l'élément *garde* est considéré comme un verbe lorsque le nom composé désigne un objet :

un garde-boue, des garde-boue
un garde-fou, des garde-fous

et il est considéré comme un verbe substantivé, donc comme un nom, lorsque le nom composé désigne une personne :

une garde-malade, des gardes-malades

Verbe, *garde* est invariable; nom, il varie. Vous aurez remarqué que *fou* et *malade* pourraient logiquement être au pluriel, même quand le composé est singulier. L'usage en a décidé autrement. Aussi vaut-il toujours mieux vérifier les pluriels des noms composés dans un dictionnaire.

Notez finalement que les éléments étrangers restent invariables :

des post-scriptum

EXERCICE 5
Mettez les noms entre parenthèses au pluriel.

1. Montréal n'aura jamais eu autant de *(sans-abri)* .... qu'en cette année des *(sans-abri)* ....

2. Pour qui a grandi à l'ère des robots culinaires, les *(hache-viande)* .... et *(hache-légumes)* .... de nos *(grand-mère)* .... doivent s'apparenter à quelque instrument de torture préhistorique.

3. Le ministre aurait-il touché des *(pot-de-vin)* .... ?

4. Combien la Garde côtière canadienne a-t-elle de *(brise-glace)* .... ?

5. Nos deux *(grand-père)* .... et nos deux *(grand-mère)* .... sont venus nous rendre visite.

6. La ténacité des *(Franco-Manitobain)* .... dans la défense de leurs droits est digne d'admiration.

7. Les *(arc-en-ciel)* .... les plus beaux sont ceux qu'on voit en Asie pendant la mousson.

8. Le laboratoire d'informatique sera ouvert tous les *(après-midi)* ....

9. MM. Busch et Gorbatchev ont eu plusieurs *(tête-à-tête)* ....

10. Des *(hors-d'oeuvre)* .... seront servis à partir de six heures et demie.

11. Au Québec, les plus grosses cultures de *(pomme de terre)* .... se trouvent dans la région de Portneuf.

12. Les *(arc-boutant)* .... sont caractéristiques de l'art gothique.

13. Lord Mountbatten fut le dernier des *(vice-roi)* .... de l'Inde.

14. Tous les *(pare-choc)* .... sont maintenant caoutchoutés.

15. La ville pense acheter quelques nouveaux *(chasse-neige)* ....

16. Il a déployé des *(chef-d'oeuvre)* .... d'ingéniosité.

17. Son rapport est plein de *(sous-entendu)* ....

18. Nous sommes encore à des *(année-lumière)* .... de la réussite.

19. Les *(pseudo-intellectuel)* ...., dit-on souvent, aiment à jargonner.

20. Venez profiter des plus grands soldes de *(soutien-gorge)* .... de l'année !

3. VARIATION DE SENS LIÉE À UNE VARIATION DE GENRE OU DE NOMBRE

Le *Précis* recense un certain nombre de cas de variation de sens liée à des variations de genre ou de nombre. Retenons les cas les plus courants, ceux sur lesquels on est susceptible de se tromper.

• **Vacance**, au singulier, ne se dit jamais d'une période de congé. Une *vacance* est un poste vacant, un poste sans titulaire. Pour désigner une période de congé, le mot est toujours au pluriel :

J'ai pris une journée de vacances (de congé).
J'ai passé des belles vacances.

ou dans une forme plus soutenue :

J'ai passé de belles vacances[1].

• **Lunette**, au singulier, désigne un instrument d'optique servant à augmenter le diamètre apparent des objets. Pour désigner la paire de verres que l'on porte pour corriger ou protéger la vue, le mot est toujours pluriel :

des lunettes noires
de jolies lunettes

---

1 Devant un nom pluriel précédé d'un adjectif qualificatif, l'article indéfini **des** se transforme en **de** (*Précis*, § 147.)

• **Œuvre** a des sens différents au masculin et au féminin. Une œuvre est une production artistique; pour désigner l'ensemble des œuvres d'un artiste, on emploie le mot au masculin, sauf pour les œuvres littéraires.

Féminin :

C'est son œuvre capitale.
C'est une œuvre de jeunesse.
Cette année, nous avons étudié l'œuvre de Victo Hugo

Masculin :

l'œuvre gravé de Miró
l'œuvre peint de Vinci

Œuvre au masculin est également un terme d'architecture. Le *gros œuvre* désigne les fondations, les murs et la toiture d'un bâtiment.

4 . NOMS SANS PLURIEL

• **Argent** s'emploie toujours au singulier. Pour indiquer une quantité importante, il faut recourir à d'autres noms :

Des fonds seront alloués à...
Des sommes d'argent importantes...

On ne devrait jamais dire :

* Des argents seront débloqués .

• De même, **énergie** s'emploie généralement au singulier :

J'ai mis toute mon énergie dans ce travail.
Nous mettrons toute notre énergie dans ce projet.

Parfois, le sens distributif peut appeler un pluriel :

Joignons nos énergies et nous réussirons.

EXERCICE 6
Corrigez celles des phrases suivantes qui sont fautives.

1.   L'hiver vous semble interminable ? Pourquoi ne pas prendre une petite vacance ?

....

2.   Une lunette gratuite à l'achat de lentilles cornéennes.

....

3.   Il a déployé toutes ses énergies pour que nous obtenions cette subvention.

....

4.   Le gouvernement a mis des argents à notre disposition.

....

5.   Il y a une vacance au département. Vous devriez poser votre candidature.

....

5 . COMPLÉMENTS INTRODUITS PAR UNE PRÉPOSITION : SINGULIER OU PLURIEL ?

On hésite parfois sur le nombre des compléments introduits par certaines prépositions. C'est le cas avec les compléments déterminatifs introduits par *de* :

de la confiture de framboise
de la confiture de fraises
de la marmelade d'oranges
du jus d'orange

Telle est l'orthographe donnée dans le *Petit Robert*. La répartition entre le singulier et le pluriel n'est pas toujours d'une logique parfaite. De façon générale, on peut cependant suivre la règle suivante.

Quand le complément déterminatif exprime l'espèce, la classe ou la matière et forme avec le premier nom une sorte de syntagme figé, la tendance est de le mettre au singulier :

des toiles d'araignée
des chefs d'entreprise
de l'huile d'olive

Quand il comporte l'idée de plusieurs objets ou quand on considère la quantité ou la diversité, le complément se met au pluriel :

un pays de montagnes
un manque d'égards
un agent d'affaires

On hésite également sur le nombre des compléments introduits par *en*. L'usage va parfois à l'encontre de la logique :

un arbre en fleur

Le nombre du complément introduit par **sans** dépend également du sens :

> *un bureau sans fenêtre*
> *une maison sans fenêtres*
> (Une maison a généralement plusieurs fenêtres,
> un bureau en a rarement plus d'une.)

EXERCICE 7

Accordez les noms entre parenthèses de façon logique, puis vérifiez votre accord dans un dictionnaire de langue ou dans un dictionnaire de difficultés.

1. Son ambition est sans *(limite)* ....

2. La proposition a été votée sans *(discussion)* ....

3. Je vous conseille de lui remettre votre manuscrit en *(main propre)* ....

4. La police se perd en *(conjecture)* ....

5. Nous sommes actuellement en *(pourparler)* ....
   Aucune décision n'a encore été prise.

6. Le nombre de négociants en *(vin)* .... s'est
   considérablement accru au Québec.

7. Les histoires de *(revenant)* .... vous épouvantent-
   elles ?

6. EMPLOI DES MAJUSCULES

6.1 *Saint-* ou *saint*

Saint s'écrit avec une minuscule et n'est pas suivi d'un trait d'union lorsqu'on parle du saint même. Dans les autres cas (toponymes, noms de fêtes religieuses, noms de sociétés, etc.) *saint* s'écrit avec une majuscule et est suivi d'un trait d'union :

> *La statue de saint Georges exécutée par Louis Jobin a été restaurée*
> *et placée dans l'église de Saint-Georges.*

Notez que tous les mots entrant dans un toponyme sont en principe reliés entre eux par des traits d'union :

> *Nous sommes allés en excursion à Saint-Éphrem-de-Tring.*

6.2 Nationalités et autres appartenances géographiques

Les mots désignant une nationalité ou toute autre appartenance géographique ne prennent la majuscule que lorsqu'ils sont employés substantivement, c'est-à-dire comme noms :

les Québécois

Employés adjectivement, ils s'écrivent avec une minuscule :

le peuple québécois

Les noms des langues s'écrivent toujours avec une minuscule :

Parlez-vous anglais ?

EXERCICE 8
Ajoutez les majuscules et les traits d'union nécessaires.

1. Y a-t-il une statue de sainte thérèse à sainte thérèse de lisieux ?

2. Avez-vous vu le film *sainte thérèse* ?

3. Il parle allemand comme un allemand.

4. Deux chercheurs américains ont découvert une nouvelle bactérie.

5. L'état français offre des bourses aux québécois qui veulent étudier en france.

6. Le français a depuis longtemps cédé la place à l'anglais comme langue internationale.

7. Les citoyens canadiens sont priés de remplir ce formulaire avant de descendre de l'avion.

8. On fait traditionnellement commencer le moyen âge avec la chute de l'empire romain d'occident (476) et se terminer avec la prise de constantinople (1453).

9. L'économie de l'europe occidentale se porte bien.

10. En 1977, un pétrolier coulait au large de la côte bretonne, en France, causant une des pires marées noires de l'histoire, jusqu'à ce qu'en 1989, un pétrolier américain cause des dégâts encore plus grands sur la côte de l'Alaska.

7. LES ABRÉVIATIONS

Voici un sujet qui n'a rien de galvanisant. Cependant, comme on fait une large utilisation des abréviations, il est bon d'en apprendre les règles de formation.

En français, il existe deux modes de formation des abréviations.

a) On coupe **AVANT** la voyelle de la deuxième syllabe[2] :

Ap - par - te - ment

La deuxième syllabe est *par*. On coupe avant le *a* et on indique la troncation par un point :

app.

Il faut veiller à ne pas oublier le point. C'est lui qui indique qu'il y a abréviation[3].

a - ve - nue : av.
bou - le - vard : boul.
té - lé - phone : tél.

b) Le deuxième mode de formation consiste à retenir la première lettre du mot et à lui adjoindre la dernière lettre du mot, que l'on place en exposant :

numéro : n^o
Maître : M^e

Parfois, on met en exposant plus d'une lettre, mais ce sont toujours les dernières lettres du mot :

Madame : Mme
Mademoiselle : Mlle

Vous aurez remarqué que les abréviations formées selon ce deuxième mode ne sont pas suivies d'un point. En effet, la présence de la dernière lettre du mot rend inutile le point abréviatif.

Au Québec, et dans la francophonie canadienne en général, on forme presque toujours les abréviations selon le premier mode (coupure avant la voyelle de la deuxième syllabe). Seule une poignée d'abréviations formées suivant le second mode sont utilisées; aux quatre mots déjà donnés en exemples, ajoutons les abréviations des numéraux ordinaux :

1er, 1re ; 2e ; 3e ; 4e ; 20e ; 100e ; 1000e ; etc.

8. LES SYMBOLES DES UNITÉS DE MESURE

Commencez par oublier tout ce qui vient d'être dit sur la formation des abréviations en général. Ensuite, ayez bien à l'esprit que les grandeurs mesurables sont multiples

---

2   Une syllabe est un son que l'on prononce par une seule émission de voix.

3   Lorsqu'une phrase se termine par une abréviation, le point abréviatif se confond avec le point de fin de phrase : *Nous avons visité Rome, Milan, Florence, etc.*

(espace, temps, poids, force, température, etc.) et que leur échelle est infinie. Par conséquent, les désignations des unités de mesure sont souvent des noms composés de plusieurs éléments :

un gramme, un centigramme, un kilogramme
un mètre, un centimètre, un kilomètre.

Les abréviations des unités de mesure suivent deux règles :

a) On retient en général la première lettre de chaque élément.

b) On ne fait JAMAIS suivre l'abréviation d'une unité de mesure par un point.

un gramme : 1 g
un centigramme : 1 cg
un kilogramme[4] : 1 kg
un mètre : 1 m
un centimètre : 1 cm
un kilomètre : 1 km

Souvent les unités de mesure sont désignées par le nom de leur savant inventeur. Si la majuscule du nom propre disparaît généralement dans l'unité de mesure même, elle réapparaît presque toujours dans l'abréviation :

un volt : 1 V
un ampère : 1 A
un watt : 1 W
un joule : 1 J

EXERCICE 9
Donnez les abréviations des mots suivants.

1. paragraphe ....

2. page..

3. numéro ....

4. téléphone...

5. Monsieur..

6. Messieurs ....

---

4   Même si dans la langue courante on remplace *kilogramme* par *kilo*, l'abréviation restera toujours *kg*.

7.   Madame.................................

8.   Mesdames ....

9.   Mademoiselle..........................

10.   Mesdemoiselles ....

11.   appartement..........................

12.   avenue...............................

13.   boulevard ....

14.   pavillon ....

15.   local ....

16.   premier..............................

17.   première.............................

18.   cinquantième ....

19.   étage................................

20.   bureau...............................

EXERCICE 10
Donnez les symboles des unités de mesure suivantes.

1.   heure ....

2.   mètre ....

3.   minute...............................

4.   seconde ....

5.   gramme ....

6.   kilo ....

7.   kilomètre.............................

8.   kilowatt......................................

9.   kilowattheure ....

EXERCICE 11
Corrigez les fautes contenues dans les phrases suivantes. Certaines phrases peuvent être correctes.

1.   La réunion aura lieu à 3 hrs 30.

     ....

2.   Il a parcouru les 20 km en 1 h 20 min 30 s.

     ....

3.   Monsieur La Framboise
     36, blvd. de l'Amitié, # 15
     Québec (Québec)
     G1X 1X1

     ....

     ....

     ....

     ....

4.   Num. de tél. : 525 0000

     ....

EXERCICE 12
Mettez les noms entre parenthèses au pluriel.

Récapitulation

1.   Ce n'est pas facile de trouver de jolis *(abat-jour)* ....

2.   J'ai rencontré deux *(garde-chasse)* .... dans la forêt.

3.   Ce sont tous les deux des *(pince-sans-rire)* ....

4.   Cette bicyclette de randonnée est équipée de deux *(porte-bagages)* ....-
....

5.   Le laboratoire est ouvert tous les *(après-midi)* ....

6.   Cette maison manque de *(garde-robe)* ....

7.   Il y a deux *(festival)* .... du cinéma à Montréal.

8.   On utilise plus de *(tuyau)* .... en plastique que de *(tuyau)* .... en cuivre.

9.   Les *(cheveu)* .... longs reviennent à la mode.

10. Avec des *(si)* .... et des *(peut-être)* ...., on ne va nulle part.

EXERCICE 13

Corrigez les fautes contenues dans les phrases suivantes. Certaines phrases peuvent être correctes.

Récapitulation

1.   Gilles Archambault a remporté le Prix de la Gouverneure générale.

    ....

2.   Le gouvernement entend insuffler des argents neufs dans les hôpitaux.

    ....

3.   Auriez-vous un livre sur Saint-Ignace de Loyola ?

    ....

4.   Les jeunes québécois demandent plus d'emplois.

    ....

5.   Un nouveau magasin de vêtements s'est ouvert rue Saint-Jean.

    ....

6.   Je me suis offert une petite vacance en Grèce.

      ....

7.   Vous parlez Japonais ?

      ....

8.   Le dollar Canadien est à la hausse.

      ....

9.   Les pays du Sud-Est asiatique envient l'entente canado-américaine de libre-échange.

      ....

10.   Le premier ministre Indien a procédé à un important remaniement ministériel.

      ....

CORRIGÉ

1. **1**. un bel été, un automne pluvieux **2**. une nouvelle autoroute (puisque *route* est féminin) **3**. il, le 7 **4**. Un gang **5**. d'un sandwich **6**. Grands **7**. plein **8**. une algèbre **9**. la circulaire (ellipse de *lettre* : *une lettre circulaire*) **10**. une nouvelle radio (L'Office de la langue française du Québec a donné son aval à l'emploi de radio au masculin pour désigner un poste de radio, justement à cause du mot poste sous-entendu. Mais traditionnellement, *un radio* est une personne qui s'occupe des communications à bord d'un bateau ou d'un avion.)

2. **1**. Japonaise **2**. Grecque **3**. Italienne **4**. gardienne **5**. vieilles **6**. métisse (Le *s* était sonore au masculin; pour garder le même son, il faut deux *s* au féminin. Un *s* seul se prononce comme un *z* : *maison*, *chasuble*, etc.) **7**. demanderesse **8**. aînée **9**. directrice **10**. ambassadrice

3. Il est impossible de donner ici **LA** réponse. La féminisation des titres est un processus en cours et on ne peut qu'observer des tendances. Ce n'est d'ailleurs qu'au Canada qu'on féminise ainsi les titres et les fonctions. En France, métropolitaine ou d'outre-mer, en Suisse, en Belgique, en Afrique francophone, à peu près aucune de ces féminisations récentes n'a cours. On continue d'employer les formes masculines :

    Mme X est professeur à l'Université de Paris VII .
    Le premier ministre de Grande-Bretagne, Mme Thatcher, a annoncé...
    Mme Barzach, Ministre Délégué auprès du Ministre des Affaires Sociales[5] et de l'Emploi, rencontrera..

    Ici, on trouverait généralement :

    Mme X est professeure...
    La première ministre de Grande-Bretagne...
    Mme Barzach, ministre déléguée...

    1. professeure (Cette forme semble être bien entrée dans l'usage.) **2**. auteur (auteure) (On continue d'employer la forme masculine *auteur*, pour désigner des écrivaines (des femmes écrivains ?), particulièrement quand il s'agit d'écrivaines francophones d'un autre pays.) **3**. La ministre (Cette forme semble tout à fait entrée dans l'usage canadien.) **4**. Madame Sauvé, qui exerce la fonction de gouverneur général, préfère qu'on utilise la forme masculine, que le titre, donc, ne désigne que la fonction et non la personne. La forme interrogative de la phrase, qui fait répéter le sujet par un pronom, complique les choses. Dira-t-on :

    Le gouverneur général a-t-il apprécié... ?
    Le gouverneur général a-t-elle apprécié... ?
    La gouverneure générale a-t-elle apprécié... ?

---

5   On emploie beaucoup plus largement les majuscules en France qu'ici.

Il y a toujours moyen de contourner le problème en disant :

Mme Sauvé a-t-elle apprécié... ?

5. La mairesse (Comme *mairesse* n'est plus du tout utilisé ici pour désigner l'épouse d'un maire, il est parfaitement justifié d'appeler une femme maire une *mairesse*.) **6.** La députée, la député (Si l'on féminise, aussi bien féminiser complètement plutôt que de s'arrêter à l'article : la *députée* serait alors préférable à la forme hybride *la député*. Il en va d'ailleurs de même pour tous les titres où le féminin est marqué morphologiquement. Rien ne sert de vouloir ménager la chèvre et le chou et d'écrire : *la professeur* ou *la gouverneur général*.) **7.** notre ingénieure (Ce féminin est bien entré dans la langue.)

4. **1.** chevaux **2.** récitals **3.** festivals **4.** baux **5.** bijoux **6.** ciels (*Précis*, § 118, 3° C) **7.** choux **8.** pneus (Si *pneu* ne prend pas de *x* au pluriel comme les autres noms en – *eu*, c'est qu'il a été formé par abréviation du mot *pneumatique*.) **9.** bleus (Si le nom *bleu* prend, comme *pneu*, un *s* au pluriel, c'est qu'il est dérivé de l'adjectif *bleu*. En effet, les bleus de travail des ouvriers français sont bleus.) **10.** Canada **11.** genoux **12.** clous **13.** lieues **14.** lieux **15.** cheveux

5. **1.** sans-abri, sans-abri **2.** hache-viande, hache-légumes, grand(s)-mères (Puisque *grand* ne varie pas en genre dans *grand-mère* – **grande-mère* –, il est plus logique de ne pas le faire varier non plus en nombre. Toutefois, par analogie avec *grands-pères*, on est justifié d'écrire *grands-mères*.) **3.** pots-de-vin **4.** brise-glace (ils brisent la glace) **5.** grands-pères, grand(s)-mères **6.** Franco-Manitobains (*Précis* , § 128) **7.** arcs-en-ciel **8.** après-midi **9.** tête-à-tête **10.** hors-d'œuvre **11.** pommes de terre **12.** arcs-boutants **13.** vice-rois **14.** pare-chocs (On peut également orthographier *choc* avec un *s* quand on emploie le mot au singulier : un *pare-chocs*, des *pare-chocs*.) **15.** chasse-neige **16.** chefs-d'œuvre **17.** sous-entendus **18.** années-lumière **19.** pseudo-intellectuels **20.** soutiens-gorge

6. **1.** Pourquoi ne pas prendre de petites vacances ? Pourquoi ne pas prendre des vacances ? **2.** Lunettes gratuites à l'achat de lentilles cornéennes. **3.** Il a déployé toute son énergie. **4.** Le gouvernement a mis des fonds à notre disposition. **5.** Phrase correcte.

7. **1.** sans limites (L'usage semble avoir consacré le plusiel dans l'expression sans limites. On emploi d'ailleurs souvent *limite* au pluriel : *dans les limites de nos moyens. Notre patience a des limites.*) **2.** sans discussion (sans qu'il y ait la moindre discussion) **3.** en main propre, en mains propres. **4.** se perd en conjectures (Si on s'y perd, c'est qu'il y en a plusieurs.) **5.** en pourparlers (S'emploie presque toujours au pluriel.) **6.** négociants en vins **7.** histoires de revenants (Souvent, il y en a plusieurs. Toutefois, le singulier ne serait pas impossible.)

8.   **1.** Y a-t-il une statue de sainte Thérèse à Sainte-Thérèse-de-Lisieux ? **2.** Avez-vous vu le film *SainteThérèse* ? (On met ici une majuscule à *sainte*, puisqu'il s'agit du premier mot d'un titre.) **3.** Il parle allemand comme un Allemand. **4.** Deux chercheurs américains ont découvert une nouvelle bactérie. **5.** L'État français offre des bourses aux Québécois qui veulent étudier en France. (*État* prend toujours une majuscule quand il désigne une entité politique.) **6.** Phrase correcte. **7.** Phrase correcte. **8.** On fait traditionnellement commencer le Moyen Âge (parfois moyen âge) avec la chute de l'Empire romain d'Occident et se terminer avec la prise de Constantinople. **9.** L'économie de l'Europe occidentale se porte bien. **10.** Phrase correcte.

9.   **1.** par. **2.** p. **3.** nᵒ **4.** tél. **5.** M. **6.** MM. **7.** Mᵐᵉ **8.** Mᵐᵉˢ **9.** Mˡˡᵉ **10.** Mˡˡᵉˢ **11.** app. **12.** av. **13.** boul. (bᵈ) **14.** pav. **15.** loc. **16.** 1ᵉʳ **17.** 1ʳᵉ **18.** 50ᵉ **19.** ét. **20.** bur.

10.   **1.** h **2.** m **3.** min (pour distinguer l'abréviation de *minute* de celle de *mètre*) **4.** s **5.** g **6.** kg **7.** km **8.** kW **9.** kWh

11.   **1.** La réunion aura lieu à 3 h 30. **2.** Phrase correcte. **3.** 36, boul. de l'Amitié, app. 15 **4.** Nᵒ de tél. : 525 0000

12.   **1.** de jolis abat-jour **2.** deux gardes-chasse **3.** des pince-sans-rire **4.** deux porte-bagages **5.** tous les après-midi **6.** garde-robes **7.** deux festivals **8.** tuyaux **9.** cheveux **10.** des *si* et des *peut-être*

13.   **1.** Gilles Archambault a remporté le Prix du Gouverneur général (*Prix du Gouverneur général* est une désignation; c'est en quelque sorte un nom propre, d'où l'invariabilité obligatoire). **2.** Le gouvernement entend insuffler de nouveaux fonds dans les hôpitaux. **3.** Auriez-vous un livre sur saint Ignace de Loyola ? **4.** Les jeunes Québécois demandent plus d'emplois. (Comme on substantive souvent l'adjectif *jeune*, on pourrait penser que c'est *jeunes* qui est ici le nom. Mais sémantiquement, on voit bien que c'est *Québécois* qui est le nom et que *jeunes* vient le qualifier, vient limiter la classe de Québécois concernée.) **5.** Phrase correcte **6.** de petites vacances, de courtes vacances (un petit voyage) **7.** Vous parlez japonais ? **8.** Le dollar canadien **9.** Les pays du Sud-Est asiatique envient l'entente canado-américaine de libre-échange. (Les points cardinaux s'écrivent avec une minuscule quand ils désignent les points cardinaux mêmes – *la Roumanie se trouve à l'est de la Hongrie* – et avec une majuscule quand ils servent à désigner une région : *l'Ouest canadien*, etc.) **10.** Le premier ministre indien

MODULE VII

L'ADJECTIF

L'ADJECTIF

Vous avez vu dans le premier module qu'on range les adjectifs en deux catégories : les adjectifs qualificatifs d'une part, et tous les autres adjectifs – qu'on appelle parfois déterminatifs – d'autre part.

Nous nous intéresserons seulement à la morphologie et à l'accord de l'adjectif. Se trouvent par conséquent écartés les adjectifs possessifs, démonstratifs, interrogatifs et exclamatifs qui, une fois réglées les éventuelles difficultés d'orthographe causées par l'homonymie, ne posent aucun problème d'écriture. Les indéfinis seront traités séparément car la double nature d'adjectif et d'adverbe de certains d'entre eux amène des difficultés particulières.

L'ADJECTIF QUALIFICATIF

Qu'il soit épithète ou attribut, l'adjectif qualificatif s'accorde en genre et en nombre avec le nom (ou le pronom dans le cas de l'attribut) auquel il se rapporte.

Épithète :

*Un homme **loyal**. Des hommes **loyaux**.*
*Une personne **loyale**. Des personnes **loyales**.*

Attribut :

*Il est **loyal**. Ils sont **loyaux**.*
*Je la crois **loyale**. Je les crois **loyales**.*

1. MORPHOLOGIE DE L'ADJECTIF QUALIFICATIF

1.1 Le féminin (*Précis*, § 155-167)

Les adjectifs qui se terminent par un *e* gardent évidemment la même forme au féminin :

Un fondement solide. Une amitié solide.

Les adjectifs qui se terminent par une voyelle autre que *e* ou par une consonne forment généralement leur féminin par addition d'un *e* :

*Un **fort** vent. Une mer **forte**.*
*Un ciel **bleu**. Une lumière **bleue**.*

Veillez à ne pas oublier le *e*, même quand il ne s'entend pas, comme *dans une lumière bleue* ou *une personne loyale*.

Le *Précis* recense les féminins particuliers, c'est-à-dire les cas où la formation du féminin s'accompagne d'une modification du radical. Reportez-vous-y pour l'exercice suivant. Vous aurez ainsi une vue d'ensemble des variations morphologiques liées à la formation du féminin. Ultérieurement, quand vous chercherez le féminin d'un adjectif en particulier, vous préférerez peut-être utiliser le dictionnaire, qui est d'une consultation plus rapide.

EXERCICE 1
Complétez les phrases suivantes avec les adjectifs entre parenthèses.

1.   Pourriez-vous m'en trouver une *(pareil)* .... ?

2.   Il semble éprouver une joie *(malin)* .... à semer des embûches sur notre chemin.

3.   Elle semble très *(éprouvé)* .... par la mort *(subit)* .... de son canari.

4.   C'est de l'histoire *(ancien)* ....

5.   Il n'y a aucune *(commun)* .... mesure entre ces deux événements.

6.   Semez en *(plein)* .... terre dès que sont passés les risques de gelée.

7.   C'est une *(beau)* .... fripouille ! C'est un *(beau)* .... escroc !

8.   Quelle *(beau)* .... maison ! Quel *(beau)* .... appartement !

9.   Nous pensions acheter une *(nouveau)* .... machine à écrire et un (nouveau) .... ordinateur.

10.   C'était une *(fou)* .... entreprise.

11.   Nous entretenions un *(fou)* .... espoir.

12. Il porte toujours le même *(vieux)* .... habit et la même *(vieux)* .... casquette.

13. Deux *(vieux)* .... ivrognes étaient assis au bar.

14. Sa dissertation est *(nul)* ....

15. La ministre est restée *(muet)* .... sur la question.

16. Elle semblait trouver la question *(indiscret)* ....

17. C'est une personne bien *(secret)* ....

18. Il faudrait une enquête plus *(complet)* ....

19. Ne pourrions-nous pas éviter qu'une *(tiers)* .... personne soit mise au courant ?

20. C'est une *(heureux)* .... issue.

21. La pâte était un peu trop *(épais)* ...., mais elle était tout de même *(léger)* ...., quoiqu'un peu *(sec)* ....

22. Sa réponse était un tantinet *(naïf)* ....

23. Quoi de meilleur qu'une salade *(grec)* ....arrosée d'un petit rosé bien frais !

24. La température est un peu *(frais)* ...., mais le temps reste beau.

25. Il a donné une réponse très *(ambigu)* ....

26. C'est votre *(meilleur)* .... chance d'obtenir ce que vous désirez.

27. Dans une phase *(ultérieur)* ...., une aile sera ajoutée au bâtiment.

28. N'en faisons pas une affaire *(public)* .... ; c'est une affaire *(personnel)* ....

29. La situation demeure *(inchangé)* ....

30. L'issue du conflit est tout à fait *(incertain)* ....

31.   Le contrat est prolongé pour une période *(indéterminé)* ....

32.   Il faudrait que notre tâche soit un peu mieux *(défini)* ....

1.2 Le pluriel *(Précis*, § 168-171)

EXERCICE 2
Complétez les phrases suivantes avec les adjectifs entre parenthèses.

1.   Les examens *(final)* .... auront lieu en juillet.

2.   Il faisait de grands gestes *(théâtral)* ....

3.   Partout dans le monde, les chantiers *(naval)* .... connaissent des difficultés.

4.   Venez voir nos *(nouveau)* .... modèles.

5.   Les objectifs *(général)* .... doivent être aussi bien définis que les objectifs particuliers.

2. PROBLÈMES D'ACCORD DE L'ADJECTIF QUALIFICATIF *(Précis*, § 177-196)

De la même façon qu'il n'était pas toujours facile de déterminer le sujet du verbe, il n'est pas non plus toujours facile de déterminer à quel nom, ou à quels noms, se rapporte un adjectif. Vous remarquerez d'ailleurs que plusieurs des difficultés d'accord que nous avons vues à propos du verbe reviennent pour l'adjectif.

2.1 Noms coordonnés

Le cas le plus simple est celui où l'adjectif se rapporte aux deux noms :

> *Ce comédien joue avec **un goût et un art parfaits**.*
> *Le doyen et le vice-recteur sont **satisfaits** de leur entente.*

Si l'un des deux noms est féminin, l'adjectif se met tout de même au masculin :

> *Ce comédien joue avec **une justesse et un goût parfaits**.*
> *La doyenne et le vice-recteur sont **satisfaits** de leur entente.*

On évitera autant que possible de placer le nom féminin juste avant l'adjectif :

Ce comédien joue avec un goût et une justesse parfaits.

Il est toujours loisible de remplacer l'adjectif par un autre où le féminin est indifférencié :

*Ce comédien joue avec un goût et une justesse **remarquables**.*

Dans le cas intermédiaire, où le féminin a une forme différente, mais qui ne se distingue pas à la prononciation, on peut juxtaposer le nom féminin et l'adjectif masculin pluriel :

L'ordre et la santé publics *sont menacés.*

Néanmoins, certains trouvent que cette forme est visuellement choquante. Aussi peut-on inverser l'ordre des deux noms :

La santé et l'ordre publics *sont menacés.*

Pour les adjectifs en rapport avec des noms unis par des conjonctions de comparaison ou encore par la conjonction ou, de même que pour les adjectifs en rapport avec des noms synonymes ou en gradation, les principes d'accord sont les mêmes pour l'adjectif que pour le verbe. Reportez-vous à votre grammaire et au module sur l'accord du verbe.

2.2 Adjectifs singuliers et nom pluriel

Quand deux adjectifs se rapportent de façon distributive à un substantif pluriel, il faut bien sûr les laisser au singulier :

*les fronts **méridional et occidental*** (un seul front méridional, un seul front occidental)
*les langues **grecque et latine** (*une langue grecque, une langue latine)
*les **douzième et treizième** siècles*

mais *:*

*le douzième et **le treizième siècle**[1] (*siècle* est qualifié ici par un singulier :
le treizième ; ellipse de *siècle* après *le douzième*)

3. MOTS DÉSIGNANT UNE COULEUR

Remarquez qu'on parle de *mots* et non d'*adjectifs*, car un grand nombre des mots désignant une couleur sont des substantifs et non des adjectifs. Le substantif, ou nom, employé pour désigner une couleur reste invariable :

*des souliers **aubergine***
*des rouges à lèvres **carmin***

---

1 Exemples tirés du *Nouveau dictionnaire des difficultés du français moderne* de Hanse et du *Dictionnaire des difficultés de la langue française* de Thomas.

Dès qu'ils sont composés, autant les adjectifs que les noms désignant des couleurs restent invariables. Vous ne diriez pas :

* Je me suis acheté des chaussettes vertes foncées.

mais plutôt :

*Je me suis acheté des chaussettes **vert foncé**.*

Respectez cette invariabilité dans tous les cas :

des cheveux blond cendré
des chaussettes bleu marine[1]

EXERCICE 3

Complétez les phrases suivantes avec les adjectifs entre parenthèses. Consultez votre grammaire pour toutes les règles particulières.

1.   Il a soulevé l'ire et l'indignation *(général)* ....

2.   Les rouges à lèvres à la mode cet été seront *(orange)* ....

3.   Nous n'avons plus de peinture *(blanc cassé)* ....

4.   Pourriez-vous commander trois douzaines et *(demi)* .... de
     bas *(gris perle)* ....?

5.   L'automne prochain, la mode exploitera toute la gamme des bruns : souliers *(marron)*
     ...., pantalons, chemisiers et chandails *(kaki)* ....,
     (havane) ...., ou *(chocolat)* ....,
     foulards *(mordoré)* ...., rouges à lèvres *(or)* ....
     ou *(bronze)* ....

6.   *Y* est une *(semi)* ....-voyelle.

7.   L'autruche a la tête, ainsi que le cou, *(garni)* .... de duvet.

8.   Sa laideur et son air *(sinistre)* .... repoussent les gens.

9.   J'ai pour vous une estime et une amitié toute *(particulier)* ....

10. La situation était des plus *(compliqué)* .... Il ne fut pas
     des plus *(simple)* .... de la débrouiller.

---

1   La forme correcte est *marine* et non *marin*, car il s'agit en fait du bleu de la marine et non d'un bleu couleur de mer, d'un bleu qui serait marin, comme l'air de la mer, qu'on dit *marin*.

11. Vous me semblez, Madame, des mieux *(informé)* ....

12. Nous avons examiné toutes les solutions *(possible)* ....

13. En fait, ce que nous voulons surtout, c'est faire le moins de dépenses *(possible)* ....

14. Ne trouvez-vous pas qu'elles sont un peu *(cher)* .... ? Pour ma part, je trouve vraiment qu'elles coûtent trop *(cher)* ....

15. C'est une *(fort)* .... tête, mais nous nous faisons *(fort)* .... de lui faire entendre raison.

16. Son offre a l'air *(sérieux)* ....

17. Elle a l'air un peu *(fatigué)* ....

18. Il a fait preuve d'un courage, d'une intrépidité peu *(commun)* ....

19. Où pourrais-je trouver des valises *(bon marché)* .... ?

20. Les manifestations *(anti-nucléaire)* .... se font *(rare)* ....

21. Il faudrait que vous vous adressiez à une personnne *(haut placé)* ....

22. Nous pensons aller en voyage dans les îles *(anglo-saxon)* ....

23. Ils ont tenu *(bon)* ....

24. Notre voyage a été des plus *(mouvementé)* ....

25. La vie est trop courte pour s'habiller de façon *(triste)* .... Même les hommes *(public)* .... s'habillent *(jeune)* ....

26. Soyez là à trois heures et *(demi)* .... sonnantes !

27. Il a porté des accusations à *(demi voilé)* ....

28. Il fut un temps où les femmes ne se promenaient pas *(nu)*.........................-tête, et encore moins les jambes *(nu)* ....

29. Petits pois *(extra-fin)* ....

30. L'entente *(franco-anglais)* .... concernant le tunnel sous la Manche a-t-elle été conclue ?

31.   La question des pluies *(acide)* .... continuera longtemps
      d'envenimer les relations *(canado-américain)* ....

32.   Vous trouverez certainement ce qu'il vous faut dans un magasin de pièces *(détaché)*
      ....

33.   Venez profiter de nos soldes de blanc. Draps de coton *(brodé)* ....
      à demi-prix.

34.   L'un comme l'autre sont *(inutile)* ....

35.   Il faisait montre d'une politesse, d'une amabilité *(exquis)* ....

36.   L'organisation et la synchronisation étaient *(parfait)* ....

37.   L'organisation, la synchronisation *(était, étaient)* .... *(parfait)*
      ....

38.   La sociologie comme la philosophie sont *(abandonné)* ....
      des étudiants.

39.   Le riz ou le millet sont également *(nutritif)* ....

40.   Sa bonté, sa gentillesse *(est, sont)* .... *(touchant)* ....

4. PARTICIPE PRÉSENT OU ADJECTIF VERBAL

Les participes, présents ou passés, peuvent être employés comme des adjectifs et ils
s'accordent alors comme tels.

- Participe passé :

  *Cette nouvelle en a **étonné*** (verbe *étonner* au passé composé) *plus d'un.*

- Adjectif :

  *Il m'a regardé avec une mine **étonnée*** (adjectif, épithète de *mine*).

- Participe présent :

  *La dévaluation a surpris tout le monde, **étonnant***
  (participe présent support d'une proposition participale)
  jusqu'aux cambistes les mieux avertis.

- Adjectif :

  *Vous avez une mine **étonnante*** (adjectif, épithète de *mine*) !
  *Elle est **étonnante*** (adjectif, attribut de *elle*) !

C'est donc par leurs fonctions respectives qu'on distingue l'adjectif du participe. L'adjectif est soit épithète, soit attribut ; le participe est un verbe, il peut donc avoir un sujet, des compléments d'objet et des compléments circonstanciels. Le participe passé sert en outre à former les temps composés.

Un grand nombre d'adjectifs verbaux sont tout à fait lexicalisés, au point qu'on oublie les verbes dont ils sont dérivés. Lorsqu'on dit :

<blockquote>
une chaleur étouffante
une attitude surprenante
</blockquote>

on ne pense guère aux verbes *étouffer* et *surprendre*.

Dans certains cas, l'autonomie de l'adjectif par rapport au verbe dont il est dérivé se traduit par une orthographe différente :

<blockquote>
Nous sommes arrivés la journée précédente (adjectif).
Nous sommes arrivés la journée précédant le concours (part. présent
suivi d'un c.o.d. : précédant quoi? <i>le concours</i>).

Les deux parties avaient des opinions totalement différentes.
Aucune entente n'a été possible, les deux parties différant totalement d'opinion.[1]
</blockquote>

Les adjectifs dérivés des verbes en **-cre, -guer,** et **-quer** ont **presque** toujours une graphie différente de celle des participes présents correspondants :

<blockquote>
Le personnel navigant (adjectif) d'Air Inter réclame un troisième pilote à bord des Air Bus.
Il s'acquittait de ses nouvelles fonctions de main de maître, naviguant (part. présent)
comme pas un entre les écueils de la diplomatie.

Il vous faudrait des arguments plus convaincants (adjectif).
Il a fait un discours magnifique, convainquant (part. présent) jusqu'aux plus sceptiques.
</blockquote>

En dehors des adjectifs dérivés de ces trois catégories de verbes, il n'y a pas de règle. On écrit :

<blockquote>
une personne négligente (négliger)
</blockquote>

mais :

<blockquote>
une personne obligeante (obliger)
</blockquote>

L'adjectif a très souvent la même forme que le nom :

<blockquote>
une personne d'une grande négligence
</blockquote>

et :

<blockquote>
une personne d'une grande obligeance
</blockquote>

---

[1]   Notez que le nom a encore une autre graphie : *Il y a eu un **différend** entre eux.*

On ne peut cependant pas toujours se fier à la graphie du nom :

une personne exigeante

mais *:*

avoir de nombreuses exigences

Voici une liste des principaux cas où le participe présent et l'adjectif verbal ont des formes différentes. Avant de passer à l'exercice qui suit, assurez-vous de bien comprendre le sens des adjectifs et des noms dérivés, qui diffère parfois de celui du verbe correspondant ou encore n'a pas la même extension. Il serait bon également de lire les § 369 à 377 du *Précis*.

	Verbe	Participe présent	Adjectif verbal	(nom)
1.	converger	convergeant	convergent	(convergence)
2.	déférer	déférant	déférent	(déférence)
3.	différer	différant	différent	(différence)
4.	diverger	divergeant	divergent	(divergence)
5.	équivaloir	équivalant	équivalent	(équivalence)
6.	exceller	excellant	excellent	(excellence)
7.	expédier	expédiant	expédient	(expédient)
8.	influer	influant	influent	(influence)
9.	négliger	négligeant	négligent	(négligence)
10.	précéder	précédant	précédent	(précédent)
11.	somnoler	somnolant	somnolent	(somnolence)

S'ajoutent les verbes en *-cre*, en *-guer* et en *-quer*. Les principaux cas sont recensés dans la liste qui est donnée dans le *Précis*.

EXERCICE 4

Complétez les phrases suivantes avec le participe présent du verbe entre parenthèses ou avec l'adjectif ou le nom qui en sont dérivés.

1. La première expérience que l'on fait en physique est celle des vases *(communiquer)*
....

2. Vous obtiendrez plus de détails en *(communiquer)* ....
avec M. Duclos.

3. À un certain âge, beaucoup d'élèves suivent leurs cours en *(somnoler)* ....- .... un peu.

4. Attention, ce médicament peut entraîner la *(somnoler)* ....

5. Quelle journée *(fatiguer)*.................................... !

6. Le lundi matin, elle faisait le tour du bureau, réprimandant l'un, secouant l'autre, et *(fatiguer)* .... tout le monde dès le début de la semaine.

7. Il avait complètement perdu le goût de la vie, *(négliger)* .... jusqu'à sa précieuse collection de timbres.

8. Chaque automne le ramenait inchangé, toujours aussi nonchalant, toujours aussi *(négliger)* .... de sa femme.

9. Nos dates de passage à Montréal ne *(coïncider)* .... pas, il nous faut encore une fois remettre notre rencontre.

10. Quelle *(coïncider)* .... ! J'allais justement vous appeler à ce propos.

11. Si vous acceptez une retraite anticipée, vous aurez droit à une prime de départ *(équivaloir)*.................................... à deux ans de salaire.

12. Ces deux cours sont tout à fait *(équivaloir)* ....

13. C'est d'un ton *(déférer)* .... qu'il s'adressa au président.

14. Leurs conclusions *(diverger)* .... complètement, ils demandèrent l'avis d'un troisième spécialiste.

15. Les deux spécialistes parvinrent à des conclusions totalement *(diverger)* ....

16. C'était un conteur né, *(exceller)* .... à vous faire passer les plus longs frissons dans le dos.

17. Ce n'est pas en *(influer)* .... sur lui que vous aurez gain de cause.

18. Au cours *(précéder)* ...., nous avons traité du nom.

19. *(Précéder)* .... les voitures officielles, une véritable armée de motocyclistes pétaradaient.

EXERCICE 5
Récapitulation

1. Avec la révolution *(industriel)* .... , les campagnes se sont vidées.

2. Vous avez tous été vraiment très *(aimable)* ....

3. *Le, la, les* ne sont pas toujours des articles *(défini)* .... ; ils peuvent aussi être pronoms *(personnel)* ....

4. J'ai en vous la confiance la plus *(total)* ....

5. Il est d'une patience sans *(pareil)* ....

6. Nous avons acheté un *(nouveau)* .... équipement.

7. Nous avons profité de nos vacances en Grèce pour faire une escapade sur la côte *(turc)* ....

8. Ses propos étaient des plus *(convainquant, convaincant)* ....

9. Aucune entente n'a été possible, les deux parties *(différant, différent)* .... d'opinion.

10. Est-ce au quinzième ou au seizième *(siècle)* .... qu'a eu lieu la guerre des deux Roses ?

11. J'ai mangé une *(demi)* .... -douzaine d'huîtres *(cru)* .... et une douzaine et *(demi)* .... d'huîtres *(cuit)* ....

12. Quelle bêtise d'annoncer des huîtres *(frais)* .... ! On espère bien qu'elles ne sont pas *(pourri)* .... et on n'a jamais vu d'huîtres *(congelé)* .... !

13. Il nous a fait une démonstration *(magistral)* ....

14. L'armée a attaqué en même temps sur les fronts *(occidental)* .... et *(oriental)* ....

15. Ne laissez ni la porte ni la fenêtre *(ouvert)* ....

16. Il nous faudrait le point de vue d'une *(tiers)* .... personne.

17. Dans la conjoncture *(actuel)* .... , il nous est impossible de faire de *(nouveau)* .... investissements.

18. Les baux *(commercial)* .... sont soumis à une réglementation à part.

19. Lundi, auront lieu les examens *(oral)* ....

20. Les mélèzes sont les seuls conifères à avoir des feuilles *(caduc)* ....

L'ADJECTIF NUMÉRAL

Les règles d'écriture sont parfaitement expliquées dans le *Précis* (§ 199-205) ainsi que dans toute autre grammaire.

Tableau récapitualtif

Trait d'union	de *dix-sept* à *quatre-vingt-dix-neuf* et lorsque ces séquences apparaissent dans des nombres plus élevés : *trente-cinq, cent dix-sept, dix-huit mille*
et	remplace le trait d'union dans les six cas suivants : *vingt et un, trente et un* *quarante et un, cinquante et un* *soixante et un, soixante et onze*
vingt	*s* si *vingt* est multiplié et n'est pas suivi d'un autre numéral : À **quatre-vingts** *ans, elle avait vingt petits-enfants.* À **quatre-vingt-un** *ans, elle en avait vingt et un.*
cent	même règle que pour *vingt*
mille	**invariable**
million et *milliard*	substantifs et non adjectifs numéraux ; ils n'influent donc pas sur l'accord de *vingt* et de *cent :* *Quatre-vingt mille mais quatre-vingts millions* *deux cent mille mais deux cents milliards*

EXERCICE 6
Transcrivez les nombres suivants en lettres.

4 ....

16 ....

17 ....

20 ....

21 ....

22 ....

31 ....

37 ....

40 ....

41 ....

48 ....

50 ....

51 ....

59 ....

60 ....

61 ....

70 ....

71 ....

80 ....

81 ....

83 ....

90 ....

91 ....

94 ....

99 ....

100 ....

101 ....

200 ....

201 ....

300 ....

301 ....

400 ....

480 ....

482 ....

1 000 ....

1 001 ....

1 100 ....

2 000 ....

50 000 ....

100 000 ....

300 000 ....

1 000 000 ....

2 225 000 ....

80 000 000 ....

200 000 000 ....

CORRIGÉ

1.   **1**. pareille **2**. maligne **3**. éprouvée, subite (Notez que le participe passé du verbe *subir* est *subi : Il a subi de lourdes pertes*) **4**. ancienne **5**. commune **6**. pleine **7**. belle, bel **8**. belle, bel **9**. nouvelle, nouvel **10**. folle **11**. fol **12**. vieil, vieille **13**. vieux **14**. nulle **15**. muette **16**. indiscrète **17**. secrète **18**. complète **19**. tierce **20**. heureuse **21**. épaisse, légère, sèche **22**. naïve **23**. grecque **24**. fraîche **25**. ambiguë (Sans tréma, la dernière syllabe serait muette, comme dans *fatigue*) **26**. meilleure **27**. ultérieure **28**. publique, personnelle **29**. inchangée **30**. incertaine **31**. indéterminée **32**. définie

2.   **1**. finals **2**. Selon le *Petit Robert*, *théâtraux*, mais selon le *Précis*, *théâtrals* est possible. Aussi bien utiliser la forme normale, *théâtraux*. **3**. navals **4**. nouveaux **5**. généraux

3.   **1**. générales (Lorsque les deux noms sont plus ou moins synonymes, comme c'est le cas ici, on peut ne faire l'accord qu'avec le dernier nom : *l'ire et l'indignation générale*.) **2**. orange (Il s'agit d'un substantif.) **3**. blanc cassé **4**. trois douzaines et demie (sous-entendu : et *une* demie), gris perle **5**. souliers marron, pantalons, chemisiers et chandails kaki, havane, ou chocolat, foulards mordorés, rouges à lèvres or ou bronze. **6**. une semi-voyelle **7**. garnie (comparaison plus qu'addition à cause des virgules.) **8**. son air sinistre (*sinistre* ne qualifie qu'*air* ; on ne parle guère de laideur *sinistre*) **9**. toute particulière (accord avec *amitié*), toutes particulières (accord avec *estime* et *amitié*) (Comme *toute* était au singulier, il convenait de faire l'accord avec *amitié* seulement.) **10**. La situation était des plus compliquées. Il ne fut pas des plus simple... (On laisse *simple* au singulier à cause du pronom impersonnel, derrière lequel il n'y a ni genre ni nombre.) **11**. des mieux informées **12**. toutes les solutions possibles **13**. le moins de dépenses possible (*Précis*, § 196) **14**. qu'elles sont un peu chères, qu'elles coûtent trop cher. **15**. une forte tête, nous nous faisons fort. **16**. Son offre a l'air sérieuse (*Précis*, § 183) **17**. Elle a l'air un peu fatiguée (fatigué) **18**. d'un courage, d'une intrépidité peu commune (Noms synonymes : accord avec le dernier.) **19**. des valises bon marché (Syntagme adjectival invariable puisqu'il s'agit en réalité d'une locution nominale.) **20**. Les manifestations anti-nucléaires se font rares. **21**. une personne haut placée **22**. les îles anglo-saxonnes **23**. Ils ont tenu bon. (valeur adverbiale) **24**. Notre voyage a été des plus mouvementés. **25**. de façon triste. Même les hommes publics s'habillent jeune. (emploi adverbial, critiquable, mais qui commande l'invariabilité) **26**. trois heures et demie **27**. des accusations à demi voilées (sans trait d'union) **28**. nu-tête, les jambes nues **29**. extra-fins **30**. L'entente franco-anglaise **31**. des pluies acides, les relations canado-américaines **32**. un magasin de pièces détachées **33**. Draps de coton brodés (Ce sont les draps qui sont brodés et non le coton.) **34**. L'un comme l'autre sont

inutiles. (Le verbe étant au pluriel, l'attribut doit également l'être. Mais puisque *l'un et l'autre* peut être suivi d'un singulier [*Précis*, § 403], *l'un comme l'autre* peut l'être aussi, malgré l'absence de virgules, explicable par la brièveté du syntagme : *L'un comme l'autre est inutile*.) **35.** d'une politesse, d'une amabilité exquise (Noms synonymes : accord avec le dernier.) **36.** parfaites **37.** était parfaite, étaient parfaites (Le deuxième nom précise-t-il le premier ou s'y additionne-t-il ? Les deux sont possibles.) **38.** abandonnées **39.** nutritifs **40.** Sa bonté, sa gentillesse est touchante. (Le pluriel est possible.)

4.   **1.** communicants **2.** communiquant **3.** somnolant **4.** somnolence **5.** fatigante **6.** fatiguant **7.** négligeant **8.** négligent **9.** coïncidant **10.** coïncidence **11.** équivalant **12.** équivalents **13.** déférent **14.** divergeant **15.** divergentes **16.** excellant **17.** influant 18. précédent **19.** précédant

5.   **1.** industrielle **2.** aimables **3.** des articles définis, pronoms personnels **4.** la confiance la plus totale **5.** d'une patience sans pareille **6.** un nouvel équipement **7.** la côte turque **8.** Ses propos étaient des plus convaincants. **9.** les deux parties différant d'opinion **10.** au quinzième ou au seizième siècle **11.** une demi-douzaine d'huîtres crues et une douzaine et demie d'huîtres cuites **12.** des huîtres fraîches, pourries, congelées **13.** magistrale **14.** les fronts occidental et oriental **15.** Ne laissez ni la porte ni la fenêtre ouvertes. (La porte *et* la fenêtre pourraient être laissées ouvertes.) **16.** tierce personne **17.** actuelle, nouveaux **18.** commerciaux **19.** oraux **20.** caduques

6.   quatre, seize, dix-sept, vingt, vingt et un, vingt-deux, trente et un, trente-sept, quarante, quarante et un, quarante-huit, cinquante, cinquante et un, cinquante-neuf, soixante, soixante et un, soixante-dix, soixante et onze, quatre-vingts, quatre-vingt-un, quatre-vingt-trois, quatre-vingt-dix, quatre-vingt-onze, quatre-vingt-quatorze, quatre-vingt-dix-neuf, cent, cent un, deux cents, deux cent un, trois cents, trois cent un, quatre cents, quatre cent quatre-vingts, quatre cent quatre-vingt-deux, mille, mille un, mille cent (onze cents), deux mille, cinquante mille, cent mille, trois cent mille, un million, deux millions deux cent vingt-cinq mille, quatre-vingts millions (*Million* est un substantif et non un pur adjectif numéral. Il n'empêche donc pas le pluriel à *quatre-vingts*.), deux cents millions (même remarque)

MODULE VIII

LES INDÉFINIS

LES INDÉFINIS

Les mots (pronoms, adjectifs déterminants, adverbes) qui font partie de la catégorie des indéfinis sont particulièrement difficiles à cerner, d'une part à cause de leur sens – puisqu'ils renvoient à quelque chose de flou et d'imprécis – et d'autre part par le fait qu'ils peuvent occuper plusieurs fonctions, dont dépendent alors leur nature, leur accord et leur orthographe. On a vu ainsi au module I que la nature du mot *tout* était déterminée par le rôle qu'il jouait dans la phrase :

*Le **tout** est plus grand que ses parties.* (nom)
***Tous** ont été satisfaits de lui.* (pronom)
*Elle est **tout** étonnée.* (adverbe)
*Il a frappé à **toutes** les portes.* (adjectif déterminant)

Les principaux indéfinis sont (*Précis*, § 218) :

divers	*nul*	*quelconque*
aucun	*l'un et l'autre*	*pas un*
quelque	*certain*	*n'importe quel*
plus d'un	*rien*	*chaque*
maints	*plusieurs*	*tel*
différents [1]	*même*	*quel*
tout		

On voit que la majorité d'entre eux apportent des précisions d'ordre quantitatif, soit :

la nullité :	*aucun, rien*, etc.
la singularité :	*chaque, (un) certain*, etc.
la pluralité :	*quelques, plusieurs*, etc.
la totalité :	*tout*

Même exprime l'identité ou la ressemblance, *autre* la différence et *tel* la comparaison.

En fait, les indéfinis qui présentent des difficultés d'accord sont ceux qui peuvent être employés comme adverbes, c'est-à-dire *tout*, *même* et *quelque*. À cette liste s'ajoute *tel*, qui, bien qu'exclusivement employé comme adjectif ou pronom, présente des particularités. C'est donc à eux que nous nous intéresserons.

---

[1] Au singulier, *différent* est toujours adjectif qualificatif : *Autrefois, il professait une opinion différente*. Au pluriel, il est qualificatif ou indéfini, selon son sens : *Différentes* (ind.) personnes professent des opinions différentes (qual.).

1. *TOUT*

a) *Tout* adjectif déterminant

Tout, adjectif déterminant, s'accorde en genre et en nombre avec le nom qu'il détermine. Au singulier, il peut prendre le sens de « chaque » ou de « en entier » alors qu'au pluriel, il exprime la totalité du nombre. Il peut précéder immédiatement le nom :

> **Tout** *effort mérite une récompense.*
> *En* **toutes** *circonstances, assurez-vous de garder l'anonymat.*

ou en être séparé par un déterminant (article, adjectif possessif ou démonstratif) :

> **Tous** *mes espoirs ont été anéantis.*
> **Toute** *la ville en parle.*

Cependant, *tout* reste invariable devant un nom d'auteur ou un nom de ville lorsqu'il désigne l'ensemble des œuvres ou des habitants :

> *Il a lu* **tout** *Anne Hébert.*
> **Tout** *Montréal était au rendez-vous.*

b) *Tout* adverbe

Tout est adverbe et invariable lorsqu'il se rapporte à un adjectif. Il exprime alors l'intensité ou la totalité de la qualité exprimée :

> *Jean et Nicole étaient* **tout** *heureux de mon succès.*
> *Françoise est* **tout** *étonnée de la lettre qu'elle a reçue.*

Cependant, seule exception à l'invariabilité des adverbes, *tout* varie devant un adjectif féminin commençant par une consonne ou un *h* aspiré :

> *Elles étaient* **toutes** *honteuses de leur résultat.*
> *Sylvie était* **toute** *consternée.*

Pour savoir si un *h* est aspiré ou non, il faut consulter un dictionnaire qui donne la transcription phonétique des mots. Ainsi, vous trouverez dans le *Petit Robert* aux mots *habillé* et *honteux* les informations suivantes :

> *habillé [abije]*
> *honteux ['t* φ *]*

La présence de l'apostrophe ['] au début de la transcription indique que le *h* est aspiré et qu'il est l'équivalent d'une consonne : *tout* s'accorde. À l'inverse, l'absence de l'apostrophe indique que le *h* est muet et qu'il correspond à une voyelle : *tout* reste invariable.

Si vous n'avez pas de dictionnaire sous la main, il suffit d'employer le déterminant *le* / *la* devant l'adjectif (si c'est possible) ou devant le nom dont dérive l'adjectif. S'il s'élide, comme il le ferait devant une voyelle, le ***h*** est muet :

L'habit ne fait pas le moine. (non pas **le habit*)

Donc :

Elle dort ***tout*** *habillée.*

Si l'article ne s'élide pas, comme devant une consonne, le *h* est aspiré :

la honte *(et non* **l'h*onte *)*

Donc :

des petites filles ***toutes*** *honteuses*

Cependant, à l'oral on ne respecte pas toujours la norme : on entendra, par exemple, plus souvent **l'handicap* que *le handicap* alors qu'ici le *h* est aspiré.

Devant des noms et des expressions à valeur adjectivale *tout* est adverbe et invariable :

Ils sont ***tout*** *obéissance[2] avec moi.*
Elle était ***tout*** *yeux tout oreilles.*

c)   *Tout* **devant** *autre*

Tout devant *autre* peut être adjectif ou adverbe ; c'est le sens qui nous renseignera sur sa nature. Adjectif, il a le sens de « n'importe quel autre que celui-là, que celle-là » :

Toute *autre personne aurait agi différemment.*

Adverbe, il signifie « tout à fait autre », « tout à fait différent » :

C'est une ***tout*** *autre raison qu'il m'a donnée.*

Dans le premier cas, il s'accorde avec le nom auquel il se rapporte. Dans le second, il reste invariable.

d)   *Tout* **pronom**

Comme pronom, *tout* prend le genre et le nombre du mot ou du groupe de mots qu'il représente :

Les syndiqués se sont-ils réunis hier ? Oui, ***tous*** *étaient présents.*
Les jeunes filles n'avaient pas l'air pucelles ; ***toutes*** *portaient des vêtements et un maquillage qui ne laissaient aucun doute.*

---

2   L'accord se rencontre parfois : *Ils sont* ***tout(e)*** *obéissance.*

Au singulier, il est surtout employé nominalement, c'est-à-dire qu'il ne rappelle pas quelque chose que l'on a évoqué auparavant :

Tout *est parfait.*
Chez lui, **tout** *respire la joie de vivre.*

EXERCICE 1

Donnez la nature du mot *tout* dans les phrases suivantes.

1. Tout le groupe était en colère contre moi.

   ....

2. Elles étaient tout époustouflées de mon audace.

   ....

3. Tout doit être payé la semaine prochaine.

   ....

4. Cet enfant est tout pour moi.

   ....

5. Tout autre que lui m'aurait invitée à danser.

   ....

6. Il a dépouillé tout le courrier.

   ....

7. Tout est si passionnant en Alaska.

   ....

8. Il est encore tout feu tout flamme à son égard.

   ....

9. Je ne porte que des chandails tout laine.

   ....

10. Tout enfant doit obéir à ses parents.

    ....

EXERCICE 2

Complétez les phrases suivantes à l'aide du mot *tout* et faites les accords qui s'imposent.

1. Ce n'est pas parce qu'elle a lu .... Agatha Christie qu'elle doit se prendre pour Sherlock Holmes.

2. .... ses ennuis ont commencé lorsqu'il l'a rencontrée.

3. .... restèrent médusés devant son accoutrement.

4. Si vous remplissez .... les conditions, je vous rappellerai.

5. Au début, elle me parlait .... gentiment, maintenant, elle est ....autre.

6. Les carreaux sont .... cassés, je me demande ce qui s'est passé.

7. J'ai .... confiance en lui.

8. .... les livres ont volé dans les airs. J'en suis encore .... remuée.

9. .... étonnée, madame Lambert accepta le colis.

10. D'où viennent Claire et Lucie ? Elles sont........................ halées!

11. Elle en est restée .... hébétée.

12. .... vos caprices commencent à m'énerver.

13. .... calorie vide doit être évitée.

14. J'ai frappé à .... les portes.

15. Enfin, ... est fini!

2. *MÊME*

a) *Même* adjectif

Même est adjectif et variable lorsqu'il se rapporte à un nom ou à un pronom (auquel il est joint par un trait d'union) et qu'il désigne l'identité ou la ressemblance :

*Ce sont ces cigarettes **mêmes** qu'elle fumait.*

*Elle portait les **mêmes** vêtements que sa sœur.*
*Elles se fient trop à elles-**mêmes**.*

b)   *Même* adverbe

Même est adverbe et invariable lorsqu'il a le sens de « aussi », « de plus », « jusqu'à ». Il peut modifier un nom dont il est séparé par un déterminant :

*   **Même** *les histoires de fantômes ne lui faisaient pas peur.*

un adjectif :

*   **Même** *épuisés, les soldats n'arrivaient pas à dormir.*

un verbe :

*   *Ils hurlaient, piaffaient **même**.*

une proposition, une phrase :

*   *Et **même**, il avait encore le temps d'aller au cinéma.*

c)   Un emploi non résolu

Les grammairiens ne s'entendent pas sur la nature de *même* lorsqu'il a le sens de « jusqu'à » et qu'il se rapporte à un nom qui le précède. Certains le considèrent comme adjectif et conseillent l'accord ; d'autres y voient une valeur adverbiale et recommandent l'invariabilité. L'accord est donc facultatif :

*   *Les hommes, les femmes, les enfants **même(s)***
*   *(=* « jusqu'aux enfants » *) furent massacrés.*

d)   *Même* pronom

Même pronom ne se rencontre qu'avec le déterminant article *le* / *la* / *les* et est généralement attribut :

*   *Ce sont les **mêmes** qui ont assassiné mon père.*

EXERCICE 3
Donnez la nature du mot *même* dans les phrases suivantes.

1.   Même le couronnement de la reine ne l'a pas intéressé.

     ....

2.   Il raconte toujours la même histoire.

     ....

3. Il tiendra probablement à faire le travail lui-même.

    ....

4. Même en portant ses lunettes, elle n'y voit rien.

    ....

5. Et même, elle a réussi à déjeuner avec lui.

    ....

6. C'est le même règlement pour tout le monde.

    ....

7. Même le chien ne voudrait pas y goûter.

    ....

8. Même heureuse, elle a toujours cet air renfrogné.

    ....

9. Il est même arrivé à nous faire croire qu'il avait eu un accident.

    ....

10. Je ne crois qu'en moi-même.

    ....

EXERCICE 4

Complétez les phrases suivantes à l'aide du mot *même* et accordez-le lorsque c'est nécessaire.

1. .... déchaînés, la mer et le fleuve étaient pour lui des alliés.

2. Parfois, ils arrivaient .... à faire des profits.

3. J'éprouvais envers elle les .... sentiments qu'envers ma mère.

4. Quel enfant désabusé! Les funambules, les acrobates, les femmes à barbe .... ne l'impressionnent pas.

5.   .... vos chaussettes sont boueuses.

6.   Ils ont construit eux .... leur maison.

7.   J'espère .... qu'ils seront pénalisés pour ce qu'ils ont fait.

8.   Ce sont ces bijoux .... qui m'ont été volés.

9.   .... mûrs, les avocats sont indigestes.

10. Madame, c'est vous .... qui me l'avez proposé.

3. *QUELQUE, QUEL... QUE, QUELQUE... QUE*

a)   *Quelque* adjectif

L'orthographe de *quelque* présente des difficultés particulières du fait qu'à l'oral il se confond avec l'adjectif *quel* suivi de *que*.

Quelque est adjectif et s'écrit en un seul mot lorsqu'il a le sens de « un certain » au singulier et de « un petit nombre » au pluriel. Il s'accorde avec le nom auquel il se rapporte :

> *Il a joué **quelque** personnage ténébreux dans cette pièce.*
> *J'ai apporté **quelques** fruits pour le dessert.*

Quel... que s'écrit en deux mots lorsqu'il est accompagné d'un verbe d'état au subjonctif (généralement *être*, parfois des verbes semi-auxiliaires tels *devoir, pouvoir*). Il a le sens de « peu importe » et s'accorde avec le mot qu'il caractérise par l'intermédiaire du verbe :

> ***Quelles qu'**en soient les difficultés, j'y arriverai.*
> ***Quels que** soient vos problèmes, n'hésitez pas à m'appeler.*

b)   *Quelque* adverbe

Quelque est adverbe et invariable lorsque, devant un nombre, il a le sens de « environ » :

> *Ils ont invité **quelque** deux cents personnes à leur mariage.*
> *Les **quelque** quinze kilomètres que nous avons parcourus m'ont épuisé.*

EXERCICE 5

Complétez les phrases suivantes avec *quelque* ou *quel que* et accordez-les lorsqu'il y a lieu.

1. Rendez-vous dans .... heures devant le chalet des Poulin!

2. J'aime les enfants, ... ils soient.

3. Il y aura .... cent questions à l'examen.

4. Nous avons reçu .... centaines de lettres.

5. .... fillettes s'amusaient sur la plage.

6. Depuis .... temps, les lapins ne touchent plus aux carottes.

7. .... soit l'heure, vous êtes toujours attendu chez moi.

8. Que veux-tu que je fasse de ces .... poireaux rachitiques ?

9. .... soient vos récriminations, je n'y accorde aucun intérêt.

10. Ce poulet pèse............................ huit cents grammes.

c) **L'expression *quelque... que***

Dans l'expression *quelque... que*, toujours suivie du subjonctif, *quelque* s'écrit en un seul mot. Il est adverbe et invariable devant un adjectif ou un autre adverbe s'il a le sens de « si » ou de « aussi » :

> *Quelque repentis qu'ils soient, je ne leur ferai plus confiance.*
> *Quelque prudemment qu'il conduise, je m'en méfie.*
> *Quelque audacieux que soient vos actes, vous n'êtes jamais qu'un lâche.*
> (Autrement dit : même s'ils sont repentis..., même s'il conduit prudemment..., même si vos actes...)

Il est adjectif et variable devant un nom, précédé ou non d'un adjectif, lorsqu'il a le sens de « peu importe » :

> *Quelques vêtements qu'il porte, il a toujours l'air ridicule.*

EXERCICE 6

Complétez les phrases suivantes avec l'expression *quelque... que* et faites les accords qui s'imposent.

1. .... importantes .... soient vos raisons, vous resterez jusqu'à la fermeture.

2. .... raisons .... vous évoquiez, vous resterez jusqu'à la fermeture.

3. .... agréables .... soient vos manières, vous n'en faites toujours qu'à votre tête.

4. .... joliment .... vous vous habilliez, il n'en demeure pas moins que vous dilapidez mon argent.

5. .... sentiments .... vous ressentiez à son égard, ne les laissez jamais paraître.

EXERCICE 7

Complétez les phrases suivantes avec le mot ou l'expression qui convient et faites les accords qui s'imposent.

1. Il ne reste plus que .... paysans dans cette communauté.

2. .... soient les bénéfices que me procurera cette affaire, j'en subirai aussi .... ennuis.

3. Il a accumulé .... cent cinquante points à la dernière compétition.

4. Il faut s'attendre à .... bêtise de sa part.

5. .... beignes traînaient sur la table. .... rassis ....ils fussent, je les dévorai avec avidité.

6. .... fragiles ....elles soient, les femmes sont plus résistantes que les hommes.

7. Dans .... minutes, cette bombe va exploser.

8. .... soient vos maladresses, je vous les pardonne à la condition que vous me rendiez .... services.

9. A-t-il encore ....espoir de la changer ?

10. Qui a dit que l'accord de *quelque* présentait .... difficultés ?

4 . *TEL, TEL QUE ET TEL QUEL* ADJECTIFS

C'est seulement lorsque *tel* et *tel que* établissent une comparaison entre deux termes que l'on peut hésiter dans l'accord : avec lequel des deux termes s'accordent-ils ? avec celui qui précède ? ou avec celui qui suit ?

En fait la règle est simple : *tel* s'accorde avec le nom qui le suit et *tel que* s'accorde, dans la majorité des cas, avec celui qui le précède :

> *Telle* une hirondelle, le petit Nicolas s'envola sous les yeux de sa mère.
> Hélène ondulait dans l'eau *tel* un serpent de mer.
> Il n'attrapait que des insectes *tels que* les libellules.
> On en a fait plusieurs traductions *telles que* Le rendez-vous manqué.

Autrement, c'est-à-dire lorsque *tel* caractérise un seul objet, il s'accorde avec lui :

> *Telle* avait été ma destinée. (attribut du sujet)
> Je la croyais *telle*. (attribut du c.o.d.)
> *Telle quelle*, cette robe ne me plaît pas ; ajoutez-lui un jabot. (apposition)

EXERCICE 8
Accordez correctement *tel*, *tel que* et *tel quel* dans les phrases suivantes.

1. Il adore les mollusques .... les moules et les huîtres.

2. Je t'avais pourtant demandé de laisser mes livres ....

3. Lucie sautait de roche en roche .... un crapaud.

4. .... sont les recommandations de votre oncle.

5. Le ballon monta au ciel .... une fusée.

6. Charmante et détendue : .... était Claire avec ses intimes.

7. J'ai besoin que l'on me reconnaisse .... je suis réellement.

8. .... un phare, l'étoile nous guidait à travers champs.

9. Il a dit que les fruits .... la tomate et l'avocat sont de nature hybride.

10. Des grammaires .... le *Précis* sont-elles vraiment utiles aux étudiants ?

5 . RÉCAPITULATION

EXERCICE 9

Complétez les phrases suivantes à l'aide de *tout* correctement accordé.

1. Essayez de relever .... les erreurs.

2. .... Sherbrooke était en émoi.

3. .... endimanchée, Suzanne trottinait derrière ses parents.

4. Nous avons atteint notre objectif : ils ont .... répondu à notre appel.

5. .... générosité cache un sentiment de culpabilité.

6. Depuis qu'elle est revenue de Grèce, Hélène est .... resplendissante.

7. .... autre employée aurait profité de l'occasion.

8. Il me regarda avec ses yeux de vieillard, des petits yeux .... humides.

9. Vous devez remettre à l'agent .... vos effets personnels.

EXERCICE 10

Complétez les phrases suivantes à l'aide de *même* correctement accordé.

1. .... timides, les enfants sont toujours spontanés.

2. Il nous a servi les .... balivernes qu'à toi.

3.   Ils ont protesté et sont .... allés jusqu'à prétendre que vous aviez monté toute l'affaire.

4.   Ils vous diront eux .... ce qui ne va pas.

5.   Ce sont ces produits .... qui ont provoqué l'explosion.

6.   .... ses proches souhaitent son départ.

EXERCICE 11

Quelque, quel... que et quelque... que : utilisez la locution ou le mot qui convient dans les phrases qui suivent et faites les accords qui s'imposent.

1.   .... soit la subvention que l'on m'accordera, j'irai au colloque de Cerisy l'été prochain.

2.   Venez vers les sept heures ; je reçois .... collègues à souper.

3.   Ajoutez .... pruneaux à l'armagnac et le menu sera complet.

4.   .... gentils qu'ils soient, leurs manières laissent à désirer.

5.   Il a fait .... trente degrés Celsius cette nuit.

6.   Madame a reçu hier soir .... mystérieux visiteur ; n'en dites surtout rien à Monsieur.

7.   .... habiles ménagères réussissaient pourtant à lui soustraire de la farine et des oeufs.

8.   .... soit son ambition, elle ne réussit pas à terminer ce doctorat.

9.   .... ambitieuses qu'elles soient, elles ont de la peine à terminer leur doctorat.

EXERCICE 12

Complétez les phrases suivantes à l'aide de *tel, tel que ou tel quel* et faites les accords qui s'imposent.

1.   Il est certain que les patients qui ont subi des interventions chirurgicales rapprochées développent une accoutumance à des drogues .... la morphine.

2.   J'ai levé les yeux et j'ai aperçu Marie et Lise suspendues, ……………………………
      de petits singes, aux branches du peuplier.

3.   Si vous n'acceptez pas cette marchandise ……………………………………, je vous
      poursuis pour n'avoir pas respecté votre contrat.

4.   ……………………… un cadavre, Chantal était allongée sur la grève ; aucun
      souffle ne semblait soulever sa poitrine.

5.   À 85 ans, ma mère était restée ……………………………… elle avait toujours été :
      enthousiaste, optimiste et débordante d'énergie.

6.   Des surprises ……………………… celles-là, je m'en passerais bien !

CORRIGÉ

1. **1**. adjectif ; *tout* détermine *groupe* **2**. adverbe ; *tout* modifie l'adjectif *époustouflées*. On aurait pu avoir aussi *toutes* (adjectif) époustouflées, ce qui aurait signifié que chacune d'elles était époustouflée ; adverbe et invariable, il a le sens de « très », « complètement ».   **3**. pronom ; *tout* est sujet de *doit être payé* . **4**. pronom ; attribut du sujet *cet enfant*. **5**. adjectif ; il a le sens de « n'importe quel autre ». **6**. adjectif ; détermine *courrier*. **7**. pronom ; sujet de *est passionnant*. **8**. adverbe ; *tout* peut modifier un nom lorsqu'il a le sens d'« entièrement ». **9**. adverbe ; même remarque. **10**. adjectif ; détermine *enfant*.

2. **1**. tout (invariable devant un nom d'auteur) **2**. Tous (adjectif) **3**. Tous (pronom) **4**. toutes (adjectif) On aurait pu avoir aussi *tous* (pronom) en fonction attribut du sujet *vous*. **5**. tout (adverbe) ; tout (adverbe : sens de « tout à fait autre ») **6**. tous (adjectif attribut de *carreaux*) *ou* tout (dans le sens de complètement). **7**. toute (adjectif) **8**. Tous (adjectif) ; toute (adverbe variable devant un adjectif féminin commençant par une consonne) **9**. Tout (adverbe invariable devant voyelle) **10**. toutes (adverbe variable devant un *h* aspiré) **11**. tout (adverbe invariable devant *h* muet) **12**. Tous (adjectif) **13**. Toute (adjectif) **14**. toutes (adjectif) **15**. tout (pronom, ou nom si on veut parler du mot *tout*)

3. **1**. adverbe ; *même*, séparé du nom par un déterminant, est toujours adverbe. **2**. adjectif ; détermine *histoire*. **3**. adjectif ; détermine le pronom *lui*. **4**. adverbe ; modifie toute la proposition. **5**. adverbe ; modifie toute la phrase. **6**. adjectif ; détermine *règlement*. **7**. adverbe ; séparé du nom par un déterminant. **8**. adverbe ; modifie l'adjectif *heureuse*. **9**. adverbe ; modifie le verbe *est arrivé*. **10**. adjectif ; détermine le pronom *moi*.

4. **1**. Même (adverbe, modifie le participe passé *déchaînés*, qui a ici valeur adjectivale.) **2**. *même* (adverbe, modifie le verbe *arrivaient*.) **3**. mêmes (adjectif, détermine *sentiments*.) **4**. mêmes(s) (adverbe ou adjectif, l'accord est facultatif.) **5**. Même (adverbe, séparé du nom par un déterminant.) **6**. eux-mêmes (adjectif, détermine le pronom *eux*.) **7**. même (adverbe, modifie le verbe *espère*.) **8**. mêmes (adjectif, détermine *bijoux*.) **9**. Même (adverbe, modifie l'adjectif *mûrs*.) **10**. vous-même (adjectif, détermine le pronom de politesse *vous*, singulier. Mais : *Mesdames , c'est vous-mêmes qui me l'avez proposé*.)

5. **1**. quelques (adjectif, détermine *heures*.) **2**. quels qu'(adjectif, attribut de *enfants* ; présence du verbe *être* au subjonctif.) **3**. quelque (adverbe ; sens de « environ ») **4**. quelques (adjectif, détermine *centaines* ; sens de «un petit nombre de».) **5**. Quelques (adjectif, détermine *fillettes*.) **6**. quelque (adjectif, détermine *temps* ; sens de « un certain temps ».) **7**. Quelle que (adjectif, attribut de *heure* ; présence du verbe *être* au subjonctif.) **8**. quelques (adjectif, détermine *poireaux*.) **9**. Quelles

que (adjectif attribut de *récriminations* ; présence du verbe *être* au subjonctif.)
10. quelque (adverbe ; sens de « environ »)

6.   **1**. Quelque importantes que (*quelque* ne s'élide que dans l'expression *quelqu'un*.)
2. Quelques raisons que   **3**. Quelque agréables que   **4**. Quelque joliment que
5. Quelques sentiments que

7.   **1**. quelques (adjectif, détermine *paysans*.) **2**. Quels que (adjectif, attribut de
bénéfices) ; quelques (adjectif, détermine *ennuis*.) **3**. quelque (adverbe) **4**. quelque
(adjectif, détermine *bêtise*.) **5**. Quelques (adjectif, détermine *beignes*) ; quelque...
qu'(adverbe) **6**. Quelque qu'(adjectif, attribut de *elles*) **7**. quelques (adjectif,
détermine *minutes*.) **8**. Quelles que (adjectif, attribut de *maladresses*) ; quelques
(adjectif, détermine *services*.) **9**. quelque **10**. quelques (adjetif, détermine *difficultés*.)

8.   **1**. tels que (détermine *mollusques*) **2**. tels quels (détermine *livres*) **3**. tel (détermine
crapaud) **4**. Telles (attribut de *recommandations*) **5**. telle (détermine *fusée*) **6**. telle
(attribut de *Claire*) **7**. tel *ou* telle que (attribut de *je*) **8**. Tel (détermine *phare*)
9. tels que (détermine *fruits*) **10**. telles que (détermine *grammaires*).

9.   **1**. toutes **2**. Tout **3**. Tout **4**. tous **5**. Toute **6**. toute **7**. Toute **8**. tout **9**. tous

10.   **1**. Même **2**. mêmes **3**. même **4**. eux-mêmes **5**. mêmes **6**. Même

11.   **1**. Quelle que **2**. quelques **3**. quelques **4**. Quelque **5**. quelque **6**. quelque
7. Quelques **8**. Quelle que **9**. Quelque

12.   **1**. telles que **2**. tels **3**. telle quelle **4**. Tel **5**. telle qu' **6**. telles que

MODULE IX

QUESTIONS DE SYNTAXE

QUESTIONS DE SYNTAXE

Que faut-il penser de phrases comme *Il s'est produit un accident dont la cause en est inconnue. *Il a insisté sur comment il fallait présenter le travail* ? Pour terminer une lettre, écrit-on *En terminant, veuillez agréer...* ou *En terminant, je vous prie d'agréer...* ?

Si la rédaction d'une phrase déclarative simple (phrase contenant un seul verbe conjugué) ne pose généralement pas de problème, on ne peut en dire autant des phrases interrogatives et négatives, ni des phrases complexes (qui contiennent plus d'un verbe conjugué). Leur rédaction pose en effet souvent problème : on hésite, se demandant comment articuler les différents éléments de la phrase et quelles tournures privilégier.

Ces problèmes, ces hésitations viennent généralement du fait qu'à l'oral, dans la conversation courante, on privilégie la phrase simple, on parle par « bouts de phrase ». De plus, l'oral a sa syntaxe propre – plus simple, il faut le dire, que celle de l'écrit – ; or, ce qui est tout à fait acceptable dans la langue orale familière ne l'est pas nécessairement dans la langue écrite.

Ainsi, des questions formulées en termes aussi simples que *Combien que ça coûte ?* ou *Tu prends quoi ?* sont courantes dans la langue orale familière. Dans la langue écrite, il faudra cependant leur préférer des structures interrogatives plus complexes, telles que *Combien est-ce que ça coûte ?*, *Combien cela coûte-t-il ?* et *Qu'est-ce que tu prends ?*

Dans la langue écrite, on a abondamment recours à la phrase complexe pour exprimer ses pensées. Précisons tout de suite qu'il n'y a pas de limite établie à la longueur d'une phrase – qu'on pense seulement aux longues phrases de Marcel Proust ! – ; il faut cependant savoir que plus la phrase s'allonge, plus il devient délicat d'en agencer les composantes. Aussi vaut-il sans doute mieux s'en tenir à des phrases d'une longueur raisonnable, contenant deux, trois ou quatre propositions (ou verbes conjugués).

Dans ce dernier module, nous allons passer en revue les différents points qui peuvent poser problème dans la rédaction d'une phrase complexe, notamment dans l'emploi de certains mots-liens ou articulateurs (pronoms relatifs, conjonctions, prépositions).

Nous nous attarderons également à la syntaxe des phrases interrogatives et négatives, qui doit obéir à des règles précises qu'on a tendance à oublier, à transformer ou à confondre !

1. EMPLOI DES PRONOMS RELATIFS (*Précis*, § 256 à 265)

Pourquoi écrit-on *la fille **dont** je te parle* et non *la fille **que** je te parle* ?

Les pronoms relatifs, vous le savez déjà, introduisent des propositions dites relatives. Ils servent à joindre le nom ou le pronom qu'ils représentent – et qu'on appelle antécédent – à la proposition relative qu'ils introduisent. Ainsi, dans la phrase :

> *La maison **que** j'ai visitée coûte malheureusement trop cher pour moi.*

que fait le pont entre l'antécédent *maison* et le reste de la proposition relative, *j'ai visitée*.

L'emploi de tel ou tel pronom relatif dépend de sa fonction dans la proposition relative ; ce n'est donc pas par hasard que l'on utilise *qui, que* ou *dont* dans une phrase donnée. Voyons comment cela fonctionne...

1.1 Formes et fonctions des pronoms relatifs

À chaque pronom relatif correspond une fonction donnée. Parmi les formes du pronom relatif, on distingue en outre des **formes simples** et **des formes composées.**

Les formes simples du pronom relatif sont : *qui, que, quoi, dont* et *où*. Revoyons leurs fonctions principales :

Qui est le pronom sujet :

> *L'étudiant **qui** travaille ne peut que réussir.*
> (*qui* : sujet de *travaille*)

Qui est parfois précédé d'une préposition, auquel cas il devient complément d'objet indirect du verbe de la proposition relative :

> *La femme **à qui** je me suis adressé ne parlait pas français.*
> *Malheur à celui **par qui** les problèmes arrivent !*

Que est le pronom complément d'objet direct du verbe de la proposition relative :

> *Pour qui sont tous ces cadeaux **que** tu as achetés ?*
> (*que* : complément d'objet direct de *as achetés*)

Que est attribut quand le verbe de la proposition relative est un verbe d'état :

> *Chanceux **que** vous êtes !*

Dont représente toujours un complément introduit par la préposition *de*. Il peut s'agir d'un complément d'objet indirect, mais aussi d'un complément de nom, d'adjectif...

> *Le garçon **dont** je parle...* (je parle **de** ce garçon)
> *Ma voiture, **dont** les pneus sont usés...* (les pneus **de** ma voiture)
> *Voilà un résultat **dont** elle est fière.* (elle est fière **de** ce résultat)

Où est complément circonstanciel de lieu ou de temps; il peut s'utiliser seul ou précédé d'une préposition :

> *La ville **où** il est né...* (complément circonstanciel de lieu)
> *La ville d'**où** il vient...* (complément circonstanciel de lieu)
> *Le jour **où** il est né...* (complément circonstanciel de temps)

Quoi est presque toujours précédé d'une préposition. Il ne s'applique qu'à des choses, c'est-à-dire que son antécédent ne peut être qu'une chose, généralement vague. *Quoi* est complément d'objet indirect du verbe de la proposition relative :

*Il n'y a rien **sur quoi** nous soyons d'accord.*
*C'est ce **sur quoi** vous comptez ?*
*C'est ce **par quoi** nous allons commencer.*

Quant aux formes composées du pronom relatif, elles proviennent toutes de la forme *lequel*. La forme *lequel* varie selon le genre et le nombre de l'antécédent, et aussi selon sa fonction dans la proposition relative. La plupart du temps, le pronom *lequel* est précédé d'une préposition qui indique le type de complément.

*C'est une solution **à laquelle** je n'avais pas pensé.*
(*laquelle* : complément d'objet indirect de *avais pensé*)

*L'immeuble **dans lequel** j'habite est paisible.*
(*lequel* : complément circonstanciel de lieu de *habite*)

Comme complément, *lequel*, toujours précédé d'une préposition, renvoie à un nom de chose ou d'animal. Si l'antécédent est une personne, on préférera *qui* à *lequel* :

L'entreprise pour laquelle il travaille devra fermer ses portes.
(laquelle = entreprise)

Marie, pour qui Pierre travaillait depuis quinze ans, a démissionné
de son poste de directrice. (qui = Marie)

1.2 Place du pronom relatif

Pour éviter équivoques ou ambiguïtés, on place généralement le pronom relatif le plus près possible de son antécédent.

Il y a un **drapeau sur le toit **qui** flotte.* (qui = drapeau ou toit ?)
*Il y a un **drapeau qui** flotte sur le toit.*
Voilà le **chien du voisin **qui** a volé mes saucisses !* (qui = chien ou voisin ?)
*Voilà le **chien qui** a volé mes saucisses ! C'est le chien du voisin* (qui = chien)

1.3 Choix du pronom relatif

Transformer la phrase qui contient une subordonnée relative en deux propositions indépendantes aide à choisir le pronom relatif qui convient, puisque cette transformation permet de trouver la fonction du mot ou du groupe de mots que le pronom relatif représentera. Et on sait que le choix de tel ou tel pronom relatif dépend de sa fonction. Voici comment procéder :

a)   La maison .... je te parle est à vendre depuis six mois.

Première étape : faire deux propositions indépendantes à partir de cette phrase complexe.

*La maison est à vendre depuis six mois. Je te parle **de cette maison**.*

Deuxième étape : trouver la fonction du mot répété que le pronom relatif remplacera.

De cette maison : complément d'objet indirect.

Le pronom relatif qui remplace un complément d'objet indirect introduit par la préposition *de* étant le pronom *dont*, on aura :

*La maison **dont** je te parle est à vendre depuis six mois.*

b)   Le professeur .... j'ai parlé a refusé de m'accorder un délai.

*Le professeur a refusé de m'accorder un délai. J'ai parlé **à ce professeur**.*

Le pronom relatif qui remplace un complément d'objet indirect introduit par la préposition *à* est *qui* (s'il représente un être animé, comme dans cet exemple). On aura donc :

*Le professeur **à qui** j'ai parlé a refusé de m'accorder un délai.*

c)   Le tabouret .... tu es assis aurait besoin d'être repeint.

*Le tabouret aurait besoin d'être repeint. Tu es assis **sur le tabouret**.*

En conservant la préposition *sur* et en remplaçant le mot répété par le pronom relatif *lequel*, on aura :

*Le tabouret **sur lequel** tu es assis aurait besoin d'être repeint.*

1.4 Remarques sur l'emploi du pronom *dont*

Le pronom *dont*, qui renferme la préposition *de*, peut être complément du verbe, du nom, de l'adjectif ou de l'adverbe de quantité.

*Voilà le livre **dont** j'ai besoin.*
*C'est un résultat **dont** il est fier.*
*Ce livre **dont** je **parle** coûte une petite fortune.*
*Ces enfants, **dont beaucoup** ont moins de cinq ans, ont dû être retirés de la garderie.*

1. Dans la mise en relief *c'est ... (qui) / que*, lorsque l'élément mis en relief est introduit par la préposition *de*, il ne faut pas employer le pronom *dont* :

C'est de l'examen qu'il sera question. (et non : **C'est de l'examen **dont** il sera question.*)

L'emploi de *dont* ici constituerait une forme de redondance comme le serait l'emploi de la préposition *à* dans le même cas :

C'est à Pierre que j'ai parlé. (et non : **C'est à Pierre **à qui** j'ai parlé.*)

2. Le pronom *dont* ne peut pas compléter un nom complément d'un verbe et précédé d'une préposition. Ainsi, on peut écrire :

*C'est un appareil **dont** je connais le **fonctionnement**.*

parce que *fonctionnement* est complément d'objet direct du verbe *connais*; il n'y a donc pas de préposition. On ne peut cependant pas écrire :

C'est un appareil dont je m'intéresse au fonctionnement.

Fonctionnement, dans l'exemple précédent, est un complément d'objet indirect (introduit par la préposition *à*) du verbe *intéresse*. Il faut construire la phrase comme suit :

*C'est un appareil au **fonctionnement duquel** je m'intéresse.*

Dans de tels cas, soit quand le pronom relatif est complément d'un nom lui-même précédé d'une préposition, on emploie *de qui* (pour remplacer les noms de personnes seulement), *duquel*, *desquels*, *de laquelle* ou *desquelles*.

3. Comme le pronom relatif renvoie déjà à un antécédent, il faut éviter d'ajouter un autre terme qui y renvoie aussi :

*Ce chat **dont** vous admirez **sa** couleur est un persan.*

dont et *sa* renvoient tous les deux à l'antécédent *chat*. On écrira plutôt :

*Le chat dont vous admirez **la** couleur est un persan.*

Même redondance dans l'exemple suivant :

*Il s'agit d'ateliers **auxquels** tout le monde pourra **y** participer.*

auxquels et *y* renvoient tous deux à l'antécédent *ateliers*. On supprimera le *y*, qui n'ajoute rien à la phrase :

*Il s'agit d'ateliers **auxquels** tout le monde pourra participer.*

EXERCICE 1
Dans les phrases suivantes, remplacez les pointillés par le pronom relatif qui convient, précédé s'il y a lieu d'une préposition.

1. La situation .... nous devons faire face n'est pas simple.

2. La personne à côté de .... tu es assis est la présidente du syndicat.

3. La garderie .... mes enfants fréquentent devra fermer ses portes.

4. Ce .... les Québécois doivent prendre conscience, c'est qu'ils détiennent le record peu glorieux de plus grands consommateurs d'énergie sur la planète.

5. Les dépenses énergétiques du Québec, ... plus de la moitié sont attribuables à notre mode de développement axé sur la trilogie auto –

bungalow – banlieue, pourraient facilement être ramenées à des proportions plus raisonnables.

6. Le projet .... on a réservé le meilleur accueil est celui des étudiants en informatique.

7. Les étudiants .... on a attribué une bourse devront publier les résultats de leurs recherches.

8. Est-ce que c'est de la possibilité de déclencher une grève générale .... il sera question à cette assemblée syndicale ?

9. C'est un projet à l'élaboration .... j'ai participé l'an dernier.

10. Il y a des conducteurs .... il faut se méfier et .... on a intérêt à essayer de prévoir les maladresses.

EXERCICE 2

Refaites les phrases suivantes, toutes incorrectes, en utilisant les pronoms relatifs qui conviennent.

1. J'ai fait tout ce que j'étais capable et dit tout ce que j'étais sûr.

    ....

    ....

2. C'est un sport dont on s'en fatigue vite.

    ....

    ....

3. C'est celle que j'étais avec l'an dernier.

    ....

    ....

4. Tout ce qu'on a besoin, c'est des oignons.

    ....

    ....

5. On avait un programme bien établi dont on devait se soumettre.

    ....

    ....

6. Ce que tu me parles ne m'intéresse pas beaucoup.

    ....

    ....

7. On présente des pièces où les gens peuvent s'y reconnaître.

    ....

    ....

8. Il ne faut pas jeter la pierre aux Nordiques dont leur enthousiasme n'a pas suffi à leur assurer la victoire.

    ....

    ....

9. J'ai visité votre maison dont vous êtes les propriétaires depuis dix ans.

    ....

    ....

10. La gardienne dont j'ai eu recours aux services a décidé de retourner aux études.

    ....

    ....

11. La production, au développement dont nuit la crise économique, a beaucoup diminué.

    ....

    ....

12. Est-ce que c'est la fille qu'il sort avec ?

    ....

    ....

13.   Explique-lui ce qu'a l'air ton chien.

....

....

14.   Les noms sont des mots qu'on peut mettre un article devant.

....

....

15.   Il s'est produit un accident dont la cause en est inconnue.

....

....

16.   L'astrologie : pour ceux dont l'avenir les intéresse.

....

....

17.   C'est de cela dont je ne veux pas : être la « bonniche » de l'homme.

....

....

18.   L'appareil que je me sers appartient à mon père.

....

....

2. LES PRÉPOSITIONS (*PRÉCIS*, § 428 À 440)

Comme les conjonctions, les prépositions établissent une relation de dépendance syntaxique entre deux éléments. Cependant, alors que la conjonction de subordination établit cette relation entre deux propositions, la préposition l'établit entre deux mots ou groupes de mots. En fait, la préposition est le marqueur de relation qu'on utilise pour introduire les divers types de compléments dans la proposition : compléments du nom, de l'adjectif, du verbe, etc. :

> *Sophie s'est classée **parmi** les premiers.*
> ***parmi** les premiers* : complément du verbe *s'est classée.*
>
> *Les clés **de** Julie traînent **sur** la table.*
> *de Julie* : complément du nom *clés;*
> *sur la table* : complément du verbe *traînent.*
>
> *Il est très content **de** sa note.*
> *de sa note* : complément de l'adjectif *content.*

2.1 Répétition de la préposition

Il faut généralement répéter les prépositions *à*, *de* et *en* devant chaque nouveau complément, sauf si les deux compléments forment un tout, un ensemble :

Allez-vous à Montréal en voiture ou en autobus ?
J'ai écrit à Pierre et à Julie. (deux lettres distinctes, chacun la leur)
J'ai écrit à Pierre et Julie. (une seule lettre, destinée
au « couple » que forment *Pierre* et *Julie*)
Il faudra annoncer la nouvelle à ses amis et connaissances.

Dans les locutions prépositives terminées par *à* ou *de* (*avant de*, *grâce à*, etc.), on ne répète généralement que le *à* ou le *de* :

Tu as réussi grâce à ta patience et à ta persévérance.

On ne répétera les autres prépositions que si l'on veut insister sur chacun des éléments ou si l'on veut marquer une alternative :

Tout ce que je te demande, c'est de répondre par oui ou par non.
(ou : *par oui ou non*).

On ne répétera pas non plus la préposition dans les expressions toutes faites :

En ton âme et conscience.
L'école des arts et métiers.

2.2 Incompatibilités de structure

On peut faire précéder un groupe nominal de deux prépositions, à condition toutefois que les deux prépositions admettent la même construction :

L'entraîneur rencontrera les membres de l'équipe avant et après le match.

Si les deux prépositions n'admettent pas la même construction, il faut modifier la structure de la phrase en conséquence :

*Au début et pendant le match...

on écrira plutôt :

Au début du match et pendant le match...
Au début du match et pendant celui-ci...

Ce type d'erreur dans l'emploi des prépositions est particulièrement fréquent. Dans le même ordre d'idées, si on donne le même complément à deux verbes ou à deux adjectifs, il faut s'assurer que les deux verbes ou adjectifs admettent la même construction pour le complément :

Il est défendu de rire et de se moquer d'un coéquipier.
(*rire de* et *se moquer de* : même construction).

Il est content et fier de la victoire de son équipe.
(*content de* et *fier de* : même construction).

Si ce n'est pas le cas, il faudra respecter les exigences des deux verbes et leur donner à chacun le complément qui leur convient, ce qui oblige à répéter le complément :

*Il est strictement défendu de critiquer ou de se moquer **de l'entraîneur**.*
*Il est strictement défendu de critiquer **l'entraîneur** ou de se moquer **de lui**.*

*Qui ne connaît pas ou n'a pas entendu parler **de René Lévesque** ?*
*Qui ne connaît pas **René Lévesque** ou n'a pas entendu parler de lui ?*

*Il est prêt et heureux **de passer à autre chose**.*
*Il est prêt **à** passer à autre chose et heureux **de** le faire.*

EXERCICE 3
Corrigez les phrases suivantes, toutes incorrectes.

1.   J'ai non seulement pensé, mais j'ai parlé de mes vacances à ma soeur.

   ....

   ....

2.   Le but de ce travail est de décrire la situation et proposer des solutions.

   ....

   ....

3.   Nos parents essaieront à nous orienter vers l'informatique ou les sciences de l'administration.

   ....

   ....

4.   À la radio, la télé, on parle beaucoup des loisirs.

   ....

   ....

5.   Il est important de s'interroger sur les conséquences possibles et penser à d'autres solutions.

   ....

   ....

6.   J'ai entendu parler et décidé d'acheter cet appareil.

....

....

7.   Cela n'a pas eu l'air à te surprendre.

....

....

8.   Les étudiants se sont installés à côté et devant le professeur.

....

....

9.   Il aspire et il a besoin de notre protection.

....

....

10.   Il se soucie et pense à son avenir.

....

....

11.   Les montagnes se dressent autour et derrière le village.

....

....

3. Syntaxe de la phrase

Pour être complète, une phrase doit contenir au moins un verbe conjugué. Une subordonnée seule n'est pas une phrase; il faut lui adjoindre une proposition principale sinon l'énoncé reste incomplet :

Pour faire suite à votre lettre du 11 mars dernier.
Selon les renseignements que nous avons obtenus.
Un intérêt plus grand de la part de la population.

Par ailleurs, un participe présent seul ne peut suffire à former une phrase : il faut lui adjoindre un verbe principal ou encore transformer la phrase :

Espérant que ces renseignements vous satisfont.
Espérant que ces renseignements vous satisfont, je vous prie d'accepter mes salutations.
J'espère que ces renseignements vous satisfont.

Par ailleurs, quand on met un participe présent ou un infinitif dans une phrase, il faut s'assurer que le sujet sous-entendu du participe ou de l'infinitif est le même que celui de la principale. Dans la phrase qui suit :

Espérant que ces commentaires vous satisfont, veuillez agréer...

le sujet du verbe *veuillez* de la principale est *vous* (sous-entendu) alors que celui de *espérant* est *je* (sous-entendu aussi). Il faudra donc que le sujet des deux verbes soit *je* :

Espérant..., je vous prie d'agréer...

Ce problème de structure se corrige de la même façon dans les phrases suivantes :

Les gens qui défient la loi devraient se rappeler qu'en agissant de la sorte,
la vie de plusieurs malades est menacée.

... qu'en agissant de la sorte, ils menacent (mettent en danger) la vie de plusieurs malades.

Pour assurer une meilleure communication avec les parents, le bulletin scolaire présente
une explication de chacune des notes.

Pour assurer une meilleure communication avec les parents, on explique
chacune des notes sur le bulletin scolaire.

Pour que la communication avec les parents soit meilleure, chacune des notes
apparaissant sur le bulletin scolaire est commentée.

Le même problème peut se poser avec un adjectif ou un participe adjectif employés en début de phrase :

Bien que pourrie, elle a mangé sa pomme sans dire un mot.
Trop petit, j'ai dû échanger ce pantalon.
Bien que malade, sa mère a envoyé Gabrielle à l'école.

On corrigera de cette façon :

Bien que sa pomme fût pourrie, elle l'a mangée sans dire un mot.
Il a mangé sa pomme sans dire un mot, même si elle était pourrie.
J'ai dû échanger ce pantalon trop petit.
Bien que Gabrielle soit malade, sa mère l'a envoyée à l'école.

EXERCICE 4
Corrigez les phrases suivantes.

1. En arrivant dans mon village natal, les rues étaient désertes.

....

....

2.   Étant infirmière-auxiliaire, l'infirmière en chef ne m'autorise pas à faire des injections.

....

....

3.   Un peu dur d'oreille, Marie a dû répéter trois fois l'adresse à son père.

....

....

4.   Après avoir quitté ta mère, elle a reçu un coup de téléphone pour toi.

....

....

5.   Avant de pouvoir examiner sa demande d'emploi, ce candidat devra nous envoyer une copie de son dernier diplôme.

....

....

6.   Conçu pour les activités de plein air, les vacanciers apprécieront ce petit appareil photo qui résiste aux intempéries.

....

....

7.   Ayant discuté de mon projet avec mes collègues, ceux-ci m'invitèrent à assister à leur réunion de travail.

....

....

8.   Ce n'est pas en restant les bras croisés que la situation changera.

....

....

9.   Rentrant à la maison ensanglanté, madame Béland crut que son conjoint avait eu un accident.

....

....

10.   Pour faire trois ou quatre enfants, les enfants doivent être placés très haut dans l'échelle des valeurs personnelles des gens.

....

....

4 . Syntaxe des phrases négatives

Une phrase négative est une phrase où on nie une affirmation. On distingue deux formes de phrases négatives.

1. Si la négation porte sur l'ensemble de la phrase, on la forme en ajoutant l'adverbe *ne pas* à la phrase. Les deux termes de cet adverbe se placent généralement de part et d'autre du verbe ou de l'auxiliaire :

> *Je **ne** partirai **pas**.*
> *Je **n'**ai **pas** vu le feu rouge.*

Quand le verbe est à l'infinitif, on place *ne pas* devant cet infinitif :

> *Je vous ai dit de ne pas partir.*

Quand l'infinitif est *être* ou *avoir* ou qu'il est formé avec l'auxilaire *être* ou *avoir*, on place *ne pas* devant *être* ou *avoir* ou de part et d'autre de l'auxiliaire :

> *Il dit **ne pas** avoir entendu Jean sortir.*
> *Il dit **n'**avoir **pas** entendu Jean sortir.*
> *Il prétend **ne pas** avoir faim.*
> *Il prétend **n'**avoir **pas** faim.*

2. Si la négation porte seulement sur un des groupes ou éléments de la phrase (sujet, objet...), on emploie *ne* et un déterminant négatif *(aucun, nul)* ou un pronom négatif *(personne, rien)* :

> *Il **n'**a fait **aucun** commentaire.*
> *Nous **n'**avons vu **personne**.*

On emploie les adverbes *jamais*, *plus* et *guère* avec *ne* en opposition à *toujours*, *encore* et *beaucoup* :

> *Elle **n'**a **jamais** fait de musique.*
> *Je **n'**en parlerai **plus**.*
> *Je **n'**ai **guère** de temps à consacrer à ce travail.*

3. Dans la langue courante, la locution *ne... que* s'emploie dans le même sens que *seulement* et n'a donc qu'une valeur restrictive. Il ne faut jamais omettre le *ne* :

> *Je n'ai que deux ou trois dollars sur moi.*
> *Je n'irai au cinéma que si je n'ai rien d'autre à faire.*

Évitez les pléonasmes *ne... que seulement*, *ne... que simplement* :

> **Ils ne sont seulement que trois.*
> *Ils ne sont que trois.*
> *Ils sont seulement trois.*

Faites attention à ne pas mêler les formes de la négation et de la restriction, et à ne pas les cumuler :

> **Ils ont apporté assez de vêtements pour ne pas avoir à faire de lavage qu'en cas d'obligation.*
> *...pour n'avoir à faire le lavage qu'en cas d'obligation.*
> **Il n'y a pas personne qui puisse me dire quoi faire.)*
> *Il n'y a personne qui...*

4. La liaison de *on* avec l'initiale du mot suivant est souvent confondue avec le *n'* marquant la négation. Si la phrase est négative, il ne faut en aucun cas omettre le *n'* après *on* :

> **On entend rien.*
> *On n'entend rien.*
> *On n'a plus le choix* (et non **on a plus le choix*).

5. On peut utiliser *ni* pour relier les termes à l'intérieur d'une phrase négative. Il y a deux façons de le faire :

> *Ils n'ont pas de chat ni de chien.*
> *Ils n'ont ni chat ni chien.*

Notez que quand *ni* est répété, *pas* est exclu. On n'écrira donc pas :

> **Ils n'ont pas ni chat ni chien.*

6. *Ne* peut s'utiliser seul dans plusieurs cas. Cet usage est de niveau *soutenu*, et en voici les principaux cas :

  — Avant les verbes *pouvoir*, *savoir*, *oser*, *cesser* :

> *Je n'ose le dire.* (ou, en langue courante : *je n'ose pas le dire*)

Notez que l'omission de *pas* est obligatoire après *savoir que* suivi de l'infinitif :

> *Elle ne sait que faire pour nous aider.*

  — Dans une proposition relative dont la principale est négative :

> *Je n'ai rien dit qui ne soit vrai.*

– Après *depuis que, voilà… que, il y a… que* :

> *Il a beaucoup changé **depuis que** je **ne** l'ai vu.*
> (usage courant : *… depuis que je **ne** l'ai **pas** vu ou depuis que je l'ai vu*)

> ***Il y a** bien cinq ans **que** je **ne** lui avais parlé.*
> (usage courant *: … que je **ne** lui avais **pas** parlé ou… que je lui avais parlé*)

7. Omission de *ne*

L'omission de *ne* est très fréquente dans la langue parlée. Cet emploi doit cependant être évité dans la langue écrite, sauf dans quelques cas très particuliers :

> **J'y vais **pas**.*
> *Je **n'**y vais **pas**.*

On pourra ainsi omettre le *ne* dans des tours ou des phrases elliptiques :

> *Tu es content ? Moi **pas**.*
> *Quand changeras-tu d'idée ? **Jamais**.*
> ***Pas** de chance !*
> *Ce chat est magnifique, mais **pas** très gentil.*
> *As-tu fini ton travail ? **Pas** encore.*

EXERCICE 5
Remplacez, quand il y a lieu, les pointillés par *n'*.

1. On ………… a souvent besoin que d'un petit peu d'encouragement.

2. On ………… a souvent besoin d'un plus petit que soi.

3. On ………… aperçoit l'île que par temps clair.

4. On ………… obtient rien sans peine.

5. On ………… est jamais si bien servi que par soi-même.

6. On ……… a aucun recours.

EXERCICE 6
Corriger les phrases suivantes.

1. Ce qu'elle a fait, personne d'autre l'aurait fait.

    …………………………………………………………………………………

    …………………………………………………………………………………

2.   J'ai rien dit de tel.

....

....

3.   Tu n'as simplement qu'à pousser sur ce bouton : l'enregistrement se fera automatiquement.

....

....

4.   Elle veut voir que sa mère.

....

....

5.   Je n'en ai pas parlé à personne.

....

....

6.   Aucun remboursement sera fait après le 1er janvier.

....

....

5. Syntaxe des phrases interrogatives

Il faut distinguer l'interrogation directe de l'interrogation indirecte. On parle d'interrogation directe quand on rapporte exactement les termes de la question :

> *Quand pars-tu ?*
> *Il m'a demandé : « Quand pars-tu ? »*

On parle d'interrogation indirecte quand les termes de la question sont rapportés sous la forme d'une proposition subordonnée :

> *Il m'a demandé **si j'allais revenir**.*
> *Je me demande bien **qui elle a rencontré**.*
> *Les étudiants se demandent **si la grève durera longtemps**.*

D'autre part, on dira de l'interrogation qu'elle est totale si elle porte sur la phrase entière; la réponse à cette question est alors *oui* ou *non* :

> *As-tu vu tous les épisodes de cette série télévisée ?*

Si l'interrogation porte sur un élément de la phrase, elle se formule à l'aide d'un mot interrogatif, pronom ou adverbe, et on la dit *partielle*; la réponse est alors un syntagme nominal ou prépositionnel :

> ***Quand*** *reviendra-t-il ?* ***Dans dix minutes.***
> ***Qui est-ce qui*** *a téléphoné ?* ***Un de mes amis.***

L'interrogation directe

L'interrogation directe est toujours suivie d'un point d'interrogation (**?**).

Il est courant, dans la langue orale, de ne marquer l'interrogation totale qu'au moyen de l'intonation, sans modifier l'ordre des mots dans la phrase :

> *Tu viens ?*
> *Le souper est prêt ?*

Dans la langue courante, on utilise fréquemment les tours interrogatifs *est-ce que* et (*qui*) *est-ce qui*, qui ne modifient pas l'ordre sujet-verbe :

> ***Est-ce que*** *tu viens ?*
> ***Qui est-ce qui*** *vient ?*
> ***Où est-ce que*** *tu vas ?*

La phrase interrogative peut aussi être marquée par l'ajout, après le verbe, d'un pronom personnel représentant le sujet :

> *Le souper est-**il** prêt ?*
> *Marie est-**elle** arrivée ?*

Si le sujet est déjà un pronom personnel, on fera une inversion du sujet (on place le pronom après le verbe) :

> ***Est-elle*** *arrivée ?*
> ***Êtes-vous*** *satisfaits de cette entente ?*

Dans le cas d'une interrogation partielle, on placera l'élément sur lequel porte la question en tête de phrase :

> ***Quand*** *pars-tu ?*
> ***Combien*** *d'étudiants sont venus ?*

EXERCICE 7
Ajoutez le signe de ponctuation finale qui convient.

1.   Je me demande quelle heure il est

2.   Quelle heure est-il

3.   Pourrais-tu me dire quelle heure il est

4.   L'horloge indique-t-elle la bonne heure

5.   Peut-être l'horloge n'indique-t-elle pas la bonne heure

6.   Quelqu'un aurait-il l'heure

7.   Sais-tu combien de temps il nous reste

8.   Combien de temps nous reste-t-il

9.   Vous avez l'heure

10.   À quelle heure le train arrive-t-il

11.   Depuis quand travaillez-vous ici

12.   Comment devons-nous procéder pour faire une réclamation

13.   Mais comment avez-vous fait pour perdre nos bagages

14.   Où que vous soyez, vous n'échapperez pas à la Main noire

15.   Où peuvent-ils bien se cacher

16.   Lequel d'entre vous pourrait m'indiquer le chemin

17.   Combien d'argent avez-vous réussi à mettre de côté

18.   Combien de fois vous ai-je dit de faire attention

19.   Ne vous en a-t-il jamais parlé

20.   Ne m'en parlez pas

Remarques

1. Faites attention de ne pas mêler les constructions interrogatives. Une suffit !

> **Est-ce que ton ami est-il venu ?*
> *Ton ami est-il venu ?*
> *Est-ce que ton ami est venu ?*

2. Les locutions *qui est-ce qui (que)* et *qu'est-ce qui (que)* s'emploient dans l'interrogation directe :

> *Qui est-ce qui a téléphoné ?*
> *Qu'est-ce que tu veux ?*
> *Qu'est-ce qui te plairait ?*

Il ne faut cependant pas les employer dans l'interrogation indirecte :

> **Je lui ai demandé qu'est-ce qu'il voulait.*
> **Nathalie se demande qui est-ce qui peut bien lui avoir joué ce sale tour.*

On écrira plutôt :

> *Je lui ai demandé ce qu'il voulait.*
> *Nathalie se demande qui peut bien lui avoir joué ce sale tour.*

3. On prendra garde également de ne pas ajouter un *que* inutile après des mots interrogatifs tels que : *comment, combien, où, quand, qui,* etc :

> **Combien que ça coûte ?*
> **Comment que l'appareil fonctionne ?*

On écrira plutôt :

> *Combien est-ce que ça coûte ?*
> *Combien ça coûte ?*
> *Combien cela coûte-t-il ?*
> *Comment l'appareil fonctionne-t-il ?*
> *Comment est-ce que l'appareil fonctionne ?*

4. On dira couramment :

> *Tu pars quand ?*
> *Vous partez avec qui ?*
> *Vous allez où ?*

La langue parlée familière élimine en effet l'inversion du verbe et du sujet, de sorte que le mot interrogatif apparaît à la fin de la phrase. Dans la langue écrite, cependant, il faut respecter l'ordre des éléments de la phrase interrogative et faire l'inversion :

> *Quand pars-tu ?*
> *Avec qui partez-vous ?*
> *Où allez-vous ?*

5. On n'emploie pas de subordonnée interrogative après une préposition :

    Ne t'inquiète pas **de comment ça se passera.*
    On l'a interrogé **sur pourquoi il n'avait rien dit.*

On pourra remplacer le mot interrogatif par un nom :

Ne t'inquiète pas de la façon (de la manière) dont ça se passera.
On l'a interrogé sur les raisons (sur les causes, les motifs) de son silence.

On pourra aussi reformuler la phrase de façon à faire disparaître la préposition :

On lui a demandé pourquoi il n'avait rien dit.

EXERCICE 8
Corrigez, s'il y a lieu, les phrases suivantes.

1. Comment est-ce que tu penses qu'il réagira en apprenant la nouvelle ?

    ....

    ....

2. Elle m'a demandé qu'est-ce que Mathieu avait voulu dire ?

    ....

    ....

3. Lequel des deux que tu veux ?

    ....

    ....

4. Où est-ce que vous êtes allés ?

    ....

    ....

5. Comment que ça s'écrit, ce mot-là ?

    ....

    ....

6.   Est-ce que quelqu'un a-t-il des questions à poser ?

....

....

7.   Comment les autres ont fait ?

....

....

8.   Je ne sais pas qui est-ce qui est parti le pemier.

....

....

9.   Avec qui qu'il est parti ?

....

....

6. L'emploi du subjonctif

EXERCICE 9

Subjonctif ou indicatif ? Commencez par lire les § 362-364 et 454-491 dans le *Précis*. Complétez ensuite les phrases avec le présent de l'indicatif ou du subjonctif. Dans le doute, vous pouvez toujours recourir au truc classique, c'est-à-dire remplacer le verbe par un autre où on « entend » le subjonctif :

Il faut que nous partions... (on « entend » le subjonctif)
Il faut que nous voyions... (on « n'entend » pas le subjonctif)

1.   Il faut absolument que nous *(voir)* .... le directeur.

2.   Que vous *(avoir)* .... raison est loin d'être certain.

3.   Il est évident que vous ne *(pouvoir)* .... pas avoir terminé pour ce soir.

4.   Mon impression est que vous *(avoir)* .... tort.

5. Les chances que nous *(travailler)* .... ensemble s'amenuisent chaque jour.

6. Je crois qu'il *(avoir)* .... raison.

7. Je ne crois pas qu'il *(avoir)* .... raison.

8. Crois-tu qu'il *(avoir)* .... raison ?

9. Se pourrait-il qu'il *(avoir)* .... raison ?

10. Nous exigeons que vous *(faire)* .... un rapport.

11. Je voudrais te parler avant que tu ne [*ne* explétif, facultatif] le *(voir)* ....

12. Je tiens à vous donner des explications pour que vous ne *(croire)* .... pas à une quelconque malversation de notre part.

13. Quelles que *(être)* .... vos raisons, elles ne me convaincront pas.

14. Je voudrais voir un film qui me *(divertir)* .... vraiment.

15. Il n'y a personne qui vous *(croire)* ....

CORRIGÉ

1. **1**. à laquelle **2**. qui **3**. que **4**. dont **5**. dont **6**. auquel **7**. à qui (auxquels) **8**. qu'
    9. duquel **10**. dont, dont

2. **1**. J'ai fait tout ce dont j'étais capable (ou : tout ce que j'étais capable de faire) et dit
    tout ce dont j'étais sûr. **2**. ... dont on se fatigue vite. **3**. C'est celle avec qui j'étais...
    4. Tout ce dont on a besoin,... **5**. ...auquel on devait se soumettre. **6**. Ce dont tu
    me parles... **7**. où les gens peuvent se reconnaître (ou : dans lesquelles les gens
    peuvent se reconnaître). **8**. ...aux Nordiques, dont l'enthousiasme... **9**. J'ai visité la
    maison dont vous êtes... **10**. La gardienne aux services de qui j'ai eu recours a
    décidé de retourner aux études. **11**. La production, au développement de laquelle nuit
    la crise économique,... **12**. Est-ce que c'est la fille avec qui il sort ? **13**. Explique-
    lui ce dont ton chien a l'air (a l'air ton chien). **14**. ...des mots devant lesquels on
    peut mettre un article. **15**. Il s'est produit un accident dont la cause est inconnue.
    16. L'astrologie : pour ceux que l'avenir intéresse... **17**. C'est de cela que je ne
    veux pas : être la «bonniche» de l'homme. **18**. L'appareil dont je me sers appartient
    à mon père.

3. **1**. J'ai non seulement pensé à mes vacances, mais j'en ai parlé à ma soeur. **2**. Le but
    de ce travail est de décrire la situation et de proposer des solutions. **3**. Nos parents
    essaieront de nous orienter... **4**. À la radio, à la télé,... **5**. Il est important de
    s'interroger sur les conséquences possibles et de penser à d'autres solutions. **6**. J'ai
    entendu parler de cet appareil et ai décidé de l'acheter. **7**. Cela n'a pas eu l'air de te
    surprendre. **8**. Les étudiants se sont installés à côté du professeur et devant lui.
    9. Il aspire à notre protection et il en a besoin. **10**. Il se soucie de son avenir et y
    pense. **11**. Les montagnes se dressent autour du village et derrière lui.

4. **1**. Quand je suis arrivé dans mon village natal, les rues étaient désertes. (Les rues
    étaient désertes quand je suis arrivé dans mon village natal.) **2**. Étant infirmière-
    auxiliaire, je n'ai pas l'autorisation de l'infirmière en chef pour faire des injections.
    3. Son père étant un peu dur d'oreille, Marie a dû lui répéter trois fois l'adresse.
    (Marie a dû répéter trois fois l'adresse à son père, qui est un peu dur d'oreille.)
    4. Après que tu as été partie, ta mère a reçu un coup de téléphone pour toi. (Ou
    encore plus simplement : Après ton départ, ta mère a reçu un coup de téléphone pour
    toi.) **5**. Avant que nous puissions examiner sa demande, ce candidat devra nous
    envoyer une copie de son dernier diplôme. (Nous ne pourrons examiner la demande
    de ce candidat tant qu'il ne nous aura pas envoyé une copie de son dernier diplôme.)
    6. Les vacanciers apprécieront ce petit appareil photo conçu pour les activités de plein
    air et qui résiste aux intempéries. **7**. Mes collègues, avec qui j'avais discuté de mon
    projet, m'invitèrent à assister à leur réunion de travail. **8**. Ce n'est pas en restant les
    bras croisés qu'on pourra changer la situation. **9**. Son conjoint rentrant à la maison

ensanglanté, madame Béland crut qu'il avait eu un accident. **10.** Pour que les gens fassent trois ou quatre enfants, il faut que les enfants soient placés très haut dans l'échelle de leurs valeurs personnelles.

5.   **1.** On n'a souvent... **2.** On a souvent... **3.** On n'aperçoit... **4.** On n'obtient rien... **5.** On n'est jamais... **6.** On n'a aucun recours.

6.   **1.** ...personne d'autre ne l'aurait fait. **2.** Je n'ai rien dit de tel. **3.** Tu n'as qu'à pousser... Tu as simplement à... **4.** Elle ne veut voir que sa mère. **5.** Je n'en ai parlé à personne. **6.** Aucun remboursement ne sera fait...

7.   **1.** . **2.** ? **3.** ? **4.** ? **5.** (*Précis*, §. 45 *c*) 1º) **6.** ? **7.** ? **8.** ? **9.** ? **10.** ? **11.** ? **12.** ? **13.** ? ou ! **14.** ! ou . **15.** ? **16.** ? **17.** ? **18.** ! ou ? **19.** ? **20.** !

8.   **1.** Phrase correcte (langue courante) **2.** Elle m'a demandé ce que Mathieu avait voulu dire. **3.** Lequel des deux veux-tu ? (Lequel des deux est-ce que tu veux ?) **4.** Phrase correcte. **5.** Comment ce mot-là s'écrit-il ? Comment s'écrit-il, ce mot-là ? Comment est-ce que ça s'écrit, ce mot-là ? **6.** Est-ce que quelqu'un a des questions à poser ? Quelqu'un a-t-il des questions à poser ? **7.** Comment est-ce que les autres ont fait ? Comment les autres ont-ils fait ? **8.** Je ne sais pas qui est parti le premier. **9.** Avec qui est-il parti ? Avec qui est-ce qu'il est parti ?

9.   **1.** voyions **2.** ayez **3.** pouvez (ou le futur : pourrez) **4.** avez **5.** travaillions **6.** a **7.** ait **8.** a/ait **9.** ait **10.** fassiez **11.** voies **12.** croyiez **13.** soient **14.** divertisse **15.** croit.

MODULE X

LE VOCABULAIRE

LA FORMATION DES MOTS

LA FORMATION DES MOTS

Le lexique, c'est l'ensemble des mots d'une langue donnée, la banque des mots existant dans cette langue, en quelque sorte. Les mots évoquent des objets ou des idées. Or la valeur d'un mot est toujours instable, car le lexique français, comme celui de toutes les langues, est en perpétuelle évolution. Tout mot est en effet susceptible de se charger de sens nouveaux qui l'enrichissent (mais l'alourdissement aussi) ; le sens d'un mot peut également passer du concret à l'abstrait, ou inversement ; certains mots disparaissent de l'usage, d'autres apparaissent…

L'histoire du vocabulaire, c'est en fait celle de la réadaptation constante des outils d'expression que sont les mots à la pensée. Les mots vieillissent, s'usent ; leur valeur expressive peut s'atténuer ou se modifier, ce qui provoque parfois leur remplacement par des mots nouveaux, décrivant mieux les réalités nouvelles qu'on cherche à évoquer. C'est avant tout cette nécessité d'exprimer des idées nouvelles ou de décrire des objets nouveaux qui sert de moteur à l'évolution du lexique et contribue à son « rajeunissement », soit par la création de mots, soit par l'adaptation de mots déjà existants.

Personne ne peut prétendre posséder tout le lexique français. Chacun puise dans cette banque les mots dont il a besoin et en maîtrise de ce fait une partie seulement. Il suffit d'ouvrir un dictionnaire et d'en lire ne serait-ce qu'une page pour mesurer son ignorance (mais aussi pour se rassurer sur ses compétences !). L'apprentissage du lexique n'est de toute façon jamais terminé : toute sa vie on apprendra de nouveaux mots décrivant de nouvelles réalités et on butera sur des mots inconnus qu'on apprendra à connaître… et à utiliser.

Il faut par ailleurs faire la distinction entre le vocabulaire actif et le vocabulaire passif. Le vocabulaire actif, c'est le vocabulaire qu'on utilise régulièrement et qu'on maîtrise donc bien. Tout le monde possède aussi ce qu'on appelle un vocabulaire passif, c'est-à-dire des mots qu'on connaît, qu'on reconnaît lorsqu'on les voit écrits, dont on peut définir le sens, mais qu'on n'utilise pas forcément. C'est souvent le vocabulaire qu'on acquiert en lisant. Ne dit-on pas que les gens qui lisent beaucoup ont en général un vocabulaire plus étendu que celui de ceux qui lisent moins ?

En matière de vocabulaire, ce qui compte c'est bien sûr de connaître le plus grand nombre possible de mots, mais ce n'est pas tout ! Il faut aussi savoir que les mots ont souvent plusieurs sens, plusieurs utilisations possibles. Combien, par exemple, connaissent toute la richesse du simple verbe *faire*, qui occupe près de deux pages dans le *Petit Robert* ?

Dans la première partie de ce module, nous ferons le tour des différents modes de formation des mots. Cet apprentissage n'est pas une fin en soi, au contraire ; il vise à vous aider à comprendre des mots que vous voyez ou entendez pour la première fois ou, tout simplement, que vous connaissez mal, à faire venir à votre esprit un mot qui vous échappe, à trouver par raisonnement le mot que vous cherchez ; en somme, à vous mettre en position de force devant le lexique français.

1. ORIGINE DU FRANÇAIS

Depuis quand la langue française existe-t-elle ? Ou depuis quand parle-t-on d'une langue française, puisqu'elle n'est pas apparue d'un seul coup ? On sait qu'elle est née sur le territoire français, autrefois la Gaule. Remontons un peu le cours des siècles.

Tous ceux qui connaissent *Astérix* ont déjà entendu parler de la Gaule, des Gaulois et de la présence des Romains en Gaule. Tout cela est vrai : aux environs de l'an 50 avant l'ère chrétienne, les Romains conquirent la Gaule et y introduisirent le latin. Conséquence de la colonisation romaine, les villes, où affluaient colons, commerçants et fonctionnaires, devinrent avec le temps toutes latines. À partir des villes, l'usage de la langue des conquérants se diffusa peu à peu dans toute la Gaule. Si la romanisation de la Gaule fut progressive, elle n'en fut pas moins efficace : au Ve siècle de notre ère, le latin avait complètement supplanté les anciens dialectes gaulois.

Le latin dont est issu le français était le latin parlé par la population, latin dit « vulgaire ». Le latin ne survécut cependant pas longtemps tel quel sur le territoire gaulois. Par suite de la désintégration de l'empire romain à la fin du Ve siècle, le latin se scinda en plusieurs idiomes (dont le roman, ancêtre du français) qui sont devenus les langues romanes que l'on connaît aujourd'hui : le français, l'italien, l'espagnol, le roumain, le portugais...

Issu donc de cette « décomposition » du latin vulgaire à la fin du Ve siècle, le français s'élabora ensuite lentement, aux temps troubles des monarchies françaises. Le dialecte de l'Ile-de-France (la région parisienne), qui était le français parlé par la royauté, devint la langue dominante. Au fil des siècles, le français continua de se transformer pour devenir la langue que nous connaissons aujourd'hui Cette évolution se poursuit et ne cessera jamais : si aujourd'hui on lit avec peine le français du XVIe siècle, consolons-nous en nous disant que dans quatre siècles, nos descendants ne nous liront sans doute pas plus facilement...

2. D'OÙ VIENNENT LES MOTS ? (*Précis*, § 24)

2.1 Le fonds primitif

Le français étant une langue romane, c'est-à-dire résultant de l'évolution et de la transformation phonétique graduelle du latin introduit en Gaule par les Romains, l'essentiel de son lexique est d'origine latine. C'est le cas, entre autres, de la majorité des déterminants, pronoms, prépositions et conjonctions, et des mots les plus courants.

Un petit nombre de mots gaulois (environ 450) ont survécu à l'invasion romaine, se sont intégrés à ce fonds primitif latin et ont évolué avec lui : *chêne, bouleau, ruche* et *charrue*, par exemple, nous viennent du gaulois.

À ce fonds primitif latin se sont également ajoutés des mots d'origine germanique empruntés soit par le latin vulgaire, avant les invasions germaniques, soit par le latin parlé en Gaule au moment de ces invasions, au Ve siècle. *Balle, barrière, gibier, gagner* et *brochet* sont quelques-uns des mots d'origine germanique qui ont ainsi contribué à la formation du lexique primitif.

2.2 Les emprunts

Tous les mots du lexique français ne sont pas d'origine latine, gauloise ou germanique. Le français s'est aussi annexé des termes empruntés à d'autres langues avec lesquelles il s'est trouvé en contact au cours de son histoire.

a)   Les langues classiques (latin et grec)

À partir du XIIe siècle, le français a emprunté des mots au latin écrit, dit « savant » ou « classique ». Ces mots ont ceci de particulier qu'ils n'ont pas suivi l'évolution phonétique des mots empruntés au latin vulgaire (ou populaire) et qui constituent le fonds primitif. On les a en effet transposés directement dans la langue française en se contentant de franciser leurs terminaisons. *Naviguer, fragile, priorité* sont des exemples de ce type d'emprunt.

L'influence du latin a été particulièrement forte aux XVe et XVIe siècles, époque où le latin classique était très prestigieux ; cette influence ne s'est toutefois jamais interrompue, notamment dans le domaine des sciences.

Le grec a lui aussi beaucoup influencé le français, surtout à partir du XIVe siècle. Son influence s'est particulièrement fait sentir dans le domaine des sciences, mais aussi dans le vocabulaire de la philosophie et celui de la médecine. *Hygiène, hypothèse* et *symptôme* sont des exemples d'emprunts faits au grec.

Par les mots empruntés au grec et au latin, des éléments de formation, surtout des préfixes et des suffixes, ont été intégrés au français et servent encore à la formation de mots nouveaux. Ainsi, les suffixes *-al, -ation* et *-ateur* sont d'origine latine ; *télé-, -graphie,* et *-logie* viennent du grec. Nous étudierons les éléments de formation grecs et latins en détail un peu plus loin dans ce module.

b)   Les langues vivantes

L'italien (du XIVe au XVIIe siècle) et l'anglais (à partir du XVIIIe siècle) ont eu une influence considérable sur le français. À l'italien, on doit des mots tels que *balcon, bouffon, carnaval* et *vedette*. L'anglais a donné des mots comme *vote, clown, handicap* et *chèque*.

Le français a également emprunté à l'allemand *(choucroute, fauteuil)*, à l'espagnol *(guitare, moustique)*, à l'arabe *(alcool, chiffre)*, au flamand et au néerlandais *(boulevard, matelot)*, au portugais *(banane, acajou)*, etc.

3. COMMENT LES MOTS SE FORMENT-ILS ? (*Précis*, § 25, 26, 27, 28, 29, 30 et 34)

Dès qu'apparaît une nouvelle réalité, le besoin de la nommer se fait pressant. Tout mot nouveau qui apparaît ainsi dans la langue est un néologisme. Il en existe deux types : les néologismes lexicaux et les néologismes sémantiques. Les premiers correspondent à de véritables créations de mots nouveaux ; les seconds sont créés simplement en donnant un sens nouveau à un mot qui existe déjà dans la langue. Les néologismes sont un phénomène tout à fait normal dans l'évolution d'une langue : ils témoignent de sa vitalité et assurent sa survie. Car si des mots nouveaux apparaissent (*disquette, micro-ondes, magnétoscope*), d'autres disparaissent ou tombent en désuétude (*gramophone, moult*).

Mais ce n'est pas le hasard qui décide des néologismes. Toute création de mot nouveau doit en effet obéir à des règles de formation bien établies. Quelles sont ces règles ?

Outre les emprunts faits à d'autres langues, dont nous venons de parler, les modes de formation des mots sont la **dérivation** et la **composition**. Ces deux procédés sont à la base de la formation de nombre de mots existant déjà en français, mais ils régissent aussi la formation de beaucoup de néologismes, particulièrement dans le domaine des sciences et de la technologie, secteur très productif dans la création de mots nouveaux.

La **dérivation** est le procédé qui consiste à former un mot nouveau en ajoutant à un mot un élément qui n'est pas lui-même un mot et qui en modifie le sens. On appelle cet élément **préfixe** lorsqu'il se place au début du mot et **suffixe** lorsqu'il se place à la fin du mot. Au verbe *fermer*, par exemple, on peut ajouter le préfixe *re-* pour former *refermer* ; au nom *accident*, on peut ajouter le suffixe *-el* pour former l'adjectif *accidentel*.

On parle aussi de dérivation, ou de dérivation impropre, quand on forme un mot nouveau par simple changement de classe grammaticale d'un mot déjà existant. L'adjectif *beau* et le verbe *manger*, par exemple, se sont adjoint des noms (*le beau, le manger*) par dérivation.

La **composition**, quant à elle, est le procédé qui consiste à créer un mot nouveau en combinant des mots existant déjà. Le résultat donne ce qu'on appelle les mots composés. Par exemple, *appuie-tête* résulte de la combinaison du verbe *appuyer* et du nom *tête*, et *pomme de terre* résulte de la combinaison des noms *pomme, terre*, et de la préposition *de*.

Il existe une autre forme de composition, qu'on appelle savante parce qu'elle consiste à combiner des mots (ou racines) grecs ou latins pour obtenir un mot nouveau. Le mot *vermifuge*, par exemple, se décompose en *vermi-* et *-fuge*, qui viennent de deux mots latins : *vermis* (ver) et *fugare* (éloigner). Le sens du mot *vermifuge* résulte de cette combinaison des deux mots latins ; *vermifuge* signifie donc « qui éloigne les vers ».

Vous allez, dans la suite de ce module, vous familiariser davantage avec ces deux modes de formation des mots, qui sont à la base d'une grande partie du lexique français, et, partant, approfondir votre connaissance des formants grecs et latins et des familles de mots.

4. DÉRIVATION : BASE, PRÉFIXES ET SUFFIXES

Un mot formé par dérivation peut se décomposer en éléments, qui sont : la **base** (aussi appelée **racine** ou **radical** dans certaines grammaires), le ou les **préfixes** et le ou les **suffixes**.

4.1 La base

La base, c'est l'élément fondamental du mot ; elle contient l'idée générale commune à toute une famille de mots. Considérez les mots suivants :

fin, final, finale, finalement, finaliste, finir, finalité, finition, finissant

On sent bien qu'il y a un élément commun à tous ces mots, une sorte de parenté entre eux. Ce qu'il y a de commun entre ces mots, c'est la base *fin* : elle crée la parenté de sens entre les mots et est de ce fait le noyau de cette famille de mots. On appelle d'ailleurs *famille de mots* l'ensemble des mots formés à partir d'un même mot, d'une même base. Grevisse donne cet exemple d'une famille de mots :

arme, armer, armée, armement, armure, armurier, armet, armoire,
armoiries, armoriste, armorial, armateur, armature, désarmer,
désarmement, alarme, alarmer, alarmant, alarmiste, armistice

Vous connaissez beaucoup de ces mots, sans pour autant savoir que *alarme* et *armoiries*, par exemple, appartiennent à la même famille de mots. C'est pourtant le cas, car tous ces mots viennent du latin *arma* qui a donné *arme*, base de cette famille de mots.

Dans les deux exemples précédents, les bases *fin* et *arme* ne subissent pas d'altérations dans les mots de la famille. La plupart du temps, cependant, la base prendra des formes différentes à l'intérieur de la famille de mots. Examinez, par exemple, la famille de mots suivante :

école, écolier, scolaire, scolarité, scolariser,
scolarisation, scolarité, scolastique, auto-école, navire-école

Certains des mots de cette famille ont *école* pour base, d'autres *scol*. En fait, *scol* n'est qu'une forme différente de *école* ; l'élément *scol* signifie en effet « école ».

Prenons un autre exemple. Dans la famille de mots suivante :

peuple, population, peuplade, popularité, populaire,
peupler, dépeupler, peuplement, public, etc.

on retrouve trois bases différentes par la forme mais équivalentes au plan du sens :

peupl, popul, publ

4.2 Les préfixes (*Précis*, § 29)

Les préfixes sont des éléments que l'on place devant un mot pour en modifier le sens. Si, par exemple, on cherche à dire le contraire de *acceptable*, on ajoutera le préfixe *in-* pour obtenir *inacceptable*. Le préfixe *in-* ajoute donc une idée de négation, de contraire, au mot *acceptable*. De même, on pourra modifier le sens du verbe *coudre* en utilisant des préfixes : *découdre*, *recoudre*.

Les préfixes français sont d'origine latine ou grecque. Vous trouverez une liste des principaux préfixes dans le *Précis*. Ce qu'il faut retenir, c'est que les préfixes ont un **sens** qui s'ajoute, en quelque sorte, au sens donné par la base du mot.

D'autre part, le même préfixe peut prendre différentes formes tout en gardant le même sens. Dans les mots suivants :

*ir**réalisable, **in**compétent, **il**lisible, **im**moral*

les préfixes *ir-*, *in-*, *il-*, et *im-* ajoutent tous aux adjectifs une idée de négation : qui « n'est pas » réalisable, compétent, lisible, moral. Ces quatre formes différentes ne sont que des variantes du même préfixe de négation.

De même, si on examine les mots suivants :

*re**dire, **ré**organiser, **ra**llumer*

on se rend compte que *re-*, *ré-* et *ra-* sont trois formes différentes du même préfixe. *Re-*, *ra-* et *ré-* ajoutent en effet tous le même sens, la même idée de répétition à tous ces verbes. *Rallumer*, c'est « allumer de nouveau » ; *réorganiser*, c'est « organiser de nouveau » ; *redire*, c'est « dire de nouveau ». Ce qu'il importe de voir, c'est donc plus le sens que le préfixe ajoute au mot que sa forme.

Il faut d'ailleurs se méfier de la forme. Si on sait, par exemple, que *in-* est un préfixe de négation dans *inactif* et *incertain*, il ne faut pas en déduire que *in-* est toujours un préfixe de négation ! Dans *intelligent*, par exemple, *in-* n'amène aucune idée de négation ; ce n'est donc pas un préfixe. Dans *inintelligent*, cependant, le premier *in-* est un préfixe puisqu'il signifie « qui n'est pas » ; il a un sens qu'on peut isoler dans le mot.

La même forme peut aussi correspondre à deux préfixes distincts. Par exemple, les mots :

*anti**ciper, **anti**dater, **anti**vol, **anti**conformisme*

contiennent tous le préfixe *anti-*. Dans *anticiper* et *antidater*, cependant, *anti-* signifie « avant » alors que dans *antivol* et *anticonformisme*, anti signifie plutôt « contre » et donne une idée d'opposition. En fait, le premier est d'origine latine et le deuxième, d'origine grecque ; ce sont deux préfixes distincts, ayant chacun leur sens propre.

4.3 Les suffixes (*Précis*, § 27)

Les suffixes sont des éléments que l'on ajoute à la fin d'un mot, soit pour en modifier ou en nuancer le sens, soit pour le faire passer d'une catégorie grammaticale à une autre.

Le suffixe modifie le sens quand il permet de créer un mot nouveau à l'intérieur d'une même catégorie grammaticale. Ainsi, en ajoutant des suffixes aux noms *peuple, feuille* ou *lait*, on peut créer de nouveaux noms : *peuplade, peuplement, feuillage, feuillet, laiterie, laitier…*

Le suffixe nuance le sens du mot quand il ne fait qu'apporter une nuance sémantique au mot de base, par exemple une idée de petitesse (*maisonnette, jardinet*) ou une nuance péjorative (*ferraille, paperasse*).

Enfin, les suffixes permettent de faire passer un mot d'une catégorie grammaticale à une autre, chose que les préfixes ne font pas. On peut ainsi, en ajoutant un ou des suffixes à un mot, transformer un nom en verbe ou en adjectif, un verbe en nom ou en adjectif, un adjectif en nom, en verbe ou en adverbe, etc. Par exemple, à partir du nom *paresse* on peut former le verbe *paresser* et l'adjectif *paresseux* ; à partir du verbe *exploser* on peut former le nom *explosion* et l'adjectif *explosif* ; à partir de l'adjectif *fier* on peut former le nom *fierté* et l'adverbe *fièrement*, etc.

Comme pour les préfixes, la forme des suffixes peut varier. Ainsi, les mots :

finition, corrosion, oppression, isolation, miniaturisation

présentent cinq formes différentes du suffixe *-tion,* qui signifie « action » ou « résultat de l'action ».

Par ailleurs, des suffixes différents peuvent exprimer exactement le même sens. Dans :

noyade, dressage, contribution, prolongement, blessure

les suffixes *-ade, -age, -tion, -ment* et *-ure* ajoutent tous le sens « action » ou « résultat de l'action » au mot : action ou résultat de l'action de noyer, de dresser, de contribuer, de prolonger et de blesser.

De même, les suffixes servant à former les mots *tartelette, brindille, chaton, lionceau, bâtonnet*, etc. ont tous une valeur diminutive.

Pour faire les exercices qui suivent, vous aurez besoin d'un bon dictionnaire de langue (*Petit Robert* ou *Robert méthodique)* et des listes de préfixes et de suffixes que vous trouverez aux § 27 et 29 du *Précis de grammaire française* de Maurice Grevisse.

EXERCICE 1

Dans les familles de mots suivantes, dégagez la base commune à tous les mots et précisez-en le sens.

Consultez le dictionnaire au besoin. (Le *Robert méthodique* traite les bases dans des articles distincts, contrairement au *Petit Robert,* qui vous permet néanmoins de dégager le sens des bases à partir de l'étymologie du mot, donnée entre parenthèses au début de l'article.)

1. *ludique, ludion, interlude, prélude, préluder*

   ....

2. *certain, certainement, certes, certificat, certitude, incertain, incertitude*

   ....

3. *noblesse, anoblir, nobliau, noblaillon, noblement, anoblissement, ennoblir, ignoble, ignoblement*

   ....

4. *numéraire, numéral, numérateur, numération, numérique, numériquement, numéro, numéroter, numérotage, numérotation, énumérer, énumératif, énumération, surnuméraire*

   ....

5. *célérité, accélération, accélérer, accélérateur, décélération, accéléré*

   ....

6. *aquarelle, aquarelliste, aquafortiste, aquarium, aquatinte, aquatique, aqueux, aquiculture*

   ....

7. *cape, décaper, caparaçon, caparaçonner, décapage, décapant, capeline, capote, décapoter, décapotable, capot, capuche, capuchon, encapuchonner*

   ....

8. *manette, manier, maniement, maniable, maniabilité, manipuler, manipulation, manivelle, manœuvrer, manœuvrabilité, manucure, manuel, manuellement, manufacture, manuscrit, manutention, remanier*

    ....

9. *élaborer, collaborer, collaborateur, collaboration, élaboration, labeur, laborieux, laborieusement, laboratoire, laborantin*

    ....

10. *rassasier, satisfaction, satisfaire, satisfaisant, satisfait, insatisfaction, insatisfait, satiété, insatiable, saturé, saturation, rassasié, rassasiement*

    ....

EXERCICE 2

Trouvez des noms, des adjectifs et des verbes de la même famille que les mots suivants ; limitez-vous aux mots qui ont la même base.

1. *hiver*

    noms : ....

    adjectifs : ....

    verbes : ....

2. *vin*

    noms : ....

    adjectifs : ....

    verbes : ....

3. *vent*

    noms : ....

    adjectifs : ....

    verbes : ....

4. *apprécier*

noms : ....

adjectifs : ....

verbes : ....

5. doctrine

noms : ....

adjectifs : ....

verbes : ....

6. *amour*

noms : ....

adjectifs : ....

verbes : ....

EXERCICE 3

Quel est le nom qui correspond aux verbes ou aux adjectifs suivants et appartient à la même famille qu'eux ?

1. sabbatique :...

2. précaire :..

3. céleste :...

4. favoriser :..

5. comprimer :...

6. troquer :..

7. évincer :..

EXERCICE 4

Parmi les mots suivants, regroupez ceux qui appartiennent à la même famille, c'est-à-dire qui ont une base commune. Précisez le sens de la base des mots de chacun de vos regroupements.

allonger, intemporel, intermédiaire, longévité, médiane, médiéval, temporiser, armateur, armature, biberon, boisson, chiromancie, chirurgical, clameur, congratulation, destitution, imbiber, imbuvable, immature, ingrat, innocent, innocuité, manoir, prématuré, proclamation, rémanence, restituer

1. ....

2. ....

3. ....

4. ....

5. ....

6. ....

7. ....

8. ....

9. ....

10. ....

11. ....

12. ....

EXERCICE 5

Voici quelques préfixes courants tirés de la liste que vous trouvez dans le *Précis*. Donnez deux exemples de mots formés avec ces préfixes. Déduisez le sens des préfixes à partir de vos exemples.

Préfixe	Mots	Sens du préfixe
1. *a-*	....	....
	....	

2. *co-* ....

....

3. *dé- (dés-)* ....

....

4. *dis-* ....

....

5. *in-* ....

....

6. *mé- (més-)* ....

....

7. *pré-* ....

....

8. *re-* ....

....

9. *para-* ....

....

10. *con-* ....

....

EXERCICE 6

Plusieurs préfixes servent à **nier** ou à **dire le contraire** : *in- (im-, il-, ir-), dé- (des-, dis-, di-), mal- (mau-, malé-), mé- (mes-), a- (an-), anti- (anté-)* ; d'autres préfixes peuvent aussi s'opposer : *anté-*, « avant » et *post-*, « après », par exemple comme dans *antidater* et *postdater*.

Donnez, pour chacun des mots suivants, un antonyme (mot de sens contraire) que vous formerez avec un préfixe.

1. *heureux :* ....

2. *fécond :* ....

3. *chanceux :* ....

4. *patient :* ....

5. *lisible :* ....

6. *réel :* ....

7. *continuer :* ....

8. *honnête :* ....

9. *concordance :* ....

10. *inculper :* ....

11. *habile :* ....

12. *content :* ....

13. *connu :* ....

14. *se fier :* ....

15. *agréable :* ....

16. *joindre :* ....

17. *réfléchi :* ....

18. *persuader :* ....

19. *entente :* ....

20. *moral :* ....

EXERCICE 7

Donnez une définition des mots suivants après avoir précisé le sens de leur préfixe.

1. *désaffection*   préfixe : ....

    sens du préfixe : ....

    sens du mot : ....

2. *analphabète*   préfixe :............................

    sens du préfixe : ....

    sens du mot :...

3. *épiderme*   préfixe :............................

    sens du préfixe : ....

    sens du mot :...

4. *dévoiler*   préfixe :............................

    sens du préfixe : ....

    sens du mot :...

5. *inouï*   préfixe :............................

    sens du préfixe : ....

    sens du mot :...

6. *contemporain*   préfixe :............................

    sens du préfixe : ....

    sens du mot :...

7. *énervé*   préfixe :............................

    sens du préfixe : ....

    sens du mot :...

8. *transformer*   préfixe :............................

    sens du préfixe : ....

    sens du mot :...

9. *hypernerveux*   préfixe :............................

    sens du préfixe : ....

    sens du mot :...

10. *périnatalité*   préfixe : ....

sens du préfixe :..

sens du mot :..

11. *progéniture*   préfixe : ....

sens du préfixe :..

sens du mot :..

12. *hypocalorique*   préfixe : ....

sens du préfixe :..

sens du mot :..

13. *midi*   préfixe : ....

sens du préfixe :..

sens du mot :..

14. *syndrome*   préfixe : ....

sens du préfixe :..

sens du mot :..

15. *apolitique*   préfixe : ....

sens du préfixe :..

sens du mot :..

EXERCICE 8
Les mots suivants contiennent tous deux préfixes. Dégagez chacun des préfixes et précisez-en le sens.

1. *anticonformiste*

....

2. *asymétrie*

....

3.   *indissoluble*

   ....

4.   *déconcentrer*

   ....

5.   *insurpassable*

   ....

6.   *surexposer*

   ....

7.   *redécouvrir*

   ....

8.   *inconsciemment*

   ....

9.   *retransmettre*

   ....

10.   *compromettre*

   ....

EXERCICE 9

Voici une liste de mots contenant tous un préfixe. Soulignez le préfixe dans chaque mot et regroupez les mots dont les préfixes ont le même sens.

hypoderme, diagonale, entretenir, soumettre, concourir, transmettre, trépasser, collatéral, surprendre, compatriote, international, entreposer, coexistence, succession, entracte, supersonique, hyperémotivité, circonlocution, comprendre, épicentre, souterrain, suggestion, subdiviser, traverser, transformation, périmètre, surhumain, sympathie, hypotension, circonvolution

1.   dessous, au-dessous

   ....

   ....

2. avec, ensemble

……………………………………………………………………

……………………………………………………………………

3. sur, au-dessus

……………………………………………………………………

……………………………………………………………………

4. au-delà, à travers

……………………………………………………………………

……………………………………………………………………

5. autour

……………………………………………………………………

……………………………………………………………………

6. au milieu, réciproquement

……………………………………………………………………

……………………………………………………………………

EXERCICE 10

Au verbe *prendre*, ajoutez le préfixe qui convient pour que le verbe ainsi formé corresponde à la définition qui en est donnée.

1. Être avisé, informé de quelque chose : ……… *prendre.*

2. Prendre sur le fait : ……… *prendre.*

3. Appréhender par la connaissance : ……… *prendre.*

4. Apprendre de nouveau (deux préfixes) : ……… *prendre.*

5. Être saisi, entraîné par un sentiment, une passion : ……… *prendre.*

6. Prendre de nouveau, recommencer : ……… *prendre.*

7. Se détacher de quelqu'un ou de quelque chose : *se* ……… *prendre.*

8.   Commencer à faire quelque chose : .... *prendre.*

9.   Oublier (deux préfixes) : .... *prendre.*

10.   Se tromper au sujet de quelqu'un ou de quelque chose : *se* .... *prendre.*

* * * * *

Les exercices 11 à 19 portent sur les suffixes. On se rappellera que par l'ajout d'un suffixe, on peut « dériver » de nouveaux noms à partir d'un nom, par exemple, ou faire passer ce même nom dans d'autres catégories grammaticales. Ainsi, en ajoutant des suffixes au nom *fin,* on peut obtenir d'autres noms *(finition, finissant),* un verbe *(finir),* un adjectif *(final),* un adverbe *(finalement)...* Dans cette partie, nous regrouperons les suffixes selon leur valeur. De cette manière, ils se fixeront plus facilement dans votre mémoire.

EXERCICE 11

Les suffixes désignant l'action ou le résultat de l'action sont les suivants :

-ade	*-son (-aison, i-son, -oison)*
-ade (i-ssage)	*-tion*
-aille(s)	*-sion, -ssion, -xion*
-ance (-ence, escence)	*-ation, -ition, i-sation, -ution*
-(e)ment (issement)	*-fication, -faction*
-is, -ise	*-ure (-ature)*

Avec chacun des verbes suivants, formez un nom exprimant l'action ou le résultat de l'action.

1.   *abolir :* ....

2.   *ahurir :* ....

3.   *allier :* ....

4.   *atermoyer :* ....

5.   *combiner :* ....

6.   *congeler :* ....

7.   *contenir :* ....

8. *créer :* ....

9. *exiger :* ....

10. *glisser :* ....

11. *incliner :* ....

12. *parrainer :* ....

13. *perpétrer :* ....

14. *piller :* ....

15. *plâtrer :* ....

16. *procéder :* ....

17. *renchérir :* ....

18. *saler :* ....

19. *semer :* ....

20. *vernir :* ....

EXERCICE 12
Complétez les phrases suivantes avec un nom d'action dérivé du verbe en italique.

1. Pour s'*assouplir*, on fait des exercices d'.................................... Avant de courir, il faut se *réchauffer* ; on fait des exercices de .... S'*étirer* les muscles, c'est faire des exercices d'....................................

2. Tout le monde a *désapprouvé* le projet ; la .... a été générale.

3. Les troupes se sont *déployées* ; le .... des troupes s'est fait au cours de la nuit.

4. Paul Roy a *déposé* hier dans l'affaire Samson. Sa .... a été cruciale.

5. D'autres témoins seront appelés à *comparaître*. La date de leur .... n'a cependant pas été fixée.

6. Le maire s'est encore *dérobé* aux questions. Ses .... continuelles exaspèrent l'opposition.

7. Une nouvelle édition de ce livre vient de *paraître*. Lors de sa première .... il avait fait scandale.

8. Après la révolte des étudiants, en Chine, la *(réprimer)* .... a été terrible.

9. La *(torréfier)* .... du café est une opération délicate.

10. Vu l'état de *(délabrer)* .... de l'économie, il faudra plusieurs années pour redresser la situation.

EXERCICE 13

Plusieurs suffixes permettent de former des noms exprimant des qualités (dans le sens large de *caractère*, de *propriété*, et non dans le sens de « bonne qualité »), généralement à partir d'adjectifs. Les principaux suffixes de **qualité** sont :

–erie	–ise
–esse	–ié (–eté –té)
–eur	–ude
–ie	–ance (–ence)

Trouvez un nom de qualité dérivé des adjectifs suivants.

1. *habile :* ....

2. *adroit :* ....

3. *capable :* ....

4. *diplomate :* ....

5. *apte :* ....

6. *virtuose :* ....

7. *perspicace :* ....

8. *ingénieux :* ....

9. *fin* : ....

10. *agile* : ....

11. *gauche* : ....

12. *lourd* : ....

13. *maladroit* : ....

14. *incapable* : ....

15. *déficient* : ....

16. *petit* : ....

17. *exigu* : ....

18. *bas* : ....

19. *mesquin* : ....

20. *acrimonieux* : ....

21. *âpre* : ....

22. *dur* : ....

23. *rude* : ....

24. *vif* : ....

25. *ardent* : ....

26. *désuet* : ....

27. *rigoureux* : ....

28. *disparate* : ....

29. *notoire* : ....

30. *équitable* : ....

31. *impartial* : ....

32. *intègre* : ....

33. *intégral* : ....

34. *irascible* : ....

35. *exact* : ....

EXERCICE 14

Les principaux suffixes servant à former des **noms de personnes** (agents, métiers, etc.) sont les suivants :

–aire	–eur, –euse	-on
–ard, –arde (suffixes dépréciatifs)	–icien , –icienne	
–ateur, –atrice	–ien, –ienne	
–er, –ère	–ier, i–ère	
–eron (féminin rare)	–iste	

Complétez les phrases suivantes avec un nom de personne dérivé du mot en italique.

1. Je vais au magasin de *disques*, je vais chez le ....

2. Il faut l'assentiment de toutes les personnes qui ont des *actions* dans la compagnie, il faut avoir l'assentiment de tous les ....

3. Il est tout le temps en train de se *plaindre*, c'est un ....

4. Elle est tout le temps en train de *geindre*, c'est une ....

5. Il est tout le temps en train de se *vanter*, c'est un ....

6. Il est tout le temps en train de *grogner*, c'est un ....

7. La personne qui *conduit* la voiture, c'est le ....ou le .... ; celui qui conduit mal, c'est un ....

8. Le port de Montréal reprend vie. La grève des *(ouvriers qui chargent et déchargent les navires)* .... a pris fin hier soir.

9. En France, la *charcuterie* ne s'achète pas chez le boucher, mais chez le ....

10. Une personne qui place toute son ambition dans sa *carrière* est un ou une ....

EXERCICE 15

Plusieurs suffixes servent à former des noms désignant des **instruments**. Pour épouvanter les oiseaux, on se sert d'un *épouvantail*, pour tenir fermement quelque chose, on se sert de *tenailles*, pour arroser, d'un *arrosoir*, pour se baigner, d'une *baignoire*. Les principaux suffixes d'instruments sont :

–ail	*–eur*
–aille	*–euse*
–oir	*–ière*
–oire	

Formez, à partir des mots suivants, des noms désignant des instruments.

1. *vaporiser* :...

2. *frire* :...

3. *museau* :..

4. *encenser* :...

5. *gouverner* :...

6. *raser* :...

7. *patauger* :..

8. *chaud* :..

9. *éteindre* :...

10. *écumer* :..

11. *nager* :..

12. *fermer* :...

13. *rôtir* :...

14. *mirer* :..

15. *humidifier* :..

N.B. : Le suffixe *-oir* sert également à former des noms désignant des endroits : un *abattoir* est un endroit où on abat les animaux de boucherie. Pensez aussi à *fumoir*, *isoloir*, *parloir*...

EXERCICE 16

Combinés à une base verbale, les suffixes **-able, -ible** et **-uble** permettent de former des adjectifs exprimant une **capacité**, une **possibilité** : *épouvantable*, qui peut épouvanter ; *lisible*, qui peut être lu ; *résoluble*, qu'on peut résoudre, qui peut être résolu. Pour certains de ces adjectifs, il existe des antonymes formés par préfixation : *lisible, illisible* ; mais *résoluble, insoluble*.

-Able et *-ible* peuvent aussi se combiner à des noms pour former des adjectifs exprimant des qualités, des caractéristiques : une décision prise avec équité, une décision *équitable* ; un endroit où règne la paix, un endroit *paisible*.

Complétez les phrases suivantes avec des adjectifs de capacité ou de possibilité dérivés des mots en italique.

1. En quittant le chalet, assurez-vous que nous n'y laissez aucune denrée *(périr)* ....

2. Un résultat que l'on peut *déplorer*, c'est un résultat ....

3. Un résultat que l'on peut *regretter*, c'est un résultat ....

4. Un résultat sur lequel on peut se *lamenter*, c'est un résultat ....

5. Un résultat qui suscite la *pitié*, c'est un résultat ....

6. Pour désigner ce que les Québécois appellent café instantané, les Français disent « café *(dissoudre)* .... ».

7. Une solution de nature à *durer* longtemps, c'est une solution ....

8. Elle réunit les conditions nécessaires pour être *élue* ; elle est ....

9. L'amour-passion est une force à laquelle on peut difficilement *résister* ; c'est une force ....

10. C'est une erreur à laquelle on ne peut apporter aucun *remède* ; c'est une erreur ....

EXERCICE 17

Les principaux suffixes à valeur **diminutive** ou **dépréciative** sont les suivants :

–ard, –aud, –âtre, –asse,   –et, –elet, –in, –ot

De l'eau *saumâtre*, c'est :

a)   de l'eau ni douce ni salée, entre les deux
b)   de l'eau contenant des dépôts en état de putréfaction
c)   de l'eau où l'on trouve de nombreux saumons
d)   de l'eau...

La première définition est la bonne : de l'eau *saumâtre*, c'est de l'eau contenant une certaine partie d'eau de mer. Pourtant, presque tout le monde associe une connotation négative à ce mot, confondant eau *saumâtre* et eau *putride*, *fétide*. Or, on ne trouve pas cette analogie dans le *Petit Robert* ; cependant, le mot *saumâtre* y est associé à *dépôt* : *dépôts saumâtres*, qui se forment dans les lagunes, les estuaires et qui, il est vrai, ne semblent pas très appétissants. D'ailleurs, le sens figuré, « amer, désagréable », est tout à fait négatif. La valeur négative tient donc un petit peu à la chose et autant au suffixe, -*âtre*, qui a acquis une valeur tout à fait péjorative : *grisâtre*, *brunâtre*, *blanchâtre* ne sont pas des couleurs particulièrement attrayantes. Mais le sens de -*âtre*, c'est aussi celui d'une ressemblance incomplète : pas tout à fait gris, pas tout à fait brun, pas tout à fait blanc... et pas tout à fait salé. On retrouve d'ailleurs dans *saumâtre* le même radical que dans *saumure* (liquide salé où on conserve des aliments) : *sau-*, qui vient de *sal*, mot latin signifiant « sel ». Il existe trois autres suffixes adjectivaux à valeur dépréciative assez courants : *-ard (vantard)*, *-asse (bonasse)*, *-aud (courtaud)*.

D'autres suffixes ont une valeur diminutive : *-et*, *-elet*, *-in*, *-ot*. Ils ne sont pas à proprement parler péjoratifs mais sont souvent un peu dépréciatifs : si on parle d'une installation *vieillote,* par exemple, on imaginera une installation vieillie, voire désuète, complètement dépassée.

Formez, à partir des mots suivants, un adjectif à valeur dépréciative ou diminutive.

1.   *enfant :*..

2.   *pâle :*..

3.   *nasiller :*...

4.   *roux :*...

5.   *rouge :*..

6.   *aigre :*...

7.   *propre :*...

8. *brailler* : ....

9. *flemme* : ....

10. *lourd* : ....

11. *opiner* : ....

12. *court* : ....

13. *rond* : ....

14. *doux* : ....

15. *mou* : ....

16. *fade* : ....

EXERCICE 18

Dégagez le suffixe de chacun des mots suivants et précisez-en le sens à l'aide de la liste de droite.

Ex. : fourchette *ette* (C)

	Suffixe	**Sens**
1. *changement*	....	....
2. *artiste*	....	....
3. *franchise*	....	....
4. *combinaison*	....	....
5. *piqûre*	....	....
6. *anglais*	....	....
7. *poignée*	....	....
8. *vantard*	....	....
9. *lavage*	....	....
10. *directeur*	....	....
11. *estimable*	....	....
12. *caneton*	....	....
13. *socialisme*	....	....
14. *arthrose*	....	....
15. *chirurgien*	....	....

Liste des sens

A. action ou résultat de l'action
B. contenu
C. diminutif
D. doctrine
E. partisan d'une doctrine
F. métier, profession
G. habitant
H. instrument
I. maladie, infection
J. péjoratif
K. possibilité, qui peut être
L. qualité ou défaut

16. *carafon*   ....
17. *péquiste*   ....
18. *lionceau*   ....
19. *balançoire*   ....
20. *bronchite*   ....
21. *hongrois*   ....
22. *bouchée*   ....
23. *réparation*   ....
24. *honnêteté*   ....
25. *rustaud*   ....

EXERCICE 19

Voici des mots dérivés de *fin* par suffixation ; trouvez la définition qui convient à chacun dans la colonne de droite.

a) *fin*   1. Qui croit à l'action des causes finales et, en général, à la finalité comme explication de l'univers.

b) *final*   2. Moment, instant auquel s'arrête un phénomène, une période, une action.

c) *finale* (n. f.)   3. Dernier morceau d'un opéra, dernier mouvement d'une composition de forme sonate.

d) *finale* (n. m.)   4. Caractère de ce qui tend à un but.

e) *finalement*   5. Qui est à la fin, qui sert de fin.

f) *finalisme*   6. Didact. [c.-à-d. qui appartient à la langue savante], philo. Le fait d'être fini, borné. « La... d'un monde resserré entre le macrocosme et le microcosme » (Foucault).

g) *finaliste* (n.)   7. Mener à sa fin, arriver à sa fin.

h) *finaliste* (adj.)   8. Syllabe ou éléments en dernière position dans un mot ou une phrase. Dernière épreuve (d'un tournoi, d'une coupe) qui désigne le vainqueur.

i) *finalitaire* (adj.)   9. Concurrent ou équipe disputant une finale ; qualifié pour la finale.

j)   *finalité*   10. En train de finir.

k)   *fini*   11. I. Personne qui finit qqch. II. Engin routier automoteur qui reçoit les matériaux prêts à l'emploi, les répand, les nivelle, les dame et les lisse, livrant après son passage un tapis fini.

l)   *finir*   12. Qui a été mené à son terme ; achevé, terminé.

m)   *finissage*   13. À la fin, pour finir.

n)   *finissant* (adj.) 14. Opération ou ensemble d'opérations qui termine la fabrication d'un objet, d'un produit livré au public.

o)   *finisseur*   15. Philosophie finaliste.

p)   *finition*   16. Action de finir une fabrication, une pièce. V. finition.

q)   *finitude*   17. Qui présente un caractère de finalité.

5 . Composition : mots composés et composition savante

La composition est le procédé qui consiste, rappelons-le, à former un mot nouveau en combinant des mots ; on obtient alors des mots composés : *rouge-gorge*, *va-nu-pieds*, par exemple. On peut aussi former des mots en combinant des racines grecques ou latines ; on parle alors de composition **savante** : *photographie* (de *photo-* et *-graphie*, éléments grecs) et *agriculture* (de *agri -* et *- culture*, éléments latins) sont des exemples de ce type de composés.

Comme vous vous êtes déjà familiarisés avec l'existence des mots composés en travaillant les règles qui régissent leur accord dans le module VI de ce recueil, nous n'y reviendrons pas ici. Les exercices porteront exclusivement sur les composés dits savants.

Pour faire les exercices qui suivent, vous aurez besoin de votre dictionnaire et de la liste des éléments grecs et latins que vous trouverez au §30 du *Précis de grammaire française* de Maurice Grevisse (cette liste est incomplète, c'est pourquoi vous devrez aussi recourir au dictionnaire).

Exercice 20

Trouvez le sens des éléments ayant servi à composer les mots suivants à partir des exemples donnés.

Assurez-vous que votre réponse s'applique à tous les exemples. Comparez ensuite votre réponse avec la signification donnée dans votre grammaire ou votre dictionnaire.

1. *omnivore, granivore, herbivore, carnivore*

    -vore : ....

2. *radiographie, lithographie, photographie*

    -graphie : ....

3. *photographie, photosynthèse, photomètre*

    photo- : ....

4. *thermomètre, thermostat, thermos, thermonucléaire*

    thermo- : ....

5. *polycopie, polyglotte, polyvalente*

    poly- : ....

6. *phonétique, aphone, phonothèque*

    phono- : ....

7. *télévision, télégramme, téléscope*

    télé- : ....

8. *téléscope, microscope, périscope, magnétoscope*

    -scope : ....

9. *anatomie, appendicectomie, tome, atome*

    -tome, -tomie : ....

10. *synonyme, antonyme, paronyme, toponyme*

    -onyme : ....

11. *chronologie, chronomètre*

    chrono- : ....

12. *dynamite, dynamique, dynanomètre*

    dynamo- : ....

364   *La formation des mots*

13. *tétrasyllabe, tétraplégie, tétralogie*

     tétra- : ....

14. *manipuler, manutention, manucure*

     mani-, manu- : ....

15. *aquarium, aquarelle, aquatique, aquifère*

     aqua-, aqui- : ....

16. *similitude, simili-cuir*

     simili- : ....

17. *quadrilatère, quadrupède, quadragénaire*

     quadra-, quadri-, quadru- : ....

18. *calorie, calorifère, calorimétrie*

     calor- : ....

19. *anthropologie, misanthrope, anthropophage*

     anthropo-, -anthrope : ....

20. *chiromancie, chiropractie, chirurgien*

     chir(o)- : ....

21. *philosophie, haltérophile, philharmonique, cinéphile*

     phil(o)-, -phile : ....

22. *pyrogravure, pyromane, pyrex*

     pyr(o)- : ....

23. *chromosome, mercurochrome, monochrome, chromatique*

     chrom(o)-, -chrome : ....

24. *lithographie, aérolithe, néolithique*

litho-, -lithe :...

25. *toponymie, isotope, topographie*

topo-, -tope :...

EXERCICE 21

L'évolution de la société, de la science en général et des techniques impose la création de mots nouveaux. Dans les domaines scientifique et technique, la composition savante (gréco-latine) est le procédé privilégié pour la création de mots nouveaux. La logique voudrait peut-être qu'on évite d'accoupler une racine grecque à une racine latine, mais dans la pratique de telles combinaisons sont très nombreuses : *hydrofuge (hydro-,* grec et *-fuge,* latin),* etc.

La création de mots nouveaux repose le plus souvent sur un principe d'économie : on n'invente pas ; on réutilise, on fait du neuf avec du vieux en juxtaposant des mots ou racines grecques et latines existant déjà dans la langue pour former de nouveaux composés, en ajoutant des préfixes ou des suffixes, etc. Bref, en créant ainsi de nouvelles combinaisons à partir d'éléments existant déjà dans la langue, on réutilise ce dont on se sert déjà et ce qu'on connaît.

C'est pourquoi une connaissance sommaire des éléments grecs et latins entrant dans la composition des mots peut vous aider à décoder des mots nouveaux, que vous n'aviez jamais vus auparavant. Mais pourriez-vous faire le cheminement inverse et découvrir le mot à partir de la définition ?

En vous aidant de votre dictionnaire et de la liste des éléments latins et grecs que propose Grevisse, trouvez le mot correspondant à la définition en italique.

1. Ce philosophe est un grand *(personne qui s'emploie à améliorer le sort des hommes, qui aime tous les hommes)* ....

2. Il souffre de *(douleur ressentie sur le trajet des nerfs)* ....

3. Jeanne connaît des difficultés financières *(qui durent ou se répètent)* ....

4. Jacques est un *(personne qui aime, recherche et conserve avec soin les livres rares et précieux)* ....

5. J'ai acheté une *(meuble permettant de ranger ou de classer les livres)* ....

6. L'historien étudie la *(science de la fixation des dates des événements historiques, de la succession des événements dans le temps)* .... des événements.

7. L'aspirine est un médicament *(qui supprime ou atténue la douleur)* ....

8. Ils ont enfin arrêté le *(personne qui allume des incendies, poussée par une sorte de folie)* .... qui terrorisait le quartier.

9. Yvan souffre de *(angoisse d'être enfermé)* .... ; Jean-Guy, lui, souffre d'*(peur maladive des lieux publics, des espaces libres)* ....

10. Ce dictateur tristement célèbre était un *(qui a la folie des grandeurs, un orgueil et une ambition excessifs)* ....

11. Pourriez-vous me recommander une bonne pommade *(qui tue les champignons parasites)* .... ?

12. Le fondement de notre gouvernement est la *(forme de gouvernement dans laquelle la souveraineté appartient au peuple, aux citoyens)* ....

13. Donnez-moi un *(mot qui a le sens contraire)* ...., un *(mot de prononciation identique et de sens différent)* .... et un *(mot qui a un sens identique ou très voisin)* .... de « chaud ».

14. La *(science des noms de lieux, de leur étymologie)* .... fait partie de l'onomastique.

15. Elle aurait besoin d'une cure d'*(traitement par usage externe de l'eau, bains, douches, etc.)* .... ou, mieux encore, de *(usage thérapeutique des bains de mer, du climat marin)* ....

16. Dans la dialectique de Hegel, l'*(seconde démarche de l'esprit, niant ce qui était affirmé dans la thèse)* .... précède la synthèse.

17. Le mélange des bruits de la rue et des cris des enfants créent une *(assemblage discordant ou confus de voix, de sons)* .... désagréable.

18. On appelle la France l'*(polygone à six angles et par conséquent six côtés)* .... à cause de la forme de sa carte géograhique.

19. Le sapin est un *(arbre dont les organes reproducteurs femelles sont le plus souvent en forme de cônes)* ....

20. *Dix litres* sont un .... ; un *dixième de litre*, c'est un ....

21. New York est une ville *(qui comprend des personnes de tous les pays, subit les influences de nombreux pays)* ....

22. J'ai décidé d'apprendre le piano ; il me faut un *(instrument servant à marquer la mesure)* ....

23. Le but de ces exercices est de faire de vous des *(de grands amoureux du lexique)* ....

6. FAMILLES DE MOTS : CHAMP SÉMANTIQUE ET FAMILLE ÉTYMOLOGIQUE

Nous voici au terme de la première partie de ce module. Avant d'aborder d'autres aspects de l'étude du lexique, revenons sur les familles de mots pour apporter quelques précisions qui vous permettront, nous l'espérons, de mieux comprendre comment s'établissent les liens de parenté entre les mots.

Il nous reste en effet à distinguer entre **famille de mots** proprement dite (ou famille étymologique) et **champ sémantique** d'un mot.

Une famille de mots est formée de dérivés et de composés issus d'une base commune, ayant la même origine. Ainsi, les mots :

> *cœur, écœurer, écœurement ; cordial, cordialité, cordialement ; accord, accorder, accordéon, accordeur, accordailles ; concorde, concorder, concordance, concordant, concordataire ; discorde, discordant, discordance ; miséricorde, miséricordieux ; raccord, raccorder, raccordement ; courage, courageux, courageusement ; décourager, décourageant, encourager, encourageant, encouragement, etc.*

appartiennent tous à la même famille de mots, ou famille étymologique. La base de la famille prend trois formes, *cœu*, *cord* et *cour*, toutes trois issues du latin *cor*. L'origine *cor* est donc la même pour tous ces mots, et c'est pourquoi on dit qu'ils forment une famille.

Si maintenant l'on cherche l'origine des mots :

> *cardiaque, cardiogramme, cardiographie, cardiologie, cardiologue, électrocardiogramme, endocarde, myocarde, péricarde, tachycardie, etc.*

on découvrira que la base *card* ou *cardio* est issue celle-là du grec *kardia*, qui signifie « cœur ». Ces mots ne peuvent donc se rattacher à la famille étymologique précédente puisque leur origine n'est plus la même. Ils forment donc une famille étymologique indépendante de celle de *cœur*.

Cependant, si ces deux familles sont différentes du point de vue de l'étymologie (origine), on peut dire qu'elles sont parentes par le sens, le latin *cor* et le grec *kardia* signifiant tous deux « cœur ». Ces deux familles étymologiques forment ensemble une **famille de sens** ; c'est ce qu'on appelle le **champ sémantique** d'un mot. En voici un autre exemple. Les quatre familles étymologiques différentes suivantes composent le champ sémantique du mot *enfant :*

1. *enfant, enfance, enfantin, enfantillage, infantile, infanticide,* etc.
    (base *enfan* ou *infant*, du latin *infans, infantis*, qui signifient « enfant »)

2. *puéril, puérilité, puériculture, puerpéral, puérilement,* etc. (base *puer* ou *puéri*, du latin *puer* qui signifie « enfant »)

3. *poupon, poupée, pouponner, pouponnière* (base *poup*, du latin *pupa* ou *pupus*, qui signifient « petit enfant »)

4. *pédagogie, pédiatrie, pédophile, psychopédagogie, orthopédie, orthopédiste, pédéraste, pédologie,* etc. (base *péd* ou *pédo*, du grec *pais* ou *paidos*, qui signifient « enfant, jeune garçon »)

Ces quatre familles étymologiques forment une famille de sens autour du mot *enfant.*

Le champ sémantique peut être beaucoup plus large encore. Il pourrait se définir comme un ensemble de termes correspondant à des notions organisées selon certains cadres ou thèmes. On pourrait ainsi essayer de bâtir le champ sémantique des termes désignant des habitations : *maison, auberge, cabane, hutte, igloo,* etc. Mais nous n'irons pas jusque-là.

Vous le voyez, le lexique est un champ d'étude fort complexe, aux ramifications nombreuses. Dans cette première partie du module sur le lexique, nous espérons avoir éveillé votre intérêt et votre curiosité. Dans la deuxième partie, vous travaillerez plus activement à l'acquisition de vocabulaire nouveau par la recherche de synonymes, d'antonymes, etc., et à la correction des fautes les plus courantes dans ce domaine.

CORRIGÉ

1.   **1.** La base de la famille est l'élément *lud*, qui signifie « jeu ».   **2.** La base de la famille est l'élément *cert*, qui signifie « assuré ».   **3.** La base de la famille est le mot *noble*.   **4.** La base de la famille est l'élément *numér*, qui signifie « nombre ».   **5.** La base de la famille est l'élément *célér*, qui signifie « rapide ».   **6.** La base de la famille est l'élément *aqu(a)*, qui signifie « eau ».   **7.** La base de la famille est l'élément *cap*, qui signifie « manteau » ou « ce qui recouvre ».   **8.** La base de la famille est l'élément *man*, qui signifie « main ».   **9.** La base de la famille est l'élément *lab*, qui signifie « travail ».   **10.** La base de la famille est l'élément *sati(s)*, qui signifie « assez ».

2.   (**Note** : d'autres réponses sont parfois possibles.)
     1. noms : hivernage, hivernant ; adjectifs : hivernal ; verbes : hiverner
     2. noms : vinasse, vinaigre, vinaigrette, vinaigrier, vinification, pot-de-vin ; adjectifs : vinicole, vineux, aviné ; verbes : vinifier, vinaigrer   **3.** noms : contrevent, coupe-vent, engoulevent, éventail, éventaire, paravent, ventilateur, ventilation, ventouse, vol-au-vent ; adjectifs : éventé, venteux ; verbes : éventer, venter, ventiler   **4.** noms : appréciation, dépréciation ; adjectifs : appréciable, inappréciable, dépréciatif, précieux ; verbes : déprécier   **5.** noms : docteur, doctorat, doctoresse, endoctrinement, document, documentaliste, documentation ; adjectifs : docte, doctoral, doctrinaire, doctrinal, documenté ; verbes : endoctriner, documenter   **6.** noms : amabilité, amant, amateur, amateurisme, ami, amiable (à l'), amicale, amitié, amourette, amoureux, amour-propre, mamours ; adjectifs : amateur, amical, inamical, amoureux, énamouré ; verbes : s'amouracher

3.   **1.** sabbat   **2.** précarité   **3.** ciel   **4.** faveur   **5.** compression   **6.** troc   **7.** éviction

4.   **1.** allonger, longévité (base : *long*)   **2.** intemporel, temporiser (base : *tempor*, « temps »)   **3.** intermédiaire, médiane, médiéval (base : *médi*, « moyen, milieu »)   **4.** armateur, armature (base : *arm*)   **5.** biberon, imbiber (base : *bib*, « boire ») ; boisson, imbuvable (deux autres formes de *boire*)   **6.** chiromancie, chirurgical (base : *chiro*, « main »)   **7.** clameur, proclamation (base : *clam*, « cri »)   **8.** congratulation, ingrat (base : *grat*, « reconnaissance »)   **9.** destitution, restituer (base : *stitu*, « état »)   **10.** immature, prématuré (base : *matur*, « mûr »)   **11.** innocent, innocuité (base : *noc*, « nuire »)   **12.** manoir, rémanence (base : *man*, « rester »)

5.   (**Note** : d'autres réponses sont possibles.)
     1. *a-* : privation (amoral, apathie, amorphe, athée...)   **2.** *co-* : avec (colocataire, cosignataire, codirecteur...)   **3.** *dé- (dés-)* : séparation, action contraire (découdre, déplacer, désavantager, désarticuler...)   **4.** *dis-* : éloignement, séparation ou priva-

tion (discorde, dissemblable, disparité, disparaître...) **5**. *in-* : négation (inactif, inconsolable, incompétent...) **6**. *mé- (més-)* : négation, mal (mésaventure, mécontent, mésalliance, méconnaissable, méfait...) **7**. *pré-* : devant, avant (prédire, prévenir, prédisposition, préalable...) **8**. *re-* : répétition, de nouveau (reporter, redire, refaire, remettre, renouveau...) **9**. *para-* : à côté de (parascolaire, paranormal, paramilitaire, parapsychologie...) et *para-* : contre (parasol, parapluie...) **10**. *con-* : avec (concitoyen, conjonction, conjoint, congénère, confondre...)

6. **1**. malheureux **2**. infécond **3**. malchanceux **4**. impatient **5**. illisible **6**. irréel **7**. discontinuer **8**. malhonnête **9**. discordance **10**. disculper **11**. malhabile **12**. mécontent **13**. inconnu, méconnu (« mal connu ») **14**. se méfier, se défier **15**. désagréable **16**. disjoindre **17**. irréfléchi **18**. dissuader **19**. mésentente **20**. immoral (« contraire à la morale »), amoral (« sans morale »)

7. **1**. *dés-* : suppression, contraire ; *désaffection* : action de ne plus aimer, perte de l'attachement qu'on avait **2**. *an-* : privation ; *analphabète* : qui ne connaît pas l'alphabet, ne sait pas lire **3**. *épi-* : sur ; *épiderme* : couche superficielle de la peau **4**. *dé-* : suppression, action contraire ; *dévoiler* : enlever le voile, révéler **5**. *in-* : négation ; *inouï* : qu'on n'a jamais entendu **6**. *con-* : avec ; *contemporain* : qui est de notre époque, de notre temps **7**. *é-* : hors de ; *énervé* : hors de soi, qui se trouve dans un état de nervosité inhabituel **8**. *trans-* : au-delà, à travers ; *transformer* : faire passer d'une forme à une autre **9**. *hyper-* : au-dessus de la normale ; *hypernerveux* : d'une nervosité excessive **10**. *péri-* : autour ; *périnatalité* : ce qui entoure la naissance (avant et après) **11**. *pro-* : vers l'avant, en avant ; *progéniture* : êtres engendrés par un homme ou une femme, un animal **12**. *hypo-* : au-dessous, sous ; *hypocalorique* : qui est faible en calories **13**. *mi-* : moitié ; *midi* : la moitié du jour **14**. *syn-* : avec, ensemble ; *syndrome* : ensemble de symptômes (en médecine) **15**. *a-* : privation ; *apolitique* : qui se situe en dehors de la politique, de la lutte politique

8. **1**. *anti-* : opposition (contre) ; *con-* : avec, ensemble **2**. *a-* : privation (sans) ; *sy-* : avec **3**. *in-* : négation ; *dis-* : action contraire **4**. *dé-* : action contraire ; *con-* : avec, ensemble **5**. *in-* : négation ; *sur-* : au-dessus **6**. *sur-* : au-dessus ; *ex-* : hors de **7**. *re-* : répétition (de nouveau) ; *dé-* : action contraire **8**. *in-* : négation ; *con-* : avec, ensemble **9**. *re-* : répétition (de nouveau) ; *trans-* : au-delà, à travers **10**. *com-* : avec, ensemble ; *pro-* : devant, vers l'avant

9. **1**. dessous, au-dessous : *hypo*derme, *sou*mettre, *suc*cession, *sou*terrain, *sug*gestion, *sub*diviser, *hypo*tension **2**. avec, ensemble : *con*courir, *coll*atéral, *com*patriote, *co*existence, *com*prendre, *sym*pathie **3**. sur, au-dessus : *sur*prendre, *super*sonique, *hyper*émotivité, *épi*centre, *sur*humain **4**. au-delà, à travers : *dia*gonale, *trans*mettre, *tré*passer, *tra*verser, *trans*formation **5**. autour : *circon*locution, *péri*mètre, *circon*volution, **6**. au milieu : *entre*tenir, *inter*national, *entre*poser, *entr*acte

10. **1.** apprendre **2.** surprendre **3.** comprendre **4.** rapprendre (réapprendre) **5.** s'éprendre **6.** reprendre **7.** se déprendre **8.** entreprendre **9.** désapprendre **10.** se méprendre

11. **1.** abolition **2.** ahurissement **3.** alliage, alliance **4.** atermoiement **5.** combinaison **6.** congélation **7.** contenance **8.** création **9.** exigence **10.** glissade, glissage, glissement **11.** inclination, inclinaison **12.** parrainage **13.** perpétration **14.** pillage **15.** plâtrage **16.** procédure **17.** renchérissement **18.** salaison, salage **19.** semis, semailles **20.** vernissage, vernis

12. **1.** assouplissement ; réchauffement ; étirement **2.** désapprobation **3.** déploiement **4.** déposition **5.** comparution **6.** dérobades **7.** parution **8.** répression **9.** torréfaction **10.** délabrement

13. **1.** habileté **2.** adresse **3.** capacité **4.** diplomatie **5.** aptitude **6.** virtuosité **7.** perspicacité **8.** ingéniosité **9.** finesse **10.** agilité **11.** gaucherie **12.** lourdeur **13.** maladresse **14.** incapacité **15.** déficience **16.** petitesse **17.** exiguïté **18.** bassesse **19.** mesquinerie **20.** acrimonie **21.** âpreté **22.** dureté **23.** rudesse **24.** vivacité **25.** ardeur **26.** désuétude **27.** rigueur **28.** disparité **29.** notoriété **30.** équité **31.** impartialité **32.** intégrité **33.** intégralité **34.** irascibilité **35.** exactitude

14. **1.** disquaire **2.** actionnaires **3.** plaignard **4.** geignarde **5.** vantard **6.** grognon **7.** conducteur ; chauffeur ; chauffard **8.** débardeurs (*dockers* en France) **9.** charcutier **10.** carriériste

15. **1.** vaporisateur **2.** friteuse **3.** muselière **4.** encensoir **5.** gouvernail **6.** rasoir **7.** pataugeoire **8.** chaudière **9.** éteignoir **10.** écumoire **11.** nageoire **12.** fermoir **13.** rôtissoire **14.** miroir **15.** humidificateur

16. **1.** périssable **2.** déplorable **3.** regrettable **4.** lamentable **5.** pitoyable (*Lamentable* et *pitoyable* ont acquis une certaine autonomie de sens par rapport à leur base : un résultat *lamentable* ou *pitoyable,* c'est un « mauvais » résultat.) **6.** soluble **7.** durable **8.** éligible **9.** irrésistible **10.** irrémédiable

17. **1.** enfantin **2.** pâlot **3.** nasillard **4.** rouquin, roussâtre **5.** rougeaud, rougeâtre **6.** aigrelet **7.** propret **8.** braillard **9.** flemmard **10.** lourdaud **11.** opiniâtre **12.** courtaud **13.** rondelet **14.** douceâtre **15.** mollet (valeur diminutive), mollasse (valeur péjorative) **16.** fadasse

18. **1.** -ment (A) **2.** -iste (F) **3.** -ise (L) **4.** -aison (A) **5.** -ûre (A) **6.** -ais (G) **7.** -ée (B) **8.** -ard (J) **9.** -age (A) **10.** -eur (F) **11.** -able (K) **12.** -on (C) **13.** -isme (D) **14.** -ose (I) **15.** -ien (F) **16.** -on (C) **17.** -iste (E) **18.** -eau (C) **19.** -oire

(H) **20**. -ite (I) **21**. -ois (G) **22**. -ée (B) **23**. -ation (A) **24**. -té (L) **25**. -aud (J)

19.   *a)* fin : 2 *b)* final : 5 *c)* finale (n. f.) : 8 *d)* finale (n. m.) : 3 *e)* finalement : 13 *f)* finalisme : 15 *g)* finaliste (n.) : 9 *h)* finaliste (adj.) : 1 *i)* finalitaire (adj.) : 17 *j)* finalité : 4 *k)* fini : 12 *l)* finir : 7 *m)* finissage : 16 *n)* finissant (adj.) : 10 *o)* finisseur : 11 *p)* finition : 14 *q)* finitude : 6

20.   **1**. *-vore* : manger **2**. *-graphie* : écriture **3**. *photo-* : lumière **4**. *thermo-* : chaleur **5**. *poly-* : plusieurs **6**. *phono-* : son, voix **7**. *télé-* : loin **8**. *-scope* : regarder **9**. *-tome, -tomie* : couper **10**. *-onyme* : nom **11**. *chrono-* : temps **12**. *dynamo* : force **13**. *tétra-* : quatre **14**. *mani-, manu-* : main **15**. *aqua-, aqui-* : eau **16**. *simili-* : pareil, semblable **17**. *quadra-, quadri-, quadru-* : quatre **18**. *calor-* : chaleur **19**. *anthropo-, -anthrope* : homme **20**. *chir(o)-* : main **21** *phil(o)-, -phile* : aimer, rechercher **22**. *pyr(o)* : feu **23**. *chromo-, -chrome* : couleur **24**. *litho-, -lithe* : pierre **25**. *topo-, -tope* : lieu

21.   **1**. philanthrope **2**. névralgie **3**. chroniques **4**. bibliophile **5**. bibliothèque **6**. chronologie **7**. analgésique, antalgique (moins courant) **8**. pyromane **9**. claustrophobie ; agoraphobie **10**. mégalomane **11**. fongicide, antifongique **12**. démocratie **13**. antonyme ; homonyme ; synonyme **14**. toponymie **15**. hydrothérapie ; thalassothérapie **16**. antithèse **17**. cacophonie **18**. Hexagone **19**. conifère **20**. décalitre ; décilitre **21**. cosmopolite **22**. métronome **23**. « lexicophiles » (Un mot qui pourrait être utile même s'il n'est pas dans le dictionnaire.)

ENRICHISSEMENT DU VOCABULAIRE

Entre toutes les différentes expressions qui peuvent rendre une seule de nos pensées, il n'y en a qu'une qui soit la bonne. On ne la rencontre[1] pas toujours en parlant ou en écrivant ; il est vrai néanmoins qu'elle existe, que tout ce qui ne l'est point est faible, et ne satisfait point un homme d'esprit qui veut se faire entendre.

La Bruyère, *Les Caractères*, I 17.

---

1. Au XVIIe siècle, *rencontrer* peut signifier « trouver ».

1. L'EMPLOI DU DICTIONNAIRE

« La propriété d'un terme est sa parfaite convenance à la chose à désigner ou à l'idée à exprimer. C'est le dictionnaire qui arbitre toute contestation touchant le sens précis d'un mot : un langage, système de signes, ne peut jouer son rôle social que si ceux qui le parlent interprètent ces signes identiquement[1]. »

Pour que les êtres se comprennent, il faut que leurs messages soient clairs et précis. Et pour atteindre la clarté et la précision, il faut savoir utiliser le mot juste.

Dans la première partie de ce module, vous avez vu d'où les mots viennent et comment ils se forment. Dans la deuxième, vous verrez comment vous en servir. En effet, un mot ne se choisit pas au hasard. Au contraire, on doit le sélectionner avec soin pour qu'il rende exactement compte de notre pensée. Utiliser le mot juste nous oblige à un double exercice. D'une part, il faut savoir distinguer les différences de sens entre deux synonymes pour sélectionner le terme approprié. D'autre part, il faut aussi enrichir son vocabulaire pour réellement préciser sa pensée.

Comment arriver à enrichir son vocabulaire en quantité et en qualité ? C'est en découvrant les différents sens d'un même mot (polysémie), en distinguant les nuances de sens entre deux mots semblables (synonymie) et en s'astreignant à remplacer les périphrases et les mots passe-partout par des formulations plus précises que l'on atteint ce but.

Mais existe-t-il un ouvrage miraculeux dans lequel on puisse trouver toutes les acceptions d'un mot et leurs définitions ? Oui, le dictionnaire de langue. Avant d'aborder l'enrichissement du vocabulaire, voyons ce que dit le dictionnaire.

Qui n'a jamais ouvert un dictionnaire ? Entrés dans nos vies dès les premières années du cours primaire, les dictionnaires ne nous quittent plus jamais ensuite : on en trouve dans presque tous les bureaux, dans presque toutes les maisons. Des dictionnaires, il en existe beaucoup, et tout le monde reconnaît que ces « recueils de mots » sont des outils précieux parce qu'ils contiennent une mine inépuisable de renseignements sur les choses, les idées, le lexique et même sur les lieux, les noms propres, etc. Ils sont faits pour être consultés et non pour être lus, et leur but est essentiellement pédagogique : les dictionnaires visent à combler les lacunes de l'information des lecteurs et à enrichir leur savoir.

Tous les dictionnaires sont « bons » ; seulement, ils ne se valent pas tous. Tout dépend de ce qu'on cherche. Saviez-vous qu'il existe différents types de dictionnaires, conçus pour répondre à des besoins différents ? Sauriez-vous dire par exemple ce qui fait la

---

1. Cité dans Dupré, *Encyclopédie du bon français dans l'usage contemporain. Difficultés. Subtilités. Complexités. Singularités.* Tome II, Paris, Éditions du Trévisse, 1972.

différence entre le *Petit Larousse illustré* et le *Petit Robert* ? Les objectifs de notre exposé sont, justement : d'une part, vous amener à distinguer les différents types de dictionnaires, et plus particulièrement les dictionnaires encyclopédiques (tel le *Petit Larousse illustré*) et les dictionnaires de langue (tel le *Petit Robert*) ; d'autre part, vous familiariser avec le contenu et le maniement du *Petit Robert*. Si nous avons choisi le *Petit Robert,* c'est en raison de sa grande facilité de consultation, de son caractère analogique et du fait qu'il est probablement devenu le plus connu des dictionnaires de langue.

1.1 Les différents types de dictionnaires

Selon leur but pédagogique et l'utilisation qu'on en fait, on peut distinguer cinq catégories principales de dictionnaires :

a)   Les dictionnaires bilingues ou plurilingues, dont l'objet est de traduire d'une langue à une autre, ou à plusieurs autres, des mots ou concepts en tenant compte des sens et des emplois différents.

b)   Les dictionnaires techniques et scientifiques, tels les dictionnaires de la médecine, de la philosophie, des conventions, des signaux, les dictionnaires d'argot, etc. : leur rôle est de répertorier le lexique (ou *code*) de domaines techniques et scientifiques ou de parlers sociaux de groupes culturellement différents et de le transcoder dans une norme linguistique commune. Ces dictionnaires sont donc, en quelque sorte, des « décodeurs ».

c)   Les dictionnaires encyclopédiques, tels le *Petit Larousse illustré,* le *Grand Larousse encyclopédique,* le *Robert des noms propres* : ils donnent, par l'intermédiaire des mots, des renseignements sur les choses, les idées, les noms propres, etc. Leur objet principal est donc d'enrichir le savoir encyclopédique des lecteurs.

d)   Les dictionnaires de langue, tels le *Petit Robert,* le *Lexis,* le *Quillet de la langue française* : ils donnent avant tout des renseignements sur la langue, c'est-à-dire sur les différents sens et emplois des mots répertoriés. Leur rôle est donc de donner au lecteur l'information qui lui permettra de maîtriser la langue comme moyen d'expression.

e)   Il y a enfin les dictionnaires spécialisés, tels les dictionnaires des synonymes, des antonymes, des citations, des proverbes, des rimes, ou les dictionnaires orthographiques, étymologiques, etc. Ces dictionnaires donnent une information complète sur un aspect particulier de la langue et seulement sur cet aspect. Ainsi, le dictionnaire étymologique donne l'origine des mots, et le dictionnaire orthographique ne donne quant à lui que l'orthographe des mots, sans définition aucune. Les dictionnaires spécialisés sont donc conçus pour répondre à ces besoins très précis : ils ne donnent pas plus que ce qu'ils annoncent !

1.2 Dictionnaires encyclopédiques et dictionnaires de langue : le *Petit Larousse illustré* et le *Petit Robert*

Précisons tout de suite que dictionnaires de langue et dictionnaires encyclopédiques ne sont pas diamétralement opposés : il faudrait plutôt parler de tendances différentes que d'opposition entre ces deux types de dictionnaires. Autrement dit, si l'accent est mis sur l'information de type linguistique dans le *Petit Robert (PR)* et sur l'information de type encyclopédique dans le *Petit Larousse illustré (PLI),* on trouvera quand même de l'information de type encyclopédique dans le premier et, inversement, de l'information de type linguistique dans le second.

Qu'appelle-t-on « information de type linguistique » ? Celle qui renseigne sur l'orthographe et la prononciation du mot, sur sa catégorie grammmaticale (nature et genre), sur son étymologie, ou origine, et son histoire. Relèvent aussi de l'information linguistique les renvois analogiques, les relations avec d'autres mots du lexique (synonymes, antonymes, homonymes, etc.), les exemples d'usage (citations ou autres), les mots dérivés, les marques d'usage et d'appartenance aux différents niveaux de langue.

L'information de type encyclopédique regroupe quant à elle les renseignements sur le contenu évoqué par le mot *(qu'est-ce que c'est ?),* sur la réalité extralinguistique : description, origine, évolution, utilisation, etc., en somme, tout ce qui n'est pas directement lié au mot même. L'information relative aux noms propres est elle aussi de type encyclopédique, ainsi que les illustrations : dessins, schémas, planches, cartes, etc.

Comparons à titre d'exemple l'article *cinéma* du *PR* (1) avec celui du *PLI* (2).

1.   **CINÉMA** [sinema] *n. m.* (1900 ; abrév. de *cinématographe).* ✦ **1°** Procédé permettant d'enregistrer photographiquement et de projeter des vues animées. *Prises de vue de cinéma* (V. **Caméra**). *Film de cinéma. Projection, écran de cinéma. Invention du cinéma par les frères Lumière. Ancêtres du cinéma* (Chronophotographe, kinétoscope, lanterne magique, praxinoscope, zootrope). – *Cinéma muet*, parlant. Cinéma en couleurs, en relief.* ✦ **2°** Art de composer et de réaliser des films. *Le cinéma est appelé le septième art. Faire du cinéma.* V. **Filmer, tourner** ; **réalisation**. *Plateau, studio de cinéma. Décors, truquages de cinéma. Acteur, vedette ; réalisateur* (metteur en scène), *techniciens de cinéma* (caméraman, décorateur, maquilleur, électricien, ingénieur du son, monteur, scripteur, etc.). – *Cinéma professionnel, d'amateur. Cinéma scientifique.* ◇ Industrie du spectacle cinématographique. *Être dans le cinéma.* ✦ 3° Projection cinématographique. *Salle de cinéma. Séance de cinéma.* – Fig. et fam. *C'est du cinéma :* c'est invraisemblable (Cf. Du bluff, du roman). – *Faire du cinéma, tout un cinéma* (Cf. Faire son cirque), faire toute une mise* en scène. V. **Cabotiner**. *Se faire du cinéma :* se jouer la comédie. ✦ **4°** Salle de spectacle où l'on projette des films cinématographiques. *Aller au cinéma. Un grand cinéma. Cinémas d'art, d'essai, d'exclusivité. Cinéma permanent. Ouvreuse de cinéma.*

2.   **CINÉMA** n. m. (abrév. de *cinématographe*). *Art de composer et de réaliser des films destinés à être projetés.* || *Salle de spectacle destinée à la projection des films.* • *C'est du cinéma !* (Fam.), ce n'est pas sincère, c'est entièrement inventé. || *Faire du cinéma, tout un cinéma* (Fam.), se faire remarquer par une attitude affectée.

– En 1890, Marey réalisait un appareil pouvant prendre jusqu'à 16 photos seconde. En 1892, Edison créait son kinétoscope, qui permettait de faire défiler devant un observateur un film perforé, portant des photographies, dont la succession donnait l'illusion du mouvement. En 1895, les frères Lumière mettaient au point le *cinématographe*, premier appareil rationnel permettant d'assurer à la fois la prise de vues et la projection. La première projection publique eut lieu à Paris, le 28 décembre 1895. Le cinéma devint sonore en 1927, puis parlant. Après de multiples tentatives, il bénéficia de la couleur.

Dans ces deux articles, est en italique tout ce qui correspond à de l'information linguistique ; le reste est de l'information encyclopédique. Au premier coup d'œil, on peut voir que la part de l'article consacrée à l'information encyclopédique est plus importante dans le *PLI* que dans le *PR* et, inversement, que la part réservée à l'information linguistique est beaucoup plus importante dans le *PR*. Cette première constatation illustre bien la tendance dominante de chacun de ces deux types de dictionnaires.

Voyons maintenant de plus près comment se détaille l'information présentée dans l'un et l'autre articles.

1.   Prononciation

Le *PR* indique la prononciation (sinema) ; le *PLI* donne parfois la prononciation, mais seulement pour les termes qui présentent une difficulté, ce qui n'est pas le cas de *cinéma*.

2.   Datation

(1900) : on ne la trouve que dans le *PR*. Par ailleurs, les deux dictionnaires précisent que *cinéma* résulte de l'abréviation de *cinématographe*.

3.   Définitions

Le *PLI* en donne deux et le *PR* quatre.

4.   Exemples d'usage

Le *PR* en donne plus que le *PLI*.

Par exemple : *C'est du cinéma.* Le niveau de langue (fam.) est précisé dans les deux dictionnaires. Dans le *PR,* on trouve en outre d'autres marques d'usage (Fig. et fam. *C'est du cinéma*) et des expressions équivalentes à celles qui sont formées avec le mot *cinéma : C'est du cinéma* (Cf. Du bluff, du roman).

5.   Renvois analogiques

(V. **Caméra**, V. **Cabotiner.**) : on n'en trouve que dans le *PR.* D'autre part, dans le *PR* aussi, les mots entre parenthèses servent à préciser ou à expliquer une définition ou un terme. On lit ainsi, à la suite de *techniciens du cinéma :* (caméraman, décorateur, maquilleur, électricien, ingénieur du son, monteur, scripteur, etc.).

6.   Illustration

Dans le *PLI,* on trouve un « schéma des opérations annexes du tournage d'un film » pour illustrer l'article *cinéma.* Rien de tel dans le *PR.*

7.   Histoire du cinéma

On ne retrouve de l'information de type encyclopédique que dans le *PLI,* où la notice historique constitue plus de la moitié de l'article *cinéma.*

****

Maintenant que vous avez une idée de la différence entre le *PLI* et le *PR,* voyons plus précisément comment celui-ci est fait et comment ses articles sont structurés.

1.3 Présentation des principales parties du *Petit Robert* (édition 1990), suivant l'ordre dans lequel elles apparaissent dans le dictionnaire

On trouve en tête du *PR* une trentaine de pages, numérotées en chiffres romains, qui renferment une foule de renseignements destinés à en faciliter la consultation.

1.   Présentation du dictionnaire

C'est la première section importante du *PR ;* elle suit la préface. Ce texte d'une douzaine de pages renseigne le lecteur sur le contenu du dictionnaire, sur la façon de l'utiliser (où et comment chercher un mot ?) et sur la manière dont l'information est présentée : définitions, exemples, marques d'usage, etc.

2. Principes de la transcription phonétique

La prononciation de chaque mot étant donnée en alphabet phonétique, on trouve, à la suite de la présentation du dictionnaire, un tableau des symboles de cet alphabet et des remarques des auteurs sur les principes qui ont présidé à leur choix de la prononciation de chaque mot.

3. Tableau des signes conventionnels et abréviations du dictionnaire

Ce tableau présente tous les symboles, signes et abréviations utilisés dans les articles et en précise le sens.

4. Principaux auteurs et textes cités

Liste alphabétique des principaux auteurs et textes cités dans les articles du dictionnaire.

Vient ensuite la partie essentielle de l'ouvrage.

5. Dictionnaire alphabétique et analogique

La nomenclature proprement dite, ou termes répertoriés dans le dictionnaire.

Suivent un certain nombre d'« annexes ».

6. Correspondances des principales datations de mots

La date d'apparition du terme dans la langue écrite est précisée au début de chaque article ; dans cette section, qui suit le dictionnaire proprement dit, on trouvera une liste des textes les plus utilisés pour déterminer ces dates.

7. Dérivés des noms de personnes (réelles, mythologiques, imaginaires)

Ce tableau présente les principaux dérivés de noms de personnes (ex. : Gargantuesque *(Gargantua),* Darwinien, ienne*, Bacchique*, etc.).

8. Liste à double entrée des noms propres de lieux et des noms communs ou adjectifs correspondants

Cette liste comporte deux parties : d'abord, la liste alphabétique des noms propres de lieux suivis des noms communs ou adjectifs correspondants (ex. : Sainte-Foy, Canada *(Saint-Fidéen, enne)* ; puis, la liste inverse, c'est-à-dire celle des noms communs ou adjectifs suivis des noms de lieux correspondants (ex. : Hambourgeois, oise (*Hambourg*, Allemagne).

9.   Tableau des suffixes

Ce tableau présente la liste alphabétique des suffixes utilisés pour former des mots nouveaux en français.

10.   Conjugaisons des verbes français avec leur prononciation

Tableaux de conjugaison des verbes réguliers. La conjugaison des verbes irréguliers est donnée dans le dictionnaire, au début de l'article consacré à chacun de ces verbes.

11.   Tableau des noms de nombres

Ce tableau donne l'écriture des nombres en français, sans toutefois en expliquer les règles.

12.   Table des matières

Liste des sections du dictionnaire et renvoi aux pages correspondantes.

En somme, les sections qui précèdent le dictionnaire proprement dit informent sur le contenu de celui-ci (« Présentation ») et sur la façon de l'interpréter (symboles, alphabet phonétique, etc.). Les sections qu'on trouve à la suite du dictionnaire sont, à l'exception de la table des matières, des annexes spécialisées et présentent généralement de l'information nouvelle.

1.4 Comment sont bâtis les articles du *Petit Robert* ?

Les articles du *PR* sont parfois très longs, aussi est-il bon de savoir comment ils sont conçus pour trouver rapidement ce qu'on cherche et ainsi gagner du temps.

Précisons d'abord qu'il y a deux types de classement possibles des emplois ou sens d'un mot dans un article de dictionnaire : le classement dit *logique* et le classement *historique*. Si l'article suit un plan logique, les différents emplois d'un mot seront classés du sens supposé premier au sens le plus éloigné de celui-ci. Par exemple, le sens premier du mot *cœur* étant « organe central de l'appareil circulatoire », c'est cette définition qui apparaîtra la première. Le plan historique présente les différents sens ou acceptions d'un mot dans l'ordre de leur apparition dans l'histoire de la langue : de l'emploi le plus ancien à l'emploi le plus récent. C'est ce dernier plan que les auteurs du *PR* ont privilégié dans la rédaction des articles, bien qu'ils recourent au classement logique quand les emplois d'un mot sont à peu près aussi anciens les uns que les autres (*vx* indique un emploi ou un mot de l'ancienne langue, *vieilli,* un emploi ou un mot en train de sortir de la langue).

D'autre part, un classement des emplois formels est aussi prévu dans la structure des articles. Lorsqu'il y a lieu, les articles sont divisés en grands paragraphes précédés de numéros (I, II, III, etc.) et correspondant à ces différents types d'emplois. Ainsi, l'article *parler* se divise en trois paragraphes : dans le premier sont répertoriés les emplois intransitifs du verbe *(parler, parler fort,* etc.*)*, dans le deuxième, les emplois transitifs indirects *(parler de, parler à, se parler,* etc.*)* et, dans le troisième, les emplois transitifs directs *(parler une langue,* etc.*)*.

Ces paragraphes peuvent aussi correspondre à des divisions de sens. Ainsi, à l'article *cœur*, le premier paragraphe regroupe les définitions découlant du sens premier (« organe central de l'appareil circulatoire ») tandis que le deuxième rassemble celles qui découlent du sens plus abstrait (« siège des sensations et des émotions »).

Dans certains cas, enfin, ces paragraphes peuvent aussi correspondre à un regroupement d'expressions ou de locutions ayant une valeur particulière par rapport au sens premier du mot. À l'article *manière*, par exemple, le second paragraphe fait état des emplois du mot au pluriel, comme dans les expressions *avoir de bonnes, de mauvaises manières, faire des manières,* etc.

Vous savez maintenant ce que vous pouvez attendre d'un dictionnaire de langue et comment se présente l'information dans les articles du *PR*. Mais tout cela vous paraît peut-être un peu abstrait... Rien ne vaut la pratique ! Les exercices qui suivent vous permettront de découvrir par vous-même tout ce qu'on peut tirer de la consultation du *PR* et, partant, de vous familiariser avec le maniement de ce dictionnaire : mieux vous le connaîtrez, plus vous l'apprécierez !

EXERCICE 1

1. Dans l'article *cœur*, à quels regroupements de sens correspondent les grandes divisions introduites par les chiffres romains ?

   ....

   ....

2. Ces grandes sections sont-elles elles-mêmes subdivisées ? De quelle manière ?

   ....

   ....

   ....

....

....

....

3.   Expliquez la progression pour la deuxième grande division.

....

....

....

....

....

EXERCICE 2

Trouvez dans l'article *parler* ce qui différencie les trois emplois suivants du verbe.

1.   Il *parle* à tort et à travers.

....

2.   Il me *parle* souvent de sa tante.

....

3.   Il *parle* le français comme je parle l'arabe.

....

EXERCICE 3

Combien de sens dénombrez-vous au mot *acception* ? De quelle façon sont-ils présentés ?

....

....

1.5   Sens propre et sens figuré

La plupart des mots du lexique ont plus d'une acception, c'est-à-dire plus d'un sens. Certains sens sont concrets, d'autres abstraits. On appelle sens figuré une valeur abstraite issue d'un sens concret. Comparez les deux phrases suivantes :

> *Le bourreau lui trancha la tête.*
> *Le juge trancha la question.*

Qu'est-ce qui différencie la première phrase de la seconde ? Dans la première phrase, on imagine concrètement la scène. On voit le couperet s'abattre et détacher la tête du tronc. C'est le sens propre du verbe *trancher*. Dans la seconde, on comprend bien que le juge met fin au débat. Il ne nous vient pas à l'idée qu'il puisse le faire avec un couteau ou une hache ! Dans les deux cas, *trancher* signifie *mettre fin à* mais dans le premier, le sens est propre et dans le second, il est figuré.

EXERCICE 4

Soulignez, dans le court texte suivant, les mots et les expressions employés au sens figuré.

Tous les sens figurés ne sont pas indiqués dans les dictionnaires.

Le marché immobilier est un fidèle baromètre de la santé de l'économie. Au cœur de la récession, l'industrie de la construction était quasi moribonde. Aujourd'hui, elle semble renaître de ses cendres, et le prix des maisons, sans monter en flèche, se relève tranquillement.

2. LE MOT JUSTE

2.1 La synonymie

Pour gagner en précision et en variété sur le plan lexical, on doit savoir recourir aux synonymes, c'est-à-dire aux mots et aux expressions de signification voisine. Toutefois, il faut se garder de croire que les synonymes sont nécessairement interchangeables. En effet, il n'existe pas de synonymes absolus, mais bien plutôt des mots qui ont entre eux des analogies de sens, tout en différant par des nuances d'acception. Ce sont d'ailleurs ces nuances qui font la richesse de la langue. Et on peut souvent juger de la valeur d'un écrivain à la façon dont il manie les synonymes.

Il existe trois types de synonymes. Les premiers ont un radical identique, mais présentent des physionomies différentes à la suite d'accidents survenus au cours de leur formation : *aigre, âcre ; frêle, fragile.* Les deuxièmes, au radical identique aussi, se différencient par le préfixe ou le suffixe : *simuler, dissimuler ; variété, variation.* Les troisièmes, eux, présentent des radicaux distincts, mais portent des significations analogues : *danger, péril ; pâle, blafard, blême, hâve, livide ; soumettre, assujettir, subjuguer, asservir.*

Trouver le mot juste permet de préciser sa pensée et d'éviter la monotonie ; mais où chercher le terme approprié ? On peut consulter des dictionnaires de synonymes, dont les plus célèbres sont sans contredit ceux de René Bailly[1] et d'Henri Bénac[2] ou encore recourir au *Petit Robert* qui, comme nous l'avons vu plus haut, est un dictionnaire analogique. Mais, qu'est-ce au juste qu'un dictionnaire analogique ? C'est un ouvrage qui rend compte des liens de parenté sémantique qu'entretiennent les mots entre eux. Ainsi, l'adjectif *facile*, qui appartient au français fondamental et que connaît toute personne ayant des notions de français, renvoie dans son premier sens à *aisé, commode, élémentaire, enfantin, simple, faisable, possible.* Aux autres acceptions du mot correspondent les adjectifs *aisé, coulant, habile, accommodant, arrangeant, conciliant, doux, malléable, tolérant.*

Dans le *Petit Robert*, les renvois analogiques sont présentés en caractères gras et précédés du signe **V.**, pour « voir », qui invite le lecteur à se reporter à tel ou tel mot. Ce sont généralement des mots de même catégorie grammaticale, susceptibles d'être remplacés l'un par l'autre dans des phrases de sens voisin ou analogue. Précisons toutefois que lorsque le dictionnaire nous dit d'aller voir tel mot, cela ne signifie pas forcément que nous trouverons à ce mot un supplément d'information concernant celui qui y renvoie. Cela veut dire : « Consultez l'article portant sur le mot en gras pour comparer son sens, ses emplois, à ceux du premier mot. »

En résumé, que vous vouliez vous assurer de la propriété d'un terme (ou d'une expression) ou que vous en cherchiez l'équivalent, lisez l'article le concernant et comparez-le avec ceux des mots de sens voisins auxquels le dictionnaire renvoie.

2.1.1 Synonymes et différences de sens

Les synonymes sont des mots au noyau sémantique commun, qui se différencient par un **trait secondaire**. En effet, il y a toujours une différence de sens entre deux synonymes. Comment la déterminer ? En délimitant premièrement le noyau sémantique commun, puis en déterminant le trait secondaire différenciateur.

---

1. BAILLY, René, *Dictionnaire des synonymes de langue française,* Paris, Larousse, 1970.

2. BÉNAC, Henri, *Dictionnaire de synonymes conforme au dictionnaire de l'Académie française*, Paris, Hachette, 1956.

Faisons un exercice. Qu'ont en commun les mots *fat* et *prétentieux* ? La prétention. Et qu'est-ce qui les distingue ? Voyons ce que dit le *Petit Robert* à *fat* : « Qui montre sa prétention de façon déplaisante et quelque peu ridicule » ; sous *prétentieux*, nous lisons : « Qui affiche des prétentions excessives ; est trop satisfait de ses mérites ». Dans le premier cas, c'est la manière déplaisante et ridicule qui restreint le sens ; dans le second, c'est l'idée d'excès, de surabondance qui en limite l'étendue.

À vous maintenant de mettre en pratique les notions que nous venons de voir. Gardez le dictionnaire à portée de la main !

EXERCICE 5
Choisissez la définition qui convient à chacun des verbes en italique.

a) Observer attentivement et secrètement.
b) Considérer attentivement ; s'absorber dans l'observation de.
c) Examiner attentivement par la vue ; fouiller du regard.
d) Regarder avec défi, ou plus souvent, avec dédain, mépris.
e) Regarder quelqu'un avec attention, avec insistance.

   1. Appuyée au bastingage, à la proue du bateau, elle *scrutait* l'horizon.

      ....

   2. Il écrivait son billet doux sans se douter qu'à quelques mètres de là le mari *épiait*.

      ....

   3. Du haut du promontoire, il *contemplait* l'océan.

      ....

   4. Le poisson la *dévisagea* de ses gros yeux.

      ....

   5. Il attrapa le voleur et le *toisa* de la tête aux pieds.

      ....

EXERCICE 6

Trouvez la définition qui se rapporte à chacun des adjectifs suivants.

a) Qui se comporte ou se manifeste sans retenue.

b) Qui aime à communiquer ses idées, ses sentiments.

c) Qui manifeste vivement les sentiments qu'elle éprouve ou veut paraître éprouver.

    1.   Une compagne de classe communicative

....

    2.   Une compagne de classe exubérante

....

    3.   Une compagne de classe démonstrative

....

EXERCICE 7

Lequel des synonymes suivants convient à chacun des faits énoncés ci-dessous ?

        incident   *calamité*   *malheur*

        accident   *catastrophe*

1. Collision entre deux automobiles ....

2. Panne d'électricité ....

3. Raz de marée ....

4. Épidémie de choléra ....

5. Mort en mer ....

EXERCICE 8

Complétez les phrases suivantes à l'aide des synonymes proposés.

célébrité   *renommée*

notoriété   *réputation*

popularité

1. Les médias ont donné à cet événement une .... qu'il ne méritait pas.

2. Ce premier ministre jouit d'une grande .... dans son pays.

3. Bien des artistes n'ont connu la .... qu'à titre posthume.

4. La .... de notre sirop d'érable a franchi les frontières.

5. Sa .... n'est plus à faire. Il est estimé de tous.

EXERCICE 9

Placez chacun des synonymes dans le contexte approprié et faites les accords qui s'imposent. Vérifiez les nuances de sens.

Braver, affronter, défier, provoquer

1. Les pêcheurs hauturiers doivent souvent .... la tempête.

2. Il m'a .... de trouver la moindre erreur dans son travail écrit.

3. À force de s e / s ' .... , ils vont finir par s e / s ' ....

Barrer, barricader, calfeutrer, obturer

1. Pendant le festival d'été, certaines rues sont ....

2. Les manifestants ont réussi à .... la rue Saint-Denis.

3. Je sens un courant d'air ; il vaudrait mieux .... cette fenêtre.

4. Les dentistes préfèrent .... les dents plutôt que de les arracher.

Choisir, opter, adopter

1. De deux maux, il faut .... le moindre. *(Proverbe)*

2. À sa majorité, elle a .... pour la nationalité canadienne.

3. L'Assemblée a .... le projet de loi.

Complexe, compliqué

1. La question que vous me posez est trop ....

2. Son histoire était si .... que je n'ai jamais réussi à savoir où il voulait en venir.

EXERCICE 10

Trouvez un synonyme plus idiomatique pour chacun des verbes en italique et faites toute modification nécessaire.

1. Il cherche par tous les moyens à *éviter* .... ma question.

2. Il *accepta* .... ma proposition d'un hochement de tête.

3. Les journalistes doivent *signaler* .... les injustices.

4. Un badaud interrogé sur l'affaire *avoua* .... son ignorance.

5. Les heures passant, la discussion *se transforma* .... en lutte ouverte.

6. Grâce à l'aide de nombreux bénévoles, on a pu *réparer* .... la chapelle. *(en respectant son style)*

2.1.2 Synonymes et degrés d'intensité

Ce qui différencie des synonymes, c'est souvent le **degré d'intensité.** Ainsi, appliqué à un spectacle, *beau* a pour synonymes *admirable, magnifique*, qui ajoutent cependant le trait de « degré supérieur ». L'expression du degré peut se faire au moyen d'adverbes *(assez, beaucoup, très, fort, peu*, etc.) ou par un synonyme marquant une différence d'intensité par rapport au mot de référence : *je regrette son échec* peut devenir *je regrette* *profondément son échec* ou *je déplore son échec*. Il va sans dire qu'on peut diminuer le degré d'intensité comme on peut l'augmenter : un texte *confus* est à moindre intensité *imprécis* et à plus forte intensité *obscur*.

EXERCICE 11
Trouvez un synonyme plus fort que l'adjectif en italique.

1. une eau *claire* ....

2. une loi *sévère* ....

3. un accueil *froid* ....

4. un accueil *chaleureux* ....

5. une décision *injuste* ....

6. un repas *abondant* ....

7. des manières *impolies* ....

8. un ton *sec* ....

9. des affaires *prospères* ....

10. une critique *élogieuse* ....

EXERCICE 12
Dans les phrases suivantes, trouvez un synonyme plus fort et un plus faible pour remplacer le verbe en italique.

1. Il est *tiraillé* entre ses deux passions.

   ....

2. Il *détestait* cette ville de banlieue.

   ....

3. Son audace nous *stupéfia*.

   ....

4. L'orateur a *condamné* l'attitude du maire dans cette affaire.

....

5. Il réussissait toujours à *passionner* son auditoire.

....

6. Je n'arrive pas encore à croire qu'il ait *gaspillé* autant d'argent.

....

2.1.3 Synonymes de sens péjoratif

Certains mots sont connotés péjorativement, c'est-à-dire qu'ils transmettent une **valeur dépréciative**. Comparez pour vous en rendre compte les mots *maison* et *masure*. L'un et l'autre désignent des habitations, mais la maison est définie comme un bâtiment d'habitation tandis que la masure a comme qualités d'être petite, misérable, vétuste et délabrée.

EXERCICE 13
Choisissez, dans la liste suivante, le synonyme de sens péjoratif du nom ou de l'expression en italique.

utopie	*racontar*
sarcasme	*masure*
cohue	*sensiblerie*
duplicité	

1. Elle parvint à se frayer un passage dans la *foule* ....

2. *De vieilles maisons* .... côtoyaient de pimpantes villas.

3. Sa *fausseté* .... me faisait enrager

4. Il me fallut supporter ces *plaisanteries* .... toute la soirée.

5. Ces films à l'eau de rose répondaient alors à la *sensibilité* .... du public.

6. Croire à un monde sans violence est une grande *illusion* ....

7. Comment pouvez-vous croire de tels *propos* .... ?

2.1.4 Synonymes et niveaux de langue

Tous les mots que l'on trouve dans le dictionnaire sont du français. Toutefois, les mots n'ont pas tous la même valeur d'emploi. On ne dira pas *Salut !* en quittant le premier ministre ni *Recevez mes hommages !* en quittant l'élu de son cœur. Voilà pourquoi le *Petit Robert* donne, avant la définition de nombreux mots, sens ou expressions, une **marque d'usage** qui précise la valeur de l'emploi, soit dans le temps (*vx* : vieux), soit dans l'espace (*région.* : régional), soit dans la fréquence (*rare* : peu employé dans l'ensemble des usagers), soit dans la société, c'est-à-dire les niveaux de langue proprement dits.

Un non-francophone qui lirait des définitions desquelles on aurait retranché les marques d'usage risquerait de considérer comme équivalentes les expressions *je fiche le camp* et *je me retire*. Or, deux mots (ou expressions) peuvent avoir le même sens, mais appartenir à des niveaux de langue différents.

Le *Petit Robert* distingue le niveau **populaire** *(pop.),* qui correspond à un usage relâché, le niveau **familier** *(fam.),* qui appartient à la langue orale, le niveau **courant** *(cour.),* qu'il ne signale que lorsqu'un doute est possible, le niveau **littéraire** *(littér.),* qui désigne la langue soignée et soutenue, et le niveau **technique** qui correspond au langage des domaines spécialisés *(méd., chim., bot., didact.,* etc.). Ainsi, *didactique*, précise le *Petit Robert*, « signifie que l'emploi du mot, normal dans un traité, un cours, ne le serait pas dans la conversation courante ».

EXERCICE 14
Soulignez, dans chaque série synonymique, les mots qui appartiennent à la langue familière (ou populaire).

(Certains ne sont employés que régionalement et ne sont pas dans le *Petit Robert.*)

1. visage, frimousse, face, figure, minois, tête, gueule

2. bagnole, char, voiture, auto, bazou, minoune, tacot

3. peur, frousse, crainte, trouille, phobie, trac

4. partir, s'en aller, lever le camp, se barrer, se tirer, mettre les voiles, se retirer

5. naïf, niaiseux, nigaud, sot, godiche, béat, nono

6. bâfrer, manger, bouffer, casser la croûte, s'empiffrer, se bourrer, se restaurer

EXERCICE 15

Indiquez le niveau de langue auquel appartiennent les mots et expressions en italique. Faites la distinction entre la langue technique (T), littéraire (L), courante (C), familière (F) et populaire (P). Remplacez les mots ou expressions en italique ne correspondant pas à l'usage courant.

1. Ce musée était un vrai fourre-tout. Les objets les plus *moches* (.........) côtoyaient des chefs-d'œuvre.

....

2. L'*onychophagie* (.........) est une manie dont il faut se défaire.

....

3. Un conducteur dans la lune a *embouti* (.........) sa voiture.

....

4. Tiens, voilà notre amie Jeanne qui s'*amène* (.........)

....

5. Quel bon vent l'*amène* (.........) ?

....

6. Je vous recommande cet excellent *bouquin* (.........).

....

7. L'enfant s'est fait *chicaner* (.........) parce qu'il arrachait les pages de son livre.

....

8. Il *tança vertement* (....) son fils, qui avait été renvoyé de l'école.

....

9. En été, les gens aiment bien se *balader* (.........) sur les plaines.

....

10. Il *appert* (.........) de la déposition du quatrième témoin que l'accusé se trouvait bien sur les lieux du crime à ce moment-là.

....

2.2 L'antonymie

Les antonymes sont des mots de sens **contraire** : ainsi de la paire *petit* et *grand*. Souvent, passer par l'antonyme aide à préciser ou à fixer le sens d'un mot, et partant à enrichir son vocabulaire : le sens d'*inique* se retient peut-être mieux en l'opposant à *équitable* qu'en le comparant à *injuste*.

Passer par le détour de l'antonyme permet aussi parfois de trouver un mot qui ne vient pas à l'esprit spontanément et par conséquent à exprimer sa pensée de façon plus précise. À titre d'exemple, revenons au mot *inique* : si on cherche un adjectif pour décrire une solution à un problème qui ne lèserait personne, c'est peut-être en pensant au contraire, à une *solution inique*, qu'on trouvera *solution équitable*.

EXERCICE 16
Trouvez un antonyme du verbe en italique.

1. Il lui a fallu beaucoup de courage pour la *dissuader* .... de quitter son emploi.

2. La direction n'a jamais *confirmé* ni .... sa volonté de couper des postes.

3. Mes amis ont *accepté* .... l'invitation.

4. L'épidémie a *progressé* ....

5. Son talent était *reconnu* .... du grand public.

6. Il *affirmait* .... avoir vu la scène.

7. Il ne faut pas *minimiser* .... cette affaire de pots-de-vin.

EXERCICE 17
Trouvez un antonyme de l'adjectif en italique.

1. C'était un compagnon de nature *optimiste* ....

2. De *rurale,* la population québécoise est devenue ....

3. Ma voisine était *prodigue* .... de confidences.

4. La santé de sa sœur est *précaire* ....

5. À Noël, elle était toujours d'humeur *enjouée* ....

6. Son caractère *impulsif* .... ne le servit pas toujours.

EXERCICE 18
Trouvez un antonyme du nom en italique.

1. Le directeur a souligné les *convergences* .... de vues
    entre les différents enseignants.

2. Elle s'exprime toujours avec *concision* ....

3. Elle était l'*égoïsme* .... incarné.

4. La *réalité* dépasse parfois la ....

5. Le monde est bien mal fait : *surabondance* ici, ...
    ailleurs.

6. Il a fait preuve, à cette occasion, de *largeur* .... d'esprit.

7. Ce texte contient trop d'*archaïsmes* ....

2.3 Les mots passe-partout

Nous avons jusqu'ici appris à découvrir les nuances de sens qui distinguent deux
synonymes. Nous allons maintenant poursuivre notre recherche du mot juste en nous
penchant sur une « mauvaise habitude » très répandue, l'utilisation des mots passe-
partout.

Par nature, on a plutôt tendance à utiliser un vocabulaire restreint que varié. Ce penchant
nous amène à employer les mêmes mots à « toutes les sauces ». Or, à force de servir à
exprimer des idées trop larges ou à désigner des choses imprécises, ces mots, passe-
partout, deviennent vides de sens et appauvrissent la langue. Aussi faut-il chercher à les
remplacer par des termes plus appropriés chaque fois qu'ils ne sont pas indispensables.
Notre prose y gagnera en précision et en variété.

Les exercices qui suivent vous aideront à trouver des équivalents plus précis à *être*,
avoir, *faire*, *voir*, etc., qui ne viennent que trop spontanément sous la plume...

EXERCICE 19

Remplacez *être*, ou l'expression construite avec *être*, par un verbe plus précis. Faites tout changement demandé par le nouveau verbe.

1.   Dans cette peinture, les bleus *sont dominants* ....

2.   Sa renommée *est de plus en plus grande* ....

3.   Les rues *sont pleines* .... de monde.

4.   Depuis l'entrée en vigueur de la nouvelle loi, polémiques et interrogations *sont de plus en plus nombreuses* ....

5.   Le salaire de certains hockeyeurs *serait proche* .... du million de dollars.

6.   Comme ses relations avec le Conseil d'administration *sont de plus en plus mauvaises* ...., le représentant municipal devra sans doute se retirer avant la fin de son mandat.

7.   Le résultat du concours *est* .... dans *Le Soleil* d'hier.

8.   Le monument *est* .... à l'entrée du village.

9.   Cette comédienne *est trop sûre* .... de son talent.

10.   Rentrons vite, les nuages *sont de plus en plus nombreux* ....

EXERCICE 20

Remplacez *avoir*, ou l'expression construite avec *avoir*, par un verbe plus précis. Faites tout changement demandé par le nouveau verbe.

1.   La France *a* .... près de quarante mille monuments classés.

2.   Il a servi un sérieux avertissement aux autorités soviétiques en les prévenant que ces violations pourraient *avoir pour résultat* .... la perte de l'Azerbaïdjan.

3.   M. Latulippe est le seul membre du comité qui *a* .... deux fonctions.

4. Cette équipe de rédaction *a* .... de l'expérience et du talent .

5. La firme XYZ *a* .... une bonne réputation.

6. Les employés de la banque Krach *ont* .... un maigre salaire.

7. Avec la récession qui s'annonce, bien des familles *auront* .... des difficultés à boucler leur budget.

8. Cette sécheresse *va avoir* .... de graves conséquences.

9. Je souhaite que ce reportage *ait* .... une diffusion plus large.

EXERCICE 21

Remplacez *il y a* par un verbe de la liste suivante.

perturber	*nuire*	*se creuser*
témoigner	*éclater*	*charger*
planer	*alourdir*	*dénoter*
couvrir	*déceler*	*circuler*
peser	*encombrer*	*occuper*
orner	*enrichir*	*garnir*

1. *Il y a* de vives discussions au sein du comité.

    De vives discussions ont .... au sein du comité.

2. *Il y a* des dossiers sur les bureaux.

    Des dossiers .... les bureaux.

3. *Il y a* une menace sur l'usine.

    Une menace..................................... sur l'usine.

4. *Il y a* de magnifiques dessins dans l'ouvrage.

    De magnifiques dessins .... l'ouvrage.

5. *Il y a* une certaine pudeur dans ses paroles.

    Ses paroles .... (d') une certaine pudeur.

6. *Il y a* trop de digressions dans son discours.

    Trop de digressions .... son discours.

7. *Il y a* de nouveau un écart entre les positions des différents paliers de gouvernement.

    De nouveau, un écart .... entre les positions des différents paliers de gouvernement.

8. *Il y a* une grève dans le secteur hospitalier.

    Une grève .... le secteur hospitalier.

9. *Il y avait* des rumeurs sur les activités de son mari.

    Des rumeurs .... sur les activités de son mari.

EXERCICE 22
Employez avec les noms suivants un verbe plus précis que *faire*.

1. .... de l'argent

2. .... une chanson

3. .... des recherches

4. .... une liste d'épicerie

5. .... un rapport

6. .... une erreur

7. .... des excuses

8. .... un métier

9. .... un trajet

10. .... des dégâts

EXERCICE 23

R e m p l a c e z *v o i r* **par un verbe de la liste suivante.**

consulter	*déceler*	*distinguer*
fréquenter	*remarquer*	*visiter*
comprendre	*prévoir*	*prédire*
observer	*produire*	*rencontrer*

(Un même verbe peut convenir à des phrases différentes.)

1. Je ne *vois* .... pas pourquoi il m'en veut.

2. Thérèse ne *voit* .... pas beaucoup de monde.

3. J'ai *vu* .... des aurores boréales. C'est un phénomène qui ne se *voit* .... pas souvent.

4. Tu devrais aller *voir* .... un rhumatologue.

5. Il faisait noir. Je ne *voyais* .... pas l'escalier.

6. Elle prétend être capable de *voir* .... l'avenir.

7. Je n'ai rien *vu* .... de particulier dans son comportement.

8. En une journée, ils ont *vu* .... tout le quartier des antiquaires.

9. J'ai l'impression d'avoir déjà *vu* .... cette femme quelque part.

10. Je ne désire pas aller *voir* .... cette exposition.

EXERCICE 24

R e m p l a c e z *d i r e* **par un verbe plus précis.**

1. Josette ne tient pas à *dire* .... ses projets à tout le monde.

2. Veux-tu me *dire* .... pourquoi tu étais absent hier ?

3. Après deux heures de discussion, Pierre-André a fini par *dire* .... qu'il avait tort.

4. Comme on m'a toujours *dit*..................................... que j'étais maladroite, j'ai fini par le croire.

5. Comment peut-elle encore l'écouter ? Il ne *dit* .... que des sottises !

6. Je me suis bornée à lui *dire* .... quelques mots d'encouragement.

7. Il est passé chez elle pour lui *dire* .... bonne fête.

EXERCICE 25

Remplacez *mettre*, ou l'expression construite avec *mettre*, par un verbe plus précis.

1. Des catholiques français *mettent le feu à* .... des salles de cinéma pour protester contre le dernier film de Martin Scorcese.

2. La bicyclette, hors d'usage, avait été *mise* .... au grenier.

3. Des agents de police furent *mis* .... à toutes les issues.

4. Elle *mit* .... toute son énergie dans ce travail.

5. Le camelot *mit* .... le journal sous la porte.

6. Son nom avait été *mis* .... sur la liste des bénévoles.

2.4 Recherche de la concision

Bien écrire, c'est être clair, précis et concis. Et pour être concis, il faut savoir utiliser un minimum de mots pour obtenir un maximum de sens. De simples – mais justes ! – mots peuvent souvent remplacer avec bonheur de longues propositions. Viser la concision, c'est éviter les circonvolutions, les détours, les périphrases ; c'est aller droit au but.

Les exercices suivants vous prouveront que l'économie de mots est possible et que les phrases y gagnent en rigueur et en clarté, et donc en efficacité !

2.4.1 Suppression des superlatifs absolus

EXERCICE 26

Remplacez les mots en italique par l'adjectif qui convient et faites les modifications qui s'imposent.

1. Ces gens ont des mœurs *très relâchées* .... Elle n'enverrait jamais sa fille chez eux.

2. La nourriture était abondante, mais plusieurs mets étaient *très fades* ....

3. Son spectacle s'attira des critiques *très élogieuses* ....

4. Malheureusement pour elle, le succès fut *très court* ....

5. J'ai connu des écrivains *très médiocres* .... et j'en ai connu de *très bons* ....

2.4.2 Suppression des adverbes de manière

EXERCICE 27

Remplacez le verbe et l'adverbe de manière par un seul verbe et faites les modifications qui s'imposent.

1. Cette animatrice *choisit* .... toujours *soigneusement* ses mots.

2. Pendant la réunion, elle *montra ostensiblement* .... son point de vue.

3. Pendant l'entrevue, elle a *évité habilement* .... de répondre à certaines questions.

4. Quelle ambiance à cette soirée ! Les rires *jaillissaient vivement* .... de toutes parts.

5. Elle *distribue généreusement* .... des conseils à qui veut l'entendre.

2.4.3 Suppression des propositions relatives

EXERCICE 28

Remplacez la proposition relative par l'un des adjectifs suivants et faites les accords qui s'imposent.

analphabète	*vénéneux*	*éloquent*
tenace	*infaillible*	*altruiste*
inaudible	*équivoque*	*inédit*
inepte		

1. C'est vraiment un passage *qui peut être interprété de diverses manières* ....-
....

2. Il a obtenu des informations *qui ne sont pas encore connue*s ....

3. J'ai attrapé un rhume *dont je n'arrive pas à me défaire* ....

4. Il a dû manger un champignon *qui rend malade* .... pour être dans cet état.

5. Il raconte toujours des histoires *qui sont dépourvues de tout intérêt* ....-
....

6. Il y a encore des êtres *qui ont de la bonté pour autrui* ....

7. L'étudiant, d'une voix *qu'on avait de la peine à entendre* ....,
répondit aux questions du professeur.

8. Le ministre s'est réfugié dans un silence *qui en disait long* ....

9. Y a-t-il encore dans notre société des gens *qui ne savent ni lire ni écrire* ....-
.... ?

10. Le commissaire Maigret est renommé pour son instinct *qui ne peut le tromper*
....

2.4.4 Suppression des propositions subordonnées

EXERCICE 29

Remplacez la proposition subordonnée en italique par un groupe nominal.

> Exemple : La ministre a annoncé *que le contrat était octroyé à la firme XYZ.*
> La ministre a annoncé **l'octroi du contrat à la firme XYZ.**

1. Le ministre a confirmé *que certaines prestations allaient augmenter.*

    ....

2. Certains membres du Parti communiste s'alarment *du fait que le capitalisme progresse inexorablement à l'Est.*

    ....

3. Les Russes achètent à des prix exorbitants des articles *qui ont été fabriqués en Allemagne.*

    ....

4. Le trésorier regrette *qu'il n'existe pas de ligne de conduite cohérente au sein du Conseil.*

    ....

5. Le procès a révélé *combien la fraude avait été grande.*

    ....

6. Le F.B.I. avait prévenu le président *qu'il y aurait très prochainement une nouvelle vague d'attentats.*

    ....

7. Les météorologues ont annoncé *que le froid réapparaîtrait et s'intensifierait.*

    ....

2.4.5 Suppression de la périphrase

EXERCICE 30

Les expressions en italique sont des périphrases inutiles. Remplacez-les par un mot simple ou une expression plus concise.

1. Les alpinistes atteignirent *le point le plus élevé* .... de l'Everest après des jours d'efforts surhumains.

2. On voit de plus en plus de *bateaux à voiles* .... sur le fleuve.

3. *L'ensemble des animaux* .... et *l'ensemble des plantes* .... constituent une des caractéristiques majeures d'une région.

4. Il a *modifié* .... son permis de conduire *(de façon trompeuse)*.

5. Il *est retombé dans le même crime* ....

6. Elle *passe par des détours à n'en plus finir* .... pour arriver à ses fins.

7. À partir de quel moment l'idée de fonder une compagnie *commença-t-elle à se développer* .... dans sa tête ?

8. À cause de la récession, l'entreprise *s'achemina rapidement vers la ruine* ....-..

9. La naïveté de la question *mit* .... l'orateur *dans l'impossibilité de répondre.*

10. *À peu près vingt* .... personnes assistaient au spectacle de Michel Bühler.

11. On reconnaît *les habitants des villes* .... à leur besoin de s'échapper à la campagne les fins de semaine.

12. Si vous voulez connaître *la route à suivre au cours du voyage* ...., devenez membre du Club automobile.

13. Il aura fallu plusieurs années et un nombre impressionnant de vaccins pour *effacer de façon définitive* .... la variole.

3. MESURES CORRECTIVES

Il existe toutes sortes d'impropriétés que le dictionnaire peut nous permettre d'éviter. Ainsi, chaque fois que l'on doute du sens exact d'un mot, il faut y recourir sous peine de confondre un mot avec un autre (homonymes, paronymes), de commettre des fautes contre le langage qui ont pour noms barbarismes, solécismes et anglicismes, de risquer confusions de mots, pléonasmes injustifiés et autres impropriétés.

Savoir déceler les impropriétés élimine déjà la moitié du problème. Ne reste plus alors qu'à les corriger, à l'aide du *Petit Robert*.

3.1 Homonymes

Les homonymes, du grec *homo*, « semblable », et *onoma*, « nom », sont des mots qui se prononcent de la même manière, mais s'écrivent, le plus souvent, différemment. Ils sont une source fréquente d'erreurs orthographiques : aisnsi, on peut être *sceptique* devant les déclarations d'un député, mais on n'hésitera pas à faire vidanger la fosse *septique*.

Vous avez vu un certain nombre d'homophones grammaticaux et orthographiques élémentaires dans le module II (*homophone* est un terme plus général qu'*homonyme*, car il s'applique aussi bien à des séquences d'une syllabe ou de plusieurs mots qu'à des unités lexicales.) Voici maintenant quelques homonymes qui prêtent communément à erreur.

EXERCICE 31
Employez le mot qui convient, à la forme appropriée.

acquis / acquit

1. Relisons une dernière fois, par .... de conscience.

2. Il n'est pas question de remettre en cause les droits ....

3. Il est maintenant .... à nos vues, mais cela n'a pas été sans peine.

4. J'ai .... beaucoup d'expérience dans ce bureau.

censé / sensé

1. Nul n'est .... ignorer la loi.

2. N'étiez-vous pas .... me remettre ce travail hier ?

3. Je le croyais plus .... que ça.

4. Il m'a fait quelques remarques très ....

chair / chère

1. Tous les quotidiens ont leur chronique de bonne ....

2. Si on fait trop bonne ...., on risque d'être bien en ....

dessein / dessin

1. Les enfants aiment faire des ....

2. Il formait le .... de renverser le gouvernement.

3. Je suis sûr qu'il l'a fait à ....

pair / paire

1. C'est un étudiant hors ....

2. Il n'a jamais été reconnu par ses ....

3. Deuxième .... de lunettes gratuite !

parti / partie

1. Les .... d'opposition font bloc contre le gouvernement.

2. Il a refusé de prendre ....

3. Il a pris le / la .... des plus forts.

4. Il en a pris son / sa ....

5. C'est du .... pris.

6. Il faut tirer .... de ce qu'on a.

7. Les deux .... n'arrivant pas à s'entendre, on a eu recours à l'arbitrage.

8. Il a pris à .... le premier ministre.

9. Dans cette sombre histoire, il était juge et ....

pause / pose

1. Ah, la journée d'un mannequin ! Des ...., des ...., et jamais de ....

voir / voire

1. Cela reste à ....

2. La France accepte mal d'être devenue une puissance de deuxième, ... de troisième ordre.

3.2 Paronymes

Les paronymes (du grec *para*, « à côté de », et *onoma*, « nom ») sont des mots qui présentent une ressemblance d'orthographe ou de prononciation, sans avoir la même signification. Il en existe quelques paires célèbres en français. Ainsi, on dira qu'un mot a plusieurs *acceptions* (sens d'un mot), mais on parlera de l'*acceptation* (le fait d'accepter) d'une offre. Voici quelques paronymes qui sont source d'erreurs courantes.

EXERCICE 32
Employez le mot qui convient, après avoir vérifié le sens de chacupn dans un dictionnaire.

adhésion / adhérence

1. Son .... au Parti québécois a fait beaucoup de vagues.

2. Ces pneus ont beaucoup d'................................... au sol.

solement / isolation

1. Les gardiens de phare souffraient parfois de leur ....

2. J'ai confié l'................................... de mon chalet à un expert.

juré / jury

    1.   Mon frère faisait partie du ....

    2.   J'ai été convoqué comme ....

stage / stade

    1.   L'affaire n'est encore qu'au .... de projet.

    2.   Il fera son .... dans une école secondaire.

compréhensible / compréhensif ; incompréhensible / incompréhensif

    1.   Tout le monde n'a pas la chance d'avoir des parents ....

    2.   C'est .... ! Comment cela a-t-il pu arriver ?

    3.   Fernand Seguin était un grand vulgarisateur scientifique. Il réussissait à rendre .... pour les profanes les choses les plus compliquées.

de plus / en plus

    1.   ...., nous croyons que ces mesures stimuleront la recherche.

    2.   Et elle veut nous faire travailler le samedi matin .... !

    3.   ...., elle veut nous faire travailler le samedi matin !

éminent / imminent

    1.   C'est un .... savant.

    2.   La pluie est ....

    3.   Elle a occupé des fonctions .... au gouvernement.

    4.   Aujourd'hui, nous tenons à remercier notre .... collègue pour son dévouement à notre institution.

    5.   Dès septembre, on a parfois l'impression que l'hiver est ....

    6.   Elle a rendu d'.................................... services à notre institution.

411 Enrichissement du vocabulaire

éruption / irruption

1. L'éminent volcanologue avait prédit l'.................................... du volcan.

2. L'.................................... de joie tournait à la folie.

3. Il était épuisé. Une terrible .... de furoncles au postérieur l'empêchait de s'asseoir depuis une semaine.

4. Il fit .... chez le trésorier pour réclamer son dû.

évoquer / invoquer

1. Le muguet .... pour moi l'adolescence : ma première eau de toilette était une eau de muguet.

2. Tout l'auditoire était venu pour entendre parler des nouvelles subventions, mais c'est à peine si le ministre a .... la question.

3. Alcoolique repenti, il n'.................................... *(imparfait)* pas moins avec plaisir les nombreuses bouteilles qu'il avait bues.

4. Après un mois de sécheresse, tous les agriculteurs .... le Ciel pour un peu de pluie.

5. Comme d'habitude, les autorités ont .... le manque d'argent pour surseoir au projet.

gradation / graduation

1. Il faut graduer les difficultés, il faut procéder par ....

2. Je voudrais un thermomètre à double .... : Celsius et Fahrenheit.

inclination / inclinaison

1. L'.................................... de la tour de Pise attire de nombreux touristes. Les commerçants de la ville s'élèvent contre son redressement.

2. Si je suivais mon ...., je ne me lèverais jamais avant dix heures.

3. Il acquiesça d'une brève .... de la tête.

4. L'après-midi était chaud, et le gâteau de mariage prenait une dangereuse ....-
....

inculquer / inculper

1. Personne ne vous a donc .... la politesse ?

2. Tant bien que mal, il essayait de leur .... quelques
notions d'orthographe.

3. Ce matin au Palais de justice, Madame X a été .... de vol
et de délit de fuite.

judiciaire / juridique

1. Des poursuites .... ont été engagées.

2. L'enquête .... piétine.

3. Recherchons une secrétaire ....

4. Les « erreurs .... » ne sont pas toujours des erreurs.

notable / notoire

1. Son avarice était ....

2. Hormis l'explosion d'une voiture devant l'ambassade, la soirée s'est déroulée sans
incident ...., a déclaré l'attaché de presse.

3. Votre fils a fait des progrès .... en orthographe.

4. Tous les .... de la ville étaient présents à la cérémonie.

perpétrer / perpétuer

1. Le crime a été .... aux alentours de minuit.

2. Toutes les traditions sont-elles bonnes à .... ?
s'interrogeait le nouveau chef religieux.

3. Pourquoi cette injustice devrait-elle se .... ? demande le
syndicat.

personnaliser / personnifier

1.   Il est la bonté ....

2.   Tout en n'ayant que des meubles de série, il a réussi à ....
     son intérieur.

prolongement / prolongation

1.   Le ministre a encore promis le / la .... de la route 138
     jusqu'à Natashquan.

2.   .... de la vie ou euthanasie : un débat difficile.

3.   Les Nordiques ont gagné en ....

rabattre / rebattre

1.   A-t-il fini de nous .... les oreilles avec cette vieille
     histoire ?

2.   S'il continue, je vais lui .... le caquet.

recouvrer / recouvrir

1.   La faillite de son fournisseur lui laisse peu d'espoir de ....
     son argent.

2.   Il a .... la santé alors que les médecins avaient perdu tout
     espoir.

3.   J'ai .... le canapé en velours côtelé noir.

amener / apporter

1.   Mais bien sûr, ... vos enfants !

2.   N'oubliez pas d'..................................... vos dictionnaires.

3.   Elle a .... beaucoup de soin à ce travail.

3.3 Anglicismes

Toutes les langues empruntent des mots à d'autres langues. Et les emprunts sont
légitimes et utiles, puisqu'ils permettent aux langues d'évoluer. Par le passé, les langues

occidentales ont emprunté au grec et au latin, puis au français, qui a longtemps été la langue de prestige dans le monde occidental. Aujourd'hui, c'est l'anglo-américain, langue des affaires, du commerce et des sciences, qui domine. Il est donc normal que le français moderne emprunte à l'anglais, comme autrefois l'anglais a emprunté au français à la suite de la conquête de l'Angleterre par les Normands au XIe siècle. Si emprunter ne représente pas une faute en soi, pourquoi alors parle-t-on tellement d'anglicismes ? Jusqu'où, dans quelles circonstances, l'emprunt est-il justifiable ? Abordons la question sous l'angle pratique.

Faites-vous une différence entre les deux phrases suivantes ?

Hier soir, j'ai écouté un excellent concert de jazz.
Passez-moi votre *lighter s'il vous plaît.

Jazz est un mot anglais qui désigne une réalité à l'origine américaine. *Jazz* est donc venu enrichir la langue française en exprimant une réalité nouvelle qu'aucun mot ne représentait encore. **Lighter,* au contraire, est emprunté indûment, puisque son équivalent, *briquet,* existe dans notre langue. Il faut donc bien faire la distinction entre emprunts légitimes (mots français d'origine anglaise) et anglicismes (emprunts non justifiés).

Quand un Français dit qu'il a pris un vol **charter* et qu'il a payé son billet avec un **traveller's check,* il commet des anglicismes de la même manière que le Québécois qui est **down* parce que son **chum* a été **slacké* par le **boss.* Mais comme, en Amérique du Nord, nous sommes entourés d'anglophones, nous risquons davantage d'utiliser à notre insu des anglicismes. Voyons maintenant les différents types d'anglicismes.

3.3.1 Anglicismes orthographiques

Un mot peut s'écrire différemment en français et en anglais. *Danse* s'écrit avec un *s* dans notre langue. L'écrire avec un *c* serait commettre un anglicisme orthographique. L'exercice suivant vous fera découvrir quelques anglicismes orthographiques courants.

EXERCICE 33
Vérifiez l'orthographe des mots suivants dans le dictionnaire et ajoutez les lettres nécessaires.

1. un bon exerci ......e

2. un enfant a ...... ressif

3. le co ...... fort

4.   un ex ...... mple

5.   le lang ...... ge

6.   un verre d'alc l

7.   le ha ...... ard

8.   la li ...... érature

9.   de la confiture d'a ...... ricots

10.   une conne ...... ion

11.   le tra ic

12.   une recomm ...... ndation

3.3.2 Anglicismes lexicaux

L'anglicisme lexical est un emprunt, mais critiquable, puisque son équivalent existe en français.L'emprunt peut être direct ou francisé. Dans *avoir un flat à un tire, *flat* et *tire* sont des emprunts directs ; *canceller,* pour sa part, est une forme francisée du verbe anglais *to cancel.*

EXERCICE 34
Remplacez les anglicismes lexicauxs par des mots français et faites tout changement nécessaire.

1.   Les réservations ne peuvent être *cancellées* ....

2.   La réunion est *cédulée* .... pour trois heures.

3.   On *prend un *break* .... ?

4.   J'ai fait deux *flats* ...., coup sur coup, le mois dernier.

5.   Je lui ai demandé de *maller* .... ma lettre.

6.   Quand elle est rentrée de sa soirée, elle était un peu *feeling* ....

7.   Il a fait appel à un **contracteur* .... extrêmement compétent pour transformer sa cuisine.

8.   « Le lion est **lousse* .... dans la brousse » *(chanson de Michel Rivard)*

9.   Avez-vous *du *change* .... s'il vous plaît ?

3.3.3   Anglicismes de sens et calques

Certains mots ou certaines expressions existent dans les deux langues, mais avec des sens différents. Quand on les utilise en français dans leur acception anglaise, on commet des anglicismes sémantiques (de sens). Ceux-ci sont particulièrement difficiles à dépister puisque les mots existent bel et bien en français.

Voyons le cas d'*éligible*, mot français qui appartient à la même famille que *élire* et *élection*. Aujourd'hui, *élire,* c'est choisir par voie de suffrages. Par conséquent, *être éligible,* c'est satisfaire aux conditions pour être élu et rien de plus. Ainsi, pour être *éligible* au Parlement canadien, il faut avoir la nationalité canadienne, mais pour être *admissible* au cégep, il faut avoir obtenu son diplôme d'études secondaires.

Par ailleurs, il existe des expressions qu'on traduit littéralement de l'anglais. On les appelle des calques. Ainsi, **passer sur la lumière rouge* se dit en français *brûler un feu rouge*.

EXERCICE 35
Vérifiez dans votre dictionnaire le sens des mots précédés d'un astérisque, puis remplacez l'expression en italique par une tournure plus française.

1.   Les employés de la compagnie ainsi que leur famille ne sont pas **éligibles* ....-.................................... au concours.

2.   Bières **domestiques* .... : 3 $. Bières importées : 4$.

3.   Tous les vols **domestiques* .... sont annulés. Les vols internationaux sont maintenus.

4.   Pour réussir, un vendeur doit être **agressif* ....

5.   C'est un musicien accompli. Il est tellement **versatile* ...., tellement **mature* .... !

6. La musique country, c'est *le plus gros vendeur de disques* ....
aux États-Unis. *(Carole Laure à propos de son dernier disque)*

7. — Merci ! — *Bienvenue* ....

8. Je suis *confortable* .... dans cette robe.

9. Il a beaucoup de *connexions* .... dans le milieu.

10. Il a perdu *ses* *licences* .... à la suite d'un alcootest.

11. Monsieur, vous avez un appel *longue distance* ....

12. En achetant dans cette boutique, j'ai *sauvé* .... de
l'argent.

13. Je l'ai appelé trois fois, mais il *n'a pas* *retourné mes appels* ....

14. Dans son discours, le président *a mis l'*emphase ....
sur les problèmes économiques.

15. Donne-moi la moitié de la somme aujourd'hui et *la *balance* ....
dans un mois.

16. Avez-vous reçu *le* *pamphlet* .... du gouvernement sur
la nouvelle taxe ?

17. Le nouveau centre de conférences pourra *accommoder* ....
1000 personnes.

18. Ses affaires vont mal. Elle a des problèmes *monétaires* ....

19. *Toute l'*audience* .... l'a applaudi.

20. C'est *définitivement* .... lui le coupable.

21. Pour *partir* .... son commerce, il a dû investir un
million de dollars.

22. Pour *partir* .... sa voiture, il lui a fallu 15 minutes.

23. Dès son arrivée, on *a *parti* .... *la discussion sur* les
élections.

24. *Jusqu'à date* ...., personne n'est venu se plaindre.

25.   Je ne suis pas *à date* .... dans mon travail.

26.   Elle a *fait application sur* .... un poste de monitrice.

27.   Ce n'est pas très bien payé mais il y a des *bénéfices marginaux* ....
      ....

28.   Je gagne 40 $ *clair* .... par jour.

29.   Il a *collecté* .... les loyers, on peut aller souper.

30.   Elle a acheté un *bloc appartement* .... en ville.

31.   Comme *breuvage* ...., je prendrai un thé.

32.   Il m'a *chargé* .... 50 $ pour la journée.

33.   Ce candidat *ne *rencontre pas* .... toutes les exigences.

34.   Si vous avez de la difficulté à *rencontrer* .... vos
      paiements, venez discuter avec un de nos agents de prêt.

3.3.4   Anglicismes de structure

Si l'anglais influence le vocabulaire, il influence également la syntaxe et la grammaire du français, tout particulièrement au Québec. Il faut être vigilant et apprendre à reconnaître les constructions fautives. On n'est pas *sur un comité* mais *membre d'un comité*. On ne *se fie pas *sur quelqu'un* mais *à quelqu'un*. Savez-vous qu'on ne mange pas *du spaghetti* mais *des spaghettis* ? Il est possible de trouver la bonne construction en consultant les définitions et les exemples d'emplois du *Petit Robert*.

EXERCICE 36
S'il y a lieu, complétez les phrases suivantes avec la préposition qui convient. Faites les changements d'articles nécessaires.

1.   S'il me répond .... l'affirmative, je serai là à la première heure.

2.   Elle joue de la guitare .... l'oreille.

3.   La ville de Chicoutimi a besoin .... nouvelles installations.

4.   Pascal a fait une commande .... 100 fanaux.

5.   Il est demeuré .... observation pendant huit heures.

6.   Mon cousin est plombier. Il travaille .... la construction.

7.   Tu as vu la foule qu'il y avait .... la rue à cinq heures ?

8.   Son bureau se trouve .... cet étage-ci.

9.   Cette fois, je voyage .... un Boeing 747.

10. La pièce est grande : elle fait 9 mètres .... 10.

11. Si vous en doutez, vérifiez .... le Service aux abonnés.

12. Ces articles sont vendus .... perte.

13. Elle a été dix ans .... la compagnie Pouce vert.

EXERCICE 37
Corrigez les constructions fautives et faites tout autre changement nécessaire.

1.   Ça lui a pris *un bon vingt minutes* .... à effectuer le parcours.

2.   *En autant que* .... je sache, il ne viendra pas demain.

3.   La nouvelle *à l'effet que* .... le dollar serait en chute libre s'est révélée fausse.

4.   Les écoles sont demeurées fermées *dû au* .... mauvais temps.

5.   Elle a fait ses courses *en dedans d'* .... une heure.

6.   Je *suis familier avec* .... ce programme.

7.   *Vérifiez *avec* .... M. Tremblay l'horaire des trains.

8.   C'est M. Côté qui est *responsable *pour* .... ce dossier.

9.   Aurez-vous *les argents* .... nécessaires pour acheter l'immeuble ?

10.   Quand il est passé *aux douanes* ...., il a eu la frousse.

11.   On n'aurait jamais dû *se fier* **sur** .... lui.

12.   Il est *obsédé* **avec** .... l'argent.

13.   Il a *participé* **dans** .... trois concours l'année dernière.

14.   Ils en ont mangé trois **chaque** ....

15.   **Dépendamment** .... du temps, le spectacle aura lieu au Pigeonnier ou au Grand Théâtre.

16.   **Dépendant** .... des sources que vous aurez à votre disposition, vous pourrez traiter ce point avec plus ou moins de détails.

17.   Les **dernières dix années** ...., j'ai habité à Toronto.

3.3.5 Anglicismes de prononciation

Terminons notre revue des anglicismes en allant nous chatouiller l'oreille. Saviez-vous que les anglicismes se glissent jusque dans notre prononciation ? Bien que ces erreurs ne soient pas dramatiques, il est amusant de savoir les reconnaître. Par exemple, comment prononcez-vous le mot *zoo* ? Eh non, ce n'est pas [zu] comme dans *pou / genou / hibou*, mais [zo] comme dans *mot* qu'il faut dire.

Lorsqu'il emprunte un mot à l'anglais, le français n'emprunte pas sa prononciation. Si vous voulez vous assurer de prononcer correctement un mot, consultez votre *Petit Robert* : la transcription phonétique, entre crochets, suit immédiatement l'entrée de l'article. Dans sa présentation, le dictionnaire vous explique le code de transcription qu'il utilise.

EXERCICE 38
Vérifiez la prononciation des mots suivants en vous servant de la transcription phonétique donnée dans le *Petit Robert*.

1.   camping...

2.   alcool ....

3.   cantaloup ....

4. chaos ....

5. sculpture ....

6. chèque ....

7. pyjama ....

8. maths ....

9. cents ....

10. revolver ....

Dans cette partie, vous aurez découvert la face cachée des anglicismes. Vous aurez vu qu'il en existe de plusieurs types, dont certains sont plus insidieux que d'autres. Sachez les reconnaître ! Il existe d'excellents ouvrages qui traitent de la question. Si vous voulez approfondir le sujet, n'hésitez pas à les consulter.

Quelques ouvrages à consulter

COLPRON, Gilles, *Les anglicismes au Québec*, Montréal, Éditions Beauchemin, 1982.

DAGENAIS, Gérard, *Dictionnaire des difficultés de la langue française au Canada*, Québec, Pédagogia, 1969.

VILLERS, Marie-Éva, *Multidictionnaire des difficultés de la langue française,* Montréal, Éditions Québec / Amérique, 1988.

Service linguistique de la Société d'énergie de la Baie James, *Les mots dits grands maux*, Société d'énergie de la Baie James, 1979.

3.4 Barbarismes et solécismes

Le barbarisme est une faute de langage qui consiste à se servir de mots déformés et, par extension, de mots forgés ou employés à mauvais escient. Ainsi, on se rend à l'*aéroport* et non pas à l'**aréoport*. Le solécisme, quant à lui, désigne les fautes contre les règles de la syntaxe.

EXERCICE 39
Corrigez les erreurs en vous aidant du dictionnaire.

1. Le célèbre romancier est mort d'un **infractus* à l'âge de 42 ans.

....

2. Je me *rappellerai* *de cette soirée toute ma vie.

    ....

3. Je vous *serais gré de bien vouloir me répondre par retour du courrier.

    ....

4. Il y a assez de vin pour deux *à trois personnes.

    ....

5. Il est placé devant un grave *dilemne*.

    ....

6. Demain, c'est la fête *à Maxime.

    ....

7. Il a fait *pareil que vous quand je lui ai annoncé la nouvelle.

    ....

8. Il y a inégalité entre sa *rénumération* et la qualité du travail accompli.

    ....

9. Je préfère rester à la maison *que sortir.

    ....

10. Il *s'est mérité* le premier prix lors du concours de danse.

    ....

11. Une soixantaine d'organismes et de clubs divers *se sont objectés* à tout nouveau développement hydro-électrique.

    ....

12. Il a exécuté son travail avec *habilité*.

    ....

13. Faute de moyens *pécuniers*, il a dû renoncer à ses vacances.

    ....

14.   La mort de son fils l'a marqué de façon *indélibile*.

....

15.   Il *s'est accaparé* l'auditoire pendant toute la soirée.

....

16.   Louise *débute* toujours le cours par un mot de bienvenue.

....

17.   Il *s'en est allé* cueillir des fraises.

....

18.   Elle a *démontré* de l'intérêt quand je lui ai parlé de Venise.

....

19.   Vous l'avez appris à *votre dépend*.

....

20.   Louis a *ramené* un poncho du Vénézuela.

....

21.   Les outardes *quittent* pour un ciel plus clément.

....

3.5 Pléonasmes et redondances

Un pléonasme, c'est une répétition fautive. Il en existe de célèbres : *panacée univer-selle*, *monter en haut*, *descendre en bas* : une panacée est par définition universelle, on monte toujours vers le haut et on descend toujours vers le bas. Si le pléonasme est parfois voulu, pour son effet comique, c'est plus souvent par mégarde qu'on l'utilise. Le mot *redondance* peut être pris comme synonyme de *pléonasme* ; il peut aussi s'appliquer à des répétitions plus diffuses. Les redondances ne sont pas par nature fautives : on peut répéter quelque chose intentionnellement, pour le faire mieux comprendre ou mieux retenir. Dans l'exercice qui suit, nous ne nous intéresserons qu'aux tours vraiment pléonastiques.

EXERCICE 40

Éliminez les répétitions inutiles, soit en les retirant complètement, soit en les remplaçant par autre chose.

1.   « Reculez en arrière ! » cria le chauffeur d'autobus.

    ....

2.   À cause de l'alcoolisme, un enfant sur six naît débile à la naissance en U.R.S.S.

    ....

3.   L'état de la situation est critique.

    ....

4.   Il faut se dire que les offres d'emplois qui requièrent de telles exigences sont rares.

    ....

5.   De plus, les stéréotypes du film sont banals. On aurait apprécié davantage d'originalité et de profondeur.

    ....

6.   Nous avons marché au moins 15 kilomètres à pied.

    ....

7.   Il a inventé toutes sortes de faux prétextes pour éviter de se faire gronder.

    ....

8.   Il est indispensable de s'entraider mutuellement.

    ....

9.   Prière de réserver vos billets à l'avance.

    ....

10. Notre compagnie a le monopole exclusif pour la région de Québec.

    ....

11.   Le premier ministre présidera demain l'inauguration de la nouvelle clinique.

....

12.   Ils se sont vus contraints malgré eux de vendre leur maison.

....

13.   Il ne vous reste qu'une journée seulement.

....

14.   Il faut à tout prix préserver la survie des baleines.

....

15.   Depuis que Jean est entouré d'un environnement paisible, sa vie a changé.

....

16.   Il ne vous suffit que de nous lancer un coup de fil et nous accourrons.

....

17.   L'économie mondiale favorise les pays riches à s'enrichir davantage.

....

3.6 Combinaisons fautives

3.6.1 Combinaisons contradicatoires

Quand deux personnes ne s'entendent pas, c'est souvent par incompatibilité de caractère ; des différences de tempérament majeures les rendent incapables de s'accorder, de vivre ensemble. Il en va de même pour les mots. Certains ont un sens résolument positif, d'autres résolument négatif. Leur coexistence est impossible sous peine de créer une incompatibilité sémantique. Prenons l'exemple : *Le projet de loi a recueilli...* La phrase peut se terminer de bien des façons, mais *recueilli* impose une idée positive. La combinaison est mauvaise dans : *Le projet de loi a recueilli l'hostilité des milieux de l'enseignement*. On peut recueillir l'assentiment de tous, recueillir des votes, etc., mais non l'hostilité, sauf si l'intention est ironique.

Grâce au découpage très détaillé des emplois, à ses nombreux exemples et citations, ainsi qu'à ses renvois analogiques, le *Petit Robert* nous aide à éviter les combinaisons fautives. Faites-en votre complice !

EXERCICE 41
Identifiez les combinaisons contradictoires et trouvez d'autres formulations.

1.   La réalisation du projet va encourager le saccage de toute la région.

      ....

2.   Les environs de Deschambault risquent d'être transfigurés par la construction de l'aluminerie.

      ....

3.   Il jouit d'une mauvaise santé.

      ....

4.   Cette nouvelle s'est avérée fausse.

      ....

5.   Les risques sont réduits au maximum.

      ....

6.   C'est grâce à une plaque de verglas qu'il a dérapé.

      ....

7.   Il risque de gagner lors des prochains Jeux olympiques.

      ....

8.   Il a perdu des milliers de dollars à la faveur de cette erreur.

      ....

9.   Au niveau de la langue parlée, ça va, mais au niveau de la rédaction, il y a encore beaucoup de fautes.

      ....

3.6.2 Combinaisons approximatives

Pour écrire, il faut combiner ensemble des mots.Or, si les combinaisons possibles sont infinies, il n'en reste pas moins que l'agencement des mots se fait aussi en respectant les combinaisons qui sont courantes, en recourant aux expressions idiomatiques.Négliger les idiomatismes de la langue rend l'énoncé approximatif, confus. L'emploi de mots passe-partout mène aussi à des combinaisons approximatives et à des énoncés qui le sont tout autant ; on devrait toujours chercher la formulation la plus précise possible quand on rédige.

L'exercice qui suit renferme toutes sortes de mauvaises formulations, provenant, dans la plupart des cas, d'une mauvaise connaissance du sens et de l'emploi exacts des mots. Dans certaines phrases, le problème n'est pas seulement lexical mais envahit également la syntaxe.

EXERCICE 42

Relevez les mauvaises formulations et troquez-les contre des formulations correctes. Parfois, il vous suffira de changer un mot, parfois il vous faudra reprendre la phrase au complet.

1. Le ministre a démontré de l'intérêt pour les problèmes des pêcheurs.

    ....

2. Le Ministère a mis en place des quotas de pêche pour éviter la disparition de l'espèce.

    ....

3. Le partage de leurs richesses ne fera que constituer un appauvrissement collectif.

    ....

4. Le problème veut dire que le mandat n'avait pas été clairement délimité à l'origine.

    ....

5. Actuellement, un débat est présent au sein du cabinet du premier ministre au sujet de la T.P.S.

    ....

6.   Je suis très sensibilisée d'apprendre que la cocaïne et le crack qui envahissent Montréal et ailleurs parmi les jeunes qui se défoulent en avalant ou en se piquant de ces poisons qui détériorent le cerveau au point de devenir des épaves qui traînent dans les rues.

....

....

....

....

....

....

CORRIGÉ

1. **1**. I : Les sens et emplois qui se rattachent au cœur comme organe. II : Les sentiments. **2**. Oui. La première partie est divisée en **A**, qui regroupe les valeurs proprement physiques (anatomiques) et **B**, qui regroupe des valeurs dérivées par analogie. Dans **A**, ◆1° correspond à l'organe même du cœur ; ◆2° et ◆3° correspondent à deux extensions du premier sens. Dans **B**, ◆1°, ◆2° et ◆3° correspondent à trois types d'analogie : analogie avec la forme du cœur, avec l'emplacement du cœur dans l'organisme et enfin des analogies plus abstraites. La deuxième grande partie est divisée directement en 7 points, identifiés par des losanges noirs et des numéros, qui correspondent à différents sentiments. À l'intérieur de ces points, des losanges blancs (◇) indiquent des nuances de sens ou d'emploi. **3**. Du siège des sensations et émotions (1° à 3°) au siège de la conscience et de la vie intérieure (5° et 6°) en passant par les sentiments altruistes (4°), les sens que l'on prête au sentiment semblent répertoriés de la sensation physique *(un chagrin qui brise le cœur)* à l'élévation de l'âme *(avoir le cœur haut placé)*. Que penser alors de l'expression idiomatique *par cœur*, qui termine cette grande division ? Selon Dupré, la locution viendrait « d'une extension de la mémoire du cœur à la mémoire de l'esprit ». À cet effet, Voltaire a déjà écrit que l'on retient par cœur « car, ce qui touche le cœur se grave dans la mémoire ».

2. **1**. Verbe intransitif. (Les verbes intransitifs sont ceux qui expriment une action ne passant pas du sujet sur une personne ou sur une chose ; ils n'appellent pas de complément d'objet et suffisent avec leur sujet à exprimer l'idée complète de l'action.) **2**. Verbe transitif indirect. (Les verbes transitifs sont ceux qui expriment une action passant du sujet sur une personne ou sur une chose ; ils appellent un complément d'objet direct ou indirect.) **3**. Verbe transitif direct.

3. Trois. Ils sont classés selon un ordre chronologique.

4. baromètre, santé, cœur, moribonde, renaître de ses cendres, monter en flèche, se relève

5. **1**. *c)* **2**. *a)* **3**. *b)* **4**. *e)* **5**. *d)*

6. **1**. *b)* **2**. *a)* **3**. *c)*

7. **1**. accident **2**. incident **3**. catastrophe **4**. calamité **5**. malheur

8. **1**. notoriété **2**. popularité **3**. célébrité **4**. renommée **5**. réputation

9. **1**. braver **2**. défié **3**. se provoquer ; s'affronter
    1. barrées **2**. barricader **3**. calfeutrer **4**. obturer

1. choisir 2. opté 3. adopté
1. complexe 2. compliquée

10.   1. éluder 2. acquiesça à 3. dénoncer 4. confessa 5. dégénéra 6. restaurer

11.   1. limpide 2. draconienne 3. glacial 4. enthousiaste 5. inique 6. plantureux
7. grossières 8. cassant 9. florissantes 10. dithyrambique

12.   1. écartelé (déchiré) ; balloté 2. abhorrait (exécrait) ; n'aimait pas 3. atterra ;
étonna 4. stigmatisé ; désapprouvé 5. captiver ; intéresser 6. dilapidé ; dépensé

13.   1. cohue 2. Des masures 3. duplicité 4. sarcasmes 5. sensiblerie 6. utopie
7. racontars

14.   1. frimousse, gueule 2. bagnole, char, bazou, minoune, tacot 3. frousse, trouille,
trac (familier lorsque le mot ne s'applique pas à la peur qu'éprouve l'artiste avant de
se produire) 4. lever le camp, se barrer, se tirer, mettre les voiles 5. niaiseux,
godiche, nono 6. bâfrer, bouffer, casser la croûte, s'empiffrer, se bourrer

15.   1. (F), laids 2. (T), Se ronger les ongles 3. (C) 4. (F), arrive 5. (C) 6. (F),
livre 7. (F), gronder (Dans le sens de « gronder », *disputer* est considéré comme
familier par les Français.) 8. (L), réprimanda sévèrement 9. (F), se promener
10. (T), ressort

16.   1. persuader 2. infirmé 3. décliné, refusé 4. régressé 5. méconnu 6. niait
7. exagérer, grossir

17.   1. pessimiste 2. urbaine 3. avare 4. robuste 5. chagrine 6. pondéré, calme,
réfléchi

18.   1. divergences 2. prolixité, grandiloquence, emphase 3. l'altruisme incarné, la
générosité incarnée 4. fiction 5. pénurie 6. d'étroitesse 7. de néologismes

19.   1. dominent 2. s'étend, s'accroît 3. regorgent, grouillent 4. se multiplient
5. friserait, avoisinerait le million, s'approcherait du million 6. se détériorent,
s'enveniment, s'aggravent, empirent 7. figure 8. se dresse 9. présume
10. s'amoncellent

20.   1. compte 2. entraîner, se solder par, mener à 3. cumule, occupe 4. allie
expérience et talent 5. jouit d'une bonne réputation 6. touchent, reçoivent
7. éprouveront 8. entraînera 9. connaisse, jouisse de, bénéficie de

21.   **1.** éclaté **2.** couvrent, encombrent **3.** plane, pèse **4.** ornent, enrichissent, garnissent **5.** décèlent, dénotent, témoignent de **6.** alourdissent, chargent **7.** se creuse **8.** perturbe **9.** circulaient

22.   **1.** gagner **2.** composer, écrire **3.** se livrer à, effectuer, mener **4.** dresser, établir **5.** rédiger, établir **6.** commettre **7.** présenter, offrir **8.** exercer **9.** effectuer, parcourir, accomplir **10.** causer, commettre

23.   **1.** comprends **2.** fréquente **3.** observé ; se produit, s'observe **4.** consulter **5.** distinguais **6.** prévoir, prédire **7.** décelé, observé, remarqué **8.** visité **9.** rencontré **10.** visiter

24.   **1.** confier, dévoiler, exposer **2.** m'expliquer **3.** reconnaître, admettre, avouer, convenir, concéder **4.** assuré, affirmé, soutenu **5.** profère, débite **6.** adresser, prodiguer **7.** souhaiter

25.   **1.** incendient **2.** rangée, reléguée **3.** postés, placés, disposés **4.** apporta, consacra toute son énergie à ce travail **5.** glissa, introduisit **6.** inscrit, porté, noté

26.   **1.** dissolues **2.** insipides **3.** dithyrambiques **4.** éphémère **5.** de piètres écrivains ; d'excellents

27.   **1.** pèse **2.** afficha **3.** éludé certaines questions **4.** fusaient **5.** prodigue

28.   **1.** équivoque **2.** inédites **3.** tenace **4.** vénéneux **5.** ineptes **6.** altruistes **7.** inaudible **8.** éloquent **9.** analphabètes **10.** infaillible

29.   **1.** l'augmentation de certaines prestations **2.** de la progression inexorable du capitalisme à l'Est **3.** de fabrication allemande **4.** l'absence d'une ligne de conduite cohérente au sein du Conseil **5.** l'étendue de la fraude **6.** de l'imminence d'une nouvelle vague d'attentats **7.** une recrudescence du froid

30.   **1.** le sommet **2.** voiliers **3.** La faune ; la flore **4.** maquillé, falsifié **5.** a récidivé **6.** louvoie **7.** germa-t-elle **8.** périclita **9.** décontenança, désarçonna **10.** Une vingtaine **11.** les citadins **12.** l'itinéraire **13.** enrayer

31.   **1.** acquit **2.** acquis **3.** acquis **4.** acquis
       1. censé **2.** censé **3.** sensé **4.** sensées
       1. chère **2.** chère ; chair
       1. dessins **2.** dessein **3.** dessein
       1. pair **2.** pairs **3.** paire
       1. partis **2.** parti **3.** parti **4.** parti **5.** parti **6.** parti **7.** parties **8.** partie **9.** partie
       1. poses ; poses ; pause
       1. voir **2.** voire

32. **1.** adhésion **2.** adhérence
     1. isolement **2.** isolation
     1. jury **2.** juré
     1. stade **2.** stage
     1. compréhensifs **2.** incompréhensible **3.** compréhensibles
     1. De plus **2.** en plus **3.** De plus (En tête de phrase, *en plus* appartient à la langue orale.)
     1. éminent **2.** imminente **3.** éminentes **4.** éminent **5.** imminent **6.** éminents
     1. éruption **2.** éruption **3.** éruption **4.** irruption
     1. évoque **2.** évoqué **3.** évoquait **4.** invoquent **5.** invoqué
     1. gradation **2.** graduation
     1. inclinaison **2.** inclination **3.** inclinaison **4.** inclinaison
     1. inculqué **2.** inculquer **3.** inculpée
     1. judiciaires **2.** judiciaire **3.** juridique **4.** judiciaires
     1. notoire **2.** notoire **3.** notables **4.** notables
     1. perpétré **2.** perpétuer **3.** perpétuer
     1. personnifiée **2.** personnaliser
     1. prolongement **2.** Prolongation **3.** prolongation
     1. rebattre **2.** rabattre
     1. recouvrer **2.** recouvré **3.** recouvert
     1. amenez **2.** apporter **3.** apporté

33. **1.** c **2.** g **3.** n **4.** e **5.** a **6.** oo **7.** s **8.** tt **9.** b **10.** x **11.** f **12.** a

34. **1.** annulées **2.** prévue **3.** On fait une pause ? **4.** crevaisons **5.** poster **6.** ivre, éméchée **7.** entrepreneur **8.** en liberté **9.** de la monnaie

35. **1.** admissibles **2.** canadiennes (*Domestique* : qui concerne la vie à la maison, la famille. Le Canada n'est pas vraiment une maison ni une famille.) **3.** intérieurs (*Vol intérieur* est l'expression consacrée ailleurs dans la francophonie. *Intérieur* prend parfois le sens de « pays » : cf. l'expression *ministère de l'Intérieur*.) **4.** dynamique (L'agressivité implique de la violence en français.) **5.** polyvalent, complet ; mûr **6.** ce qui se vend le mieux (On comprend implicitement qu'il s'agit de disques.) **7.** De rien *ou* Je vous en prie. (*Bienvenue* est une traduction littérale de *Welcome*.) **8.** Je suis très bien dans cette robe *ou* Cette robe est très confortable. (En français, ce sont les choses qui sont confortables, et non les personnes qui sont confortables dans les choses. Appliqué à des personnes, *confortable* a surtout le sens d'« aisance financière ».) **9.** relations **10.** son permis de conduire **11.** interurbain *(long distance call)* **12.** économisé **13.** ne m'a pas rappelé **14.** a beaucoup insisté sur les problèmes économiques (*Put the emphasis on* peut souvent se traduire par *mettre l'accent sur : Cette année, nous allons mettre l'accent sur tel ou tel aspect de la question.*) **15.** le reste, le solde **16.** le dépliant (s'il est plié), la

brochure **17**. recevoir   **18**. financiers (pour quelqu'un qui est dans les affaires), des problèmes pécuniaires, des problèmes d'argent   **19**. la salle, tous les spectateurs, tout l'auditoire, toute l'assistance **20**. indubitablement **21**. mettre sur pied, ouvrir   **22**. (faire) démarrer, mettre en marche   **23**. s'est mis à parler (discuter) des élections, on a engagé, commencé une discussion sur les élections **24**. Jusqu'à maintenant   **25**. à jour   **26**. posé sa candidature pour un poste **27**. avantages sociaux   **28**. 40 \$ net   **29**. encaissé, perçu   **30**. immeuble résidentiel **31**. boisson **32**. demandé **33**. ne satisfait pas à toutes les exigences, ne répond pas à toutes les exigences **34**. faire (*Rencontrer,* c'est uniquement « être mis en présence de », surtout de personnes, mais aussi de difficultés, etc.)

36. **1**. par **2**. d'oreille **3**. de **4**. de **5**. en **6**. dans **7**. dans **8**. à **9**. à bord d' **10**. sur **11**. auprès du Service **12**. à **13**. à, chez

37. **1**. vingt bonnes minutes, une bonne vingtaine de minutes **2**. Pour autant que **3**. selon laquelle **4**. en raison du (*Dû* ne peut servir à construire une locution prépositive ; il est toujours participe passé ou adjectif verbal.) **5**. en moins d' **6**. Je connais ce programme, Ce programme m'est familier. **7**. Vérifiez auprès de **8**. responsable de **9**. l'argent nécessaire, les fonds nécessaires, la somme nécessaire **10**. à la douane **11**. se fier à lui **12**. obsédé par **13**. a participé à **14**. chacun (*Chaque* ne peut être qu'adjectif, il doit donc déterminer directement un nom.) **15**. Selon le temps (*Dépendamment* n'existe tout simplement pas en français.) **16**. Selon les sources (*Dépendant* existe, mais pas comme préposition.) **17**. Les dix dernières années

38. **1**. Le M ne se prononce pas. **2**. Un seul O, ouvert comme dans *col*. **3**. Le P final ne se prononce pas. **4**. Le S final ne se prononce pas, le O est donc fermé. **5**. Le P ne se prononce pas. **6**. Un CH français comme dans *chat*. **7**. Pas de D devant le J. **8**. Le S du pluriel ne se prononce pas. **9**. Le S du pluriel ne se prononce pas. **10**. VER comme dans *ver de terre*.

39 **1**. infarctus **2**. Je me rappellerai cette soirée toute ma vie. **3**. serais, *saurais* **4**. ou (Mais : *cinq à dix*.) **5**. dilemme **6**. de **7**. comme **8**. rémunération **9**. plutôt que de sortir **10**. a remporté (Double faute : d'une part, *mériter* ne s'emploie pas à la forme pronominale ; d'autre part, *mériter* implique toujours une idée de mérite : *Il a remporté le prix et il le méritait*.) **11**. opposés (*Objecter* ne s'emploie pas à la forme pronominale ; on objecte un argument et non sa personne.) **12**. habileté **13**. pécuniaires **14**. indélébile **15**. a accaparé **16**. commence (*Débuter* est un verbe intransitif. Il ne peut pas avoir de complément d'objet direct.) **17**. Il ets allé **18**. a montré de l'intérêt **19**. à vos dépens **20**. a rapporté **21**. nous quittent, quittent le pays

40.   **1.** — Reculez ! cria le chauffeur d'autobus. **2.** À cause de l'alcoolisme, un enfant sur six naît débile en U.R.S.S. **3.** La situation est critique. **4.** Il faut se dire que les offres d'emplois qui requièrent de telles aptitudes sont rares. **5.** De plus, le film est rempli (plein) de stéréotypes... **6.** Nous avons marché au moins 15 kilomètres. **7.** Il a inventé toutes sortes de prétextes pour éviter de se faire gronder. **8.** Il est indispensable de s'entraider. **9.** Prière de réserver vos billets. **10.** Notre compagnie a le monopole pour la région de Québec. **11.** Le premier ministre présidera demain l'inauguration de la clinique. **12.** Ils se sont vus contraints de vendre leur maison. **13.** Il ne vous reste qu'une journée. **14.** Il faut à tout prix préserver les baleines. **15.** Depuis que Jean vit dans un environnement paisible... **16.** Il vous suffit de nous lancer un coup de fil... **17.** L'économie mondiale favorise les pays riches.

41.   **1.** va entraîner le saccage (*Encourager* a presque toujours un sens positif.) **2.** risquent d'être défigurés **3.** Il ne jouit pas d'une bonne santé, Sa santé est mauvaise, Il a une mauvaise santé. **4.** Cette nouvelle s'est révélée fausse (*Avérer* est formé à partir de l'ancien français *voir,* qui signifie *vrai.*) **5.** Les risques sont réduits au minimum. (La faute est cependant compréhensible : la réduction est la plus grande possible, maximale.) **6.** C'est une plaque de verglas qui l'a fait déraper. **7.** Il a de bonnes chances de gagner lors... **8.** Cette erreur lui a fait perdre des milliers de dollars. **9.** Leur langue parlée est bonne, mais ils font encore beaucoup de fautes à l'écrit. (Comme dans 6. et 8., la préposition est (tout simplement) inutile. La simple construction sujet + verbe est ici plus efficace, plus claire qu'une quelconque mise en relief.)

42.   **1.** montré de l'intérêt (*Démontrer* comporte toujours une idée de preuve.) **2.** Le Ministère a fixé des quotas... **3.** Le partage de leurs richesses n'amènera qu'un appauvrissement collectif. **4.** Le problème, c'est que le mandat... **5.** Actuellement, le cabinet du premier ministre est divisé sur la question de la T.P.S. *ou :* La T.P.S. fait l'objet de débats au sein du cabinet. **6.** C'est vraiment navrant d'apprendre que la cocaïne et le crack gagnent tant de terrain, non seulement à Montréal, mais ailleurs en province. Les jeunes qui pensent se défouler en avalant ces poisons, quand ce n'est pas en se piquant, se détériorent le cerveau et deviennent de véritables épaves.

MOTS-LIENS ET EXPRESSIONS DE LIAISON

MOTS-LIENS ET EXPRESSIONS DE LIAISON

Les conjonctions et les adverbes de phrase, c'est-à-dire les adverbes fonctionnant comme des conjonctions, sont des mots qui servent à relier des propositions, des phrases ou des paragraphes, en indiquant le genre de rapport qu'ils entretiennent. Ce sont des articulateurs de la pensée. Mots difficiles à définir – à preuve les définitions souvent laconiques des dictionnaires –, ils sont aussi fort maltraités : on a facilement tendance à utiliser toujours les mêmes, et parfois à mauvais escient. Nous vous proposons ici un survol rapide de la question. À cette fin, nous avons regroupé les mots-liens en de larges catégories, correspondant aux grands modes d'articulation de la pensée.

1. ADDITION ET ÉNUMÉRATION

On a souvent besoin d'énumérer des faits, des explications, etc. Dans un tableau, dans un schéma, on utilise la mise en colonnes ou le numérotage. Dans un texte, la simple juxtaposition peut indiquer l'énumération, mais on aide le plus souvent le lecteur à « garder le cap » : *d'abord, ensuite, finalement (enfin)* constitue un enchaînement énumératif de base, mais il existe de multiples variantes. Voici une petite panoplie de mots et d'expressions servant à énumérer ou à additionner. Gardez à l'esprit qu'une énumération n'est pas nécessairement qu'additive ; des points de vue particuliers peuvent s'ajouter.

et
ni (addition « négative »)
ainsi que (valeur souvent plus comparative qu'additive)
d'abord, tout d'abord
en premier lieu, premièrement
de plus, en outre
de même (la comparaison cède parfois la place à une addition pure et simple)
par ailleurs, d'un autre côté, d'autre part
d'une part... d'autre part
en second lieu, deuxièmement
puis, ensuite (parfois sans grande valeur temporelle)
aussi (mais pas en tête de phrase ou de proposition, où aussi exprime la conséquence : (Il pleut, aussi je rentre.)
également
au surplus, de surcroît, par surcroît
n'oublions pas, mentionnons également, etc.
en dernier lieu, finalement, enfin

EXERCICE 1
Ajoutez des mots-liens ou des expressions de liaison que vous choisirez dans la liste ci-dessus.

Pour les questions où vous devez utiliser plusieurs mots-liens, tenez compte de l'ensemble et non uniquement de l'enchaînement de phrase à phrase (ou de proposition à proposition). Le cas échéant, tenez également compte des indications entre parenthèses.

1. En quelques minutes, le ciel devint tout jaune .... la tornade fut sur nous.

2. Il faut prendre trois choses en considération : .... le coût de l'opération, ... les profits que nous pouvons en retirer et .... l'influence que cela aura sur notre image de marque.

3. En raison de leur gigantisme, nos institutions sont devenues incapables de comprendre, et a fortiori de résoudre, les problèmes environnementaux de tous les jours. ...., elles sont pratiquement sans pouvoir et sans ressources pour faire face aux problèmes transnationaux.

4. Il faut éviter que le manque partiel de résultats et de données absolument précises soit pris comme prétexte à l'inaction. ...., un certain degré d'incertitude scientifique est normal devant des systèmes complexes caractérisés par une dynamique non linéaire et un comportement chaotique. ...., et surtout, le coût de l'inaction serait prohibitif, et on pourrait frôler les limites de l'irréversibilité dans certains cas de dégradation.

5. *(Interview)* Les principaux et les recteurs d'universités du Québec ont cependant posé deux conditions à cette hausse des droits de scolarité...

    — Oui. Nous voulions .... que le système des prêts et bourses soit modifié pour permettre aux gens moins fortunés de faire face à l'augmentation. Cela a été fait. Nous voulions .... nous assurer que l'on ne viendrait pas nous enlever d'une main ce qu'on nous donnait de l'autre.

6. ### L'expérimentation animale défendue par les chercheurs

    Les scientifiques ont décidé d'agir plus vigoureusement afin de défendre l'expérimentation animale dans la recherche fondamentale. Aux États-Unis, ... *(ils ont été les tout premiers)*, où quatre mille d'entre eux ont signé une pétition adressée à [...]

En France, l'heure est .... (addition) à la mobilisation des chercheurs, non pour se défendre contre une nouvelle loi, mais pour faire comprendre et accepter l'expérimentation animale. Les trois grands organismes de recherche, le CNRS, l'INSERM et l'INRA, ont décidé, il y a quelques mois, de mener des actions concertées en ce sens. [...] L'opinion de la population française doit être étudiée par le CNRS et de courtes fiches sur l'expérimentation animale et une trentaine de maladies telles que le cancer, le sida ou encore l'épilepsie sont à l'étude à l'INSERM. Un dossier en direction des professeurs de biologie du secondaire est .... prévu, ... des clips vidéo grand public. ...., un ouvrage important sur l'expérimentation animale, auquel contribuent des chercheurs des trois organismes, est en préparation.

[...] Aux États-Unis, des comités spéciaux sont chargés de surveiller les soins et l'utilisation des animaux dans les centres de recherche. Les scientifiques français sont dans l'ensemble assez opposés à ces comités. [...] Pourtant de tels comités, dans lesquels les scientifiques seraient représentés, auraient certainement un effet apaisant sur la population. ...., ils pourraient aider à se garder de surprises désagréables comme celle qui démoralise actuellement les chercheurs britanniques : un de leurs plus éminents représentants [...] aurait pratiqué une série d'expériences très douloureuses sur des lapins à peine anesthésiés. [...]

(D'après *La Recherche*, n⁰ 223, p. 830)

2. MOTS-LIENS ANALYTIQUES

Analyser, expliquer, commenter sont des buts presque toujours présents dans la communication. Cause / conséquence ; comparaison / opposition ; restriction, concession ; explicitation, illustration sont de grands axes de l'analyse. Il existe une multitude de mots et d'expressions pour exprimer ces rapports, avec la même polysémie et synonymie qu'ailleurs dans le lexique. Les mots pour exprimer la conséquence ou l'opposition, par exemple, sont innombrables. Certains mots ou emplois disparaissent, comme l'emploi adverbial de *nonobstant* (plus ou moins synonyme de *cependant*) : Le salaire n'était pas très élevé. *Nonobstant*, elle accepta le poste. D'autres sont littéraires, ou passent indûment pour tels, comme *certes* ou *or*. Beaucoup, en fait, posent des difficultés d'emploi. Les listes ci-dessous n'ont pas pour objectif d'être exhaustives : ont été omises certaines expressions rares ou d'autres qui ne posent aucune difficulté d'emploi. Quant aux regroupements, ils ont pour but de vous aider à fixer quelques grandes catégories. Pour le sens ou la valeur précise de chaque mot ou expression, consultez vos dictionnaires, mais analysez aussi soigneusement les mots de liaison en contexte, dans les exercices.

2.1   Cause

parce que
étant donné que
puisque (rend la cause incontestable : *Tu ne peux pas l'avoir rencontré à Québec puisqu'il est à Paris !*)
comme (peut également indiquer une comparaison, une addition, une simultanéité)
car (explication causale de ce qui précède)
d'ailleurs (cause, explication indirecte, mentionnée après coup ; renforcement)
vu que (appartient surtout à la langue familière)

EXERCICE 2
Complétez les phrases suivantes avec une des conjonctions de cause données ci-dessus.

1. .... le délai est très court, je dois vous demander double tarif.

2. Je n'ai pas pu vous rappeler plus tôt .... j'étais à l'étranger.

3. .... vous ne m'aviez pas rappelé, je croyais que le travail ne vous intéressait pas. Mais .... je n'ai encore appelé personne d'autre, je veux bien faire affaire avec vous.

4. Monsieur X ne viendra pas à son bureau aujourd'hui .... il est malade. ...., il n'est pas venu hier non plus.

2.2 Conséquence

et
par conséquent, en conséquence (moins courant que *par conséquent*)
aussi (en tête de proposition, avec inversion facultative du pronom sujet et du verbe)
donc
ainsi (mais s'emploie davantage pour introduire une explication ou un exemple)
c'est pourquoi (rappelle la cause, mais introduit une conséquence)
par suite
dès lors (avec valeur temporelle)

EXERCICE 3

Complétez les phrases suivantes avec une des expressions de conséquence données ci-dessus.

1. La partie patronale a accédé à toutes nos demandes. ...., nous sommes prêts à mettre fin à la grève.

2. La partie patronale a accédé à toutes nos demandes. .... sommes-nous prêts à mettre fin à la grève.

3. La partie patronale a accédé à toutes nos demandes. Nous sommes .... prêts à mettre fin à la grève.

4. La partie patronale a accédé à toutes nos demandes. ....(,) nous avons mis fin à la grève.

5. La partie patronale a accédé à toutes nos demandes. ...., il était normal que nous mettions fin à la grève.

6. Une entente est survenue hier soir .... le travail a repris ce matin.

EXERCICE 4

Dans lequel des paragraphes suivants *aussi* est-il mal employé ?

1. Les spécialistes du CNRC ont étudié les causes de l'accident pour constater qu'un pneu insuffisamment gonflé avait joué un rôle déterminant. *Aussi*, parmi leurs recommandations, les scientifiques ont souligné la nécessité pour les camionneurs de surveiller constamment la pression de leurs pneus.

2. Les spécialistes du CNRC ont constaté qu'un pneu insuffisamment gonflé avait joué un rôle déterminant. *Aussi*, parmi leurs recommandations, ont-ils souligné la nécessité pour les camionneurs de surveiller constamment la pression de leurs pneus.

3. Parmi leurs recommandations, les spécialistes ont souligné la nécessité pour les camionneurs de surveiller constamment la pression de leurs pneus. *Aussi*, ils ont fait remarquer que la vérification devait s'effectuer avec un manomètre et non en donnant des coups de pied dans les pneus.

4. Parmi leurs recommandations, les spécialistes ont souligné la nécessité pour les camionneurs de surveiller constamment la pression de leurs pneus. Ils ont *aussi* fait remarquer que la vérification devait s'effectuer avec un manomètre et non en donnant des coups de pied dans les pneus.

2.3 Condition

si
aussitôt que
dès lors que
dans la mesure où, dans la mesure que (avec idée de proportion, de mesure)

EXERCICE 5
Complétez les phrases suivantes avec des conjonctions de condition.

1. .... la partie patronale avait accédé à nos demandes, nous aurions mis fin à la grève.

2. .... la partie patronale accédait à nos demandes, nous mettrions fin à la grève.

3. .... la partie patronale accède à nos demandes, nous mettrons fin à la grève.

4. .... la partie patronale accédera à nos demandes, nous mettrons fin à la grève.

5. .... les demandes du syndicat sont raisonnables, nous ne demandons qu'à en discuter.

2.4 Comparaison

comme
de même
de même que (subordination)
de même que... ainsi ; comme... ainsi (De même que les poules
n'ont pas de dents, ainsi les chevaux n'ont pas d'ailes.)
ainsi que

EXERCICE 6

Complétez les phrases suivantes avec des conjonctions de comparaison.

1. Il écrit .... il parle.

2. Dans son sillon, des organismes internationaux ont été créés ; ...., dans plus de soixante-dix pays, des ministères de l'Environnement ou d'autres structures analogues ont vu le jour.

3. Les diététiciennes s'apprêtent à demander une réévaluation de salaire dans le cadre de la loi sur l'équité salariale, ... l'ont fait les infirmières l'année dernière.

4. .... les infirmières d'un hôpital de Toronto ont refusé que leur travail soit considéré comme étant de niveau similaire avec celui des cuisiniers de l'établissement, les secrétaires de la fonction publique n'entendent pas qu'on compare leur travail avec celui des manutentionnaires.

5. .... le syndicat a renoncé à certaines de ses revendications, ... nous avons accordé davantage que nous ne l'escomptions.

2.5 Opposition, concession, restriction, compensation

Une opposition peut être simplement adversative, ou comporter une idée de compensation ou de restriction. Certains mots-liens peuvent s'employer dans plus d'une de ces valeurs, d'autres n'en acceptent qu'une. Par exemple, *mais* fonctionne dans le sens de la restriction ou de la compensation : Cette maison coûte cher, *mais* elle m'intéresse tout de même (compensation). Cette maison m'intéresse, *mais* elle coûte un peu cher (restriction). En revanche, *de son côté*, implique obligatoirement une idée de compensation : Cette maison est un peu petite. *En revanche*, elle est bien située. Le rapport inverse est impossible : *Cette maison est bien située ; *en revanche*, elle est un peu petite. On utilisera plutôt *par contre* : Cette maison est bien située ; *par contre*, elle est un peu petite. *Alors que et tandis* que ont facilement une simple valeur adversative : L'un est sucré, *alors que* l'autre est salé. La juxtaposition seule peut indiquer une opposition : L'un me plaît, l'autre pas.

Une concession implique que quelque chose reste sans effet ou entraîne une conséquence contraire à ce qui semblerait normal : Bien qu'il pleuve, elle est allée se promener. La concession se joint parfois à une restriction : (*Certes*) j'ai de l'argent (concession), mais je ne peux pas y toucher (restriction). *Certes* indique toujours une concession.

mais

cependant, toutefois, néanmoins

pourtant, et pourtant

par contre

au contraire

en revanche (idée de compensation)

or (idée d'objection ou de circonstance adverse)

d'un autre côté

d'autre part

il n'en reste pas moins que

certes (idée de concession)

Entre propositions uniquement

alors que, tandis que

quoique (souvent avec une idée de concession, suivi du subjonctif, parfois du conditionnel)

bien que (idée de concession, suivi du subjonctif)

encore que (littéraire, suivi du subjonctif, parfois du conditionnel)

si (comparaison-opposition ; concession)

même si (idée de concession, souvent avec valeur hypothétique)

tantôt... tantôt (idée d'alternative)

autant... autant (idée de comparaison)

EXERCICE 7

Complétez les phrases suivantes avec des conjonctions ou des adverbes d'opposition, de concession, de restriction ou de compensation.

1. Nous croyions qu'il allait faire beau toute la journée. ....
   (,) une demi-heure après notre départ, il se mit à pleuvoir.

2. ...., la maison était grande, mais nous étions douze enfants.

3. Nous étions douze enfants. .... la maison était grande.

4. Un déblocage massif de crédits améliorerait .... la situation, mais sans changer la tendance générale.

5. Votre fils est nul en mathématiques. ...., il n'est pas mauvais en éducation physique.

6.   Je ne pourrai pas faire d'heures supplémentaires cette semaine ; ...., je veux bien travailler quelques heures de plus la semaine prochaine.

7.   Depuis vingt ans, les problèmes de l'environnement se placent à l'avant-scène internationale. Et .... l'environnement n'a cessé de se détériorer à l'échelle planétaire.

8.   Les problèmes de l'environnement sont interdépendants à la fois dans le temps et dans l'espace, ... les recherches et les actions se singularisent plutôt par leur isolement et par une certaine présomption. ...., aucune discipline, y compris l'écologie, ne peut prétendre traiter avec succès ces problèmes, aucun organisme de recherche ou service administratif ne peut se considérer comme autosuffisant, aucun pays, même le plus puissant, ne peut prétendre résoudre à lui seul les problèmes de l'environnement planétaire ni prévenir leurs répercussions sur son territoire. Et ...., la plupart des disciplines s'ignorent ou rivalisent entre elles pour obtenir les crédits de recherche, les professions se replient dans leur corporatisme traditionnel, les ministères se divisent en secteurs peu perméables aux échanges et les pays ont du mal à s'accorder sur les normes de protection, même à l'échelle régionale.

9.   On constate souvent une divergence entre priorités nationales et priorités internationales en matière d'environnement ; ...., de par leur nature, les problèmes de l'environnement sont nécessairement très dépendants les uns des autres à l'échelle internationale.

10.   Il serait très regrettable que notre instinct de survie ne se réveille que face à une catastrophe écologique. .... il est bien connu qu'une catastrophe a un effet beaucoup plus mobilisateur qu'une suite de perturbations moins importantes.

11.   Aux États-Unis, de nombreuses sages-femmes, particulièrement celles qui ne sont pas employées par un hôpital ou un médecin, n'ont pu obtenir une couverture professionnelle et ont dû cesser leur pratique. ...., on assiste à une percée de plus en plus importante d'un nouveau groupe professionnel, les infirmières-sages-femmes.

12.   *(Invention de la télévision couleur)* En voyant pour la première fois un récepteur couleur on est agréablement surpris. La télévision en couleur, ce n'est pas une image ordinaire à laquelle on aura surajouté de vagues teintes délavées ou criardes ; ...., la couleur est précise, subtile, fidèle.

Entre propositions uniquement

13. Les attaques continuent contre la pilule abortive RU 486. ....
    tout est calme à présent sur le front français, ... sans heurts, la
    Grande-Bretagne s'apprête à son tour à adopter cette technique, aux États-Unis,
    .... la bataille fait rage, et de nombreux États ont adopté
    des mesures restrictives par rapport à la loi de 1973, qui donnait le droit à
    l'avortement.

14. Les solutions existent, ... elles se heurtent aux
    barrières des résistances psychologiques et structurelles.

15. .... dans plusieurs pays se met en place une politique
    scientifique visant à obtenir des réponses précises et rapides aux problèmes cruciaux
    de l'environnement, les organismes de recherche et les universités ne peuvent faire
    face à ces défis que d'une façon très incomplète et inadéquate.

16. Les systèmes d'évaluation restent strictement disciplinaires, ...
    les recherches sur l'environnement sont essentiellement interdisciplinaires.

17. Il est paradoxal de constater que le milieu universitaire est, dans la plupart des pays,
    en pleine stagnation, ... les contacts entre environnementalistes
    et certains groupes industriels sont souvent très féconds en idées et en actions.

18. Seulement 5 % à 10 % des recherches actuelles sur l'environnement trouveront une
    application. .... elles ne s'attaquent pas aux vrais
    problèmes, ... elles arrivent trop tard, lorsque
    l'irréparable est déjà accompli, ou encore elles s'accommodent mal du caractère
    sectoriel de nos structures administratives.

19. Il est peut-être de bonne foi, ... , si c'était vraiment notre
    chien qui avait mangé sa chèvre, il serait venu nous le dire tout de suite.

20. .... nous avons réalisé des profits substantiels l'année
    dernière, ... nos pertes sont lourdes cette année.

21. .... la situation s'est réglée en ce qui concerne l'aspect
    financier, en revanche nous manquons toujours de personnel.

22. .... nous avons réglé nos problèmes d'argent, nous ne
    sommes pas au bout de nos peines.

23. .... nous ayons effacé notre déficit, la banque ne veut
    toujours pas nous prêter d'argent.

24. Nous n'avons pas à nous plaindre de notre chiffre d'affaires pour l'instant, ... le marasme économique ne demande qu'à nous atteindre nous aussi.

2.6 Différents modes d'explication

a) **Raison, preuve**

car
en effet
de fait

b) **Illustration, exemple**

ainsi
par exemple (en tête de phrase, certains préfèrent utiliser *ainsi*)

c) **Clarification (parfois oppositive, parfois simplificatrice)**

en fait
en réalité
en vérité (peut prendre une valeur concessive)
en somme, bref, en bref (avec valeur récapitulative)

d) **Confirmation, argument supplémentaire**

en fait, de fait
effectivement (souvent avec une valeur concessive)
certes (valeur concessive)
en effet (parfois valeur illustrative)
d'ailleurs, du reste (souvent par un autre aspect des choses)

EXERCICE 8
Ajoutez les mots-liens nécessaires et indiquez le mode d'explication qu'ils introduisent.

1. Les cellules de notre organisme doivent continuellement s'adapter, ... (.....................................) notre environnement est toujours en changement.

2. Notre environnement toujours en changement exige des cellules de notre organisme un effort continuel d'adaptation. .... (.......................), une brusque élévation de la température ambiante amène nos cellules à réagir en

synthétisant des protéines particulières, dites de choc thermique, et en développant une tolérance à la chaleur.

3. Notre environnement toujours en changement exige des cellules de notre organisme un effort continuel d'adaptation. Une brusque élévation de la température ambiante, ... (................................), amène nos cellules à réagir [...].

4. Il faut éviter que le manque partiel de résultats et de données absolument précises soit pris comme prétexte à l'inaction. .... (..............................), un certain degré d'incertitude scientifique est normal devant des systèmes complexes caractérisés par une dynamique non linéaire et un comportement chaotique.

5. *(Invention de la télévision couleur)* En voyant pour la première fois un récepteur couleur on est agréablement surpris. La télévision en couleur, ce n'est pas une image ordinaire à laquelle on aura surajouté de vagues teintes délavées ou criardes. Au contraire, la couleur est précise, subtile, fidèle. .... (.....................................), l'apport de la couleur à la télévision est probablement plus important qu'il ne l'a été dans le cas du cinéma ou de la photo.

6. Le nouveau premier ministre devra tenir compte d'une situation financière plus serrée que prévu. .... (.....................................), au lieu d'un surplus d'une vingtaine de millions de dollars, c'est vers un déficit d'environ 700 millions qu'on s'achemine cette année en Ontario.

7. La récession réduit les revenus anticipés et fait augmenter les dépenses sociales, avec pour conséquence que l'Ontario s'achemine vers un déficit de quelque 700 millions de dollars plutôt que vers un surplus. .... (...........................), un déficit de 700 millions n'est pas déterminant dans un budget de 45 milliards de dollars.

8. Dès avant les élections, il est apparu que le surplus serait plutôt un déficit. .... (...................................), trois jours après les élections, le trésorier sortant confirmait le sombre bilan.

9. Certaines personnes considèrent qu'une hausse du déficit est acceptable. .... (...................................), cela permet de ne pas sabrer dans les programmes sociaux, mais à moyen et à long terme l'incidence économique est entièrement négative.

10. Plus personne ne croit à la vertu des déficits. .... (........................), qui y a jamais cru ?

11. L'aspirine combat la fièvre, les céphalées, les douleurs musculaires, les inflammations, la goutte, la polyarthrite, et elle est utile dans les maladies à trombose ; ...., (..............................), c'est un médicament universel.

12. *Entre paragraphes*

Tahar Ben Jelloun a toujours joui de l'estime des critiques et, dans une moindre mesure toutefois avant le Prix Goncourt, de celle du public, qui a vite fait de l'écrivain le porte-parole de la culture maghrébine. Mais L'enfant de sable, paru en 1985, marque le vrai tournant. « [...] Le Goncourt a ensuite accentué cette réflexion. On ne s'adresse plus à 10 000 ou 20 000 personnes , mais à des centaines de milliers. Ça ne change pas mon style d'écriture ni mon besoin d'exigence, mais mon rapport avec ce travail, ce métier, est modifié. »

Le Goncourt, ... (..............................), marque une étape importante pour Ben Jelloun.

2.7 Conclusion

Il n'y a pas de mots propres à la conclusion si ce n'est l'expression *en conclusion* (ou *pour terminer*, *pour conclure*, très utilisées dans les discours). En fait, dans la plupart des textes, on conclut plusieurs fois, on ferme un point avant de passer à un autre. Les conséquences suivent normalement les causes, la simplification suit l'explication complexe, la concession suit la critique, etc. Pour choisir les bons mots de conclusion, ce qu'il faut donc, c'est bien déterminer le rapport de la conclusion avec le texte ou la partie de texte conclue. On évitera ainsi de recourir trop systématiquement à *donc* chaque fois qu'on termine un raisonnement ou à *en conclusion* dès qu'il s'agit de conclure un texte.

*****

Pour conclure nous-mêmes, nous vous proposons un exercice récapitulatif, qui terminera notre tour d'horizon des mots-liens et des expressions de liaison. Un survol aussi rapide que celui que nous venons de faire ne peut suffire à vous donner une véritable maîtrise des mots-liens. Il a dû, néanmoins, vous permettre d'en apprécier davantage la richesse et la complexité. C'est à vous maintenant d'en poursuivre l'étude, au fil de vos lectures et de vos travaux.

EXERCICE 9

Ajoutez mots-liens ou expressions d'enchaînement que vous choisirez dans l'ensemble des listes ci-dessus (énumération et analyse).

Environnement : les scientifiques ne veulent plus servir d'alibi

Les scientifiques s'accordent aujourd'hui sur la réalité des conséquences des activités humaines sur l'environnement. L'effet de serre ou le trou d'ozone,
(1) .... *(exemple)*, ne font plus de doute,
(2) .... *(concession)* les incertitudes demeurent quant à leur gravité et à leur évolution exacte à long terme. Cette convergence de vues est ressortie très clairement de la dernière conférence sur l'environnement qui s'est tenue courant mai à Bergen en Norvège. [...] Et (3) .... *(cause)* le colloque s'intitulait *Sustainable Development, Science and Policy*, les scientifiques ont largement insisté sur le fait que les politiques ne pouvaient plus arguer aujourd'hui des incertitudes scientifiques pour ne pas agir. [...] Les scientifiques ne veulent plus servir d'alibi aux politiques, a souligné Jostein Mykletun, secrétaire général du colloque.

(4) .... *(restriction)* le message n'est pas vraiment passé. La réunion des ministres de 34 pays représentés qui a suivi le colloque scientifique s'est conclue par une déclaration truffée de bonnes intentions sans aucun engagement concret. [...] Tout au plus trouve-t-on cette concession dans la déclaration finale : « ... nous sommes prêts à aider les pays en voie de développement dans leurs efforts de protection de l'environnement. »

Une des craintes qui a été exprimée dans les réunions de Bergen concerne (5) .... *(confirmation)* les conséquences pour l'environnement de l'accroissement de la population mondiale. [...] En tout état de cause, les nouvelles technologies moins polluantes utilisées progressivement par les pays industrialisés sont trop onéreuses pour les pays du tiers monde. (6) .... *(conséquence)*, quel système mettre en place pour que ceux-ci n'utilisent pas pour leur développement les technologies classiques, polluantes, mais plus abordables financièrement, qui ont permis notre industrialisation ? [...]

Dans un secteur scientifique aussi mal développé et organisé que celui de l'environnement, les scientifiques ont progressé relativement vite pour fournir aux politiques des éléments utiles à la prise de décision. (7) ....
(opposition) le consensus politique est loin d'être atteint entre les pays industrialisés eux-mêmes et bien plus encore entre les pays du Nord et ceux du Sud.

(D'après *La Recherche*, n° 223, p. 829)

Scandale au royaume de l'amiante !

L'Allemagne fédérale compte interdire sur son territoire la fabrication de certains produits à base d'amiante dès janvier 1991 et, à partir de janvier 1992, leur mise sur le marché. L'Association française de l'amiante proteste contre cette décision qu'elle juge discriminatoire et suceptible d'entraver la libre circulation des marchandises. (8) .... *(confirmation)*, la résolution allemande contrevient aux directives européennes qui fixent la liste des produits à base d'amiante dont la mise sur le marché et l'emploi sont autorisés. Ces mesures interdisent l'utilisation d'amiante, (9) .... *(exemple)*, pour la fabrication des jouets ou de matériaux destinés à être appliqués par projection sur des surfaces, (10) .... *(opposition)* autorisent son emploi pour la production de panneaux préfabriqués, de garnitures de freins ou d'embrayage, de vêtements de protection contre la chaleur ou de tuyaux en amiante-ciment.

[...] Tous les scientifiques admettent aujourd'hui que les fibres d'amiante à amphibole sont très néfastes. (11) .... *(opposition)*, la polémique continue en ce qui concerne les effets et les mécanismes d'action de la chrysotile, qui est l'amiante la plus utilisée dans le monde. (12) .... *(illustration, preuve)*, une étude publiée dans *Science* du 19 janvier dernier remet en question les directives de l'Agence américaine de protection de l'environnement et conclut que la « panique de l'amiante » aux États-Unis [et au Canada] est sans fondement. [...]

(D'après *La Recherche*, n⁰ 223, p. 830)

CORRIGÉ

Beaucoup de phrases des exercices ont été tirées de la presse ; d'autres ont été forgées. Lorsqu'il s'agit de phrases forgées, plusieurs possibilités sont généralement données. Lorsqu'il s'agit de phrases ou d'extraits de textes tirés de la presse et que plusieurs réponses sont données, la première correspond au mot ou à l'expression employé dans l'article.

1. **1**. et **2**. premièrement, deuxièmement, troisièmement (d'abord, ensuite, finalement (enfin) *ou* en premier lieu, en second lieu, en dernier lieu) **3**. En outre (De plus) (*En plus* ne s'emploie pas en tête de phrase à l'écrit.) **4**. D'une part, D'autre part (Les 2ᵉ et 3ᵉ phrases expliquent l'assertion de la 1ʳᵉ : le manque de données ne serait qu'un prétexte. *D'une part* et *d'autre part* additionnent les deux arguments. Mais on aurait pu exprimer plutôt le rapport d'explication et commencer la 2ᵉ phrase par *en effet*. Dans ce cas, *d'autre part* pourrait rester dans la 3ᵉ phrase, mais on retirerait sans doute *et surtout*. On a longtemps condamné l'emploi de *d'autre part* sans *d'une part*, mais peu d'écrivains ont jamais fait grand cas de cette condamnation.) **5**. d'abord, ensuite (aussi, également) (*Ensuite* garde ici une certaine valeur temporelle.) **6**. tout d'abord, aussi, également, ainsi que, Enfin, D'autre part (De plus, En outre)

2. **1**. Comme *ou* Étant donné que (expression toujours un peu lourde) *ou* Puisque (décourage toute discussion des tarifs) **2**. car (parce que) **3**. Comme (Étant donné que), puisque (étant donné que, à condition de ne pas l'avoir utilisé dans la phrase) **4**. car, D'ailleurs

    Commentaire général : *Comme* s'emploie davantage lorsque la proposition causale précède la principale ; *parce que* lorsqu'elle suit. *Vu que* aurait pu s'utiliser dans les phrases 1 et 3, mais la tournure serait plus désinvolte. On oublie facilement d'utiliser *comme* dans sa valeur causale ; or, c'est une conjonction légère, qui remplace avantageusement les expressions *étant donné que* et *vu que*.

3. **1**. Par conséquent (Aussi, Ainsi, En conséquence) **2**. Aussi (L'inversion ne permet que *aussi*. Notez l'absence de virgule après *aussi* lorsqu'il y a inversion.) **3**. donc (par conséquent) **4**. C'est pourquoi (sans virgule après) (Par conséquent, Aussi, Donc) **5**. Dès lors (Notez que *dès lors que* s'emploierait dans une construction contraire : *Dès lors que la partie patronale accédera à nos demandes, nous mettrons fin à la grève.*) **6**. et (L'absence de ponctuation ne permet que *et*.)

4. C'est dans la 3ᵉ phrase qu'*aussi* est mal employé. *Aussi* ne peut être employé en tête de phrase pour additionner une idée.

5.   (Pas de conditionnel après *si* ! Notez la concordance des temps.) **1**. Si **2**. Si **3**. Si (Dès lors que, Aussitôt que) **4**. Dès lors que (Aussitôt que) (*Quand, Lorsque, Dès que*, avec effacement de la valeur conditionnelle au profit d'une valeur toute temporelle.) **5**. Dans la mesure où (Dans la mesure que)

6.   **1**. comme **2**. de même (addition autant que comparaison) **3**. de même que (ainsi que, comme) **4**. De même que **5**. De même que, ainsi (*ainsi* renforce la comparaison)

7.   **1**. Or (Mais) (pas de virgule après *mais*) **2**. Certes **3**. Mais (Cependant, Toutefois) **4**. certes **5**. Par contre (En revanche, Cependant, Toutefois) **6**. Par contre (En revanche, Cependant, Toutefois) **7**. pourtant **8**. alors que, Or, pourtant **9**. or **10**. Mais **11**. Par contre (Cependant, Néanmoins, En revanche) **12**. au contraire

Entre propositions

13. Si, si, par contre (*Par contre* aurait pu être omis.) **14**. mais (simple valeur adversative) / même si (quoiqu') (valeur concessive) **15**. Tandis que (Alors que) **16**. alors que (tandis que) **17**. alors que (tandis que) **18**. Tantôt, tantôt **19**. quoique **20**. Autant, autant **21**. Si **22**. Même si (L'indicatif empêche *bien que* ou *quoique*.) **23**. Bien que (Quoique) (Le subjonctif empêche *même si*.) **24**. encore que (plus littéraire que *bien que* et *quoique*, aussi possibles)

8.   **1**. car (raison) **2**. Ainsi (illustration) (En tête de phrase, *ainsi* est d'un niveau de langue plus soutenu que *par exemple*, qui, cependant, convient aussi.) **3**. par exemple (illustration) **4**. En fait (En réalité) (clarification, confirmation) **5**. En fait (confirmation, argument supplémentaire) **6**. En effet (raison, confirmation) **7**. En réalité (En fait) (clarification) **8**. Effectivement (De fait) (confirmation) **9**. Effectivement (Certes) (confirmation avec valeur concessive) **10**. D'ailleurs (Du reste) (confirmation, argument supplémentaire) **11**. (en) bref (en somme, en fait) (clarification avec valeur récapitulative) **12**. de fait (confirmation)

9.   **1**. par exemple **2**. même si (bien que, quoique) (*Demeurent* peut être au subjonctif ou à l'indicatif.) **3**. parce que (comme) **4**. Mais (Cependant, Toutefois) **5**. en effet **6**. Dès lors (Alors, Par conséquent *ou* Dans ces circonstances (mais avec cette dernière expression l'idée de conséquence est effacée) **7**. Mais (Cependant, Toutefois) **8**. Effectivement **9**. par exemple **10**. mais **11**. En revanche **12**. Ainsi

Imprimé au Canada
Août 1997
pour les Éditions de la Faculté des lettres

 **UNIVERSITÉ LAVAL**

LES ÉDITIONS
DE LA FACULTÉ DES LETTRES

 ÉDITIONS FL

BON DE COMMANDE

Veuillez me faire parvenir _____ exemplaire(s) de l'ouvrage:

☐ *Exercices de prononciation des voyelles françaises*,
Jean-Guy LeBel et Gilbert Taggart
ISBN 2-9801669-2-8, 45 p., 9,35$ + 0,65$ TPS

☐ *Exercices de prononciation des voyelles françaises*,
2 cassettes 90 min chacune, sous la direction de Chantal LeBel,
12,98$ + 2,02$ TTC

☐ *Fiches correctives des sons du français*, Jean-Guy LeBel
ISBN 2-9801669-3-6, 459 p., 32$ + 2,24$ TPS

☐ *Le français apprivoisé*, S. Clamageran et al.
ISBN 2-9801669-0-1, 454 p., 24$ + 1,68$ TPS

☐ *Traité de correction phonétique ponctuelle*, Jean-Guy LeBel
ISBN 2-9801669-7-9, 279 p., 24$ + 1,68$ TPS

Ci-joint un chèque au montant de _____ $ à l'ordre de
Université Laval ou
Ci-joint bon de commande no_____

Nom:_____

Adresse:_____

_____

Code postal:_____ Tél.: (_____)_____

REMPLIR ET RETOURNER À:

Jean Simon
Direction générale de la formation continue
Université Laval
Cité Universitaire
Québec G1K 7P4
Téléphone : (418) 656-3210
          1-800-561-0478 poste 3210
Télécopieur : (418) 656-5538
Adresse électronique : jean.simon@dgfc.ulaval.ca

Note: Délai de 4 semaines pour livraison. Prix et disponibilité sujets à changements sans préavis.